W9-CEJ-910

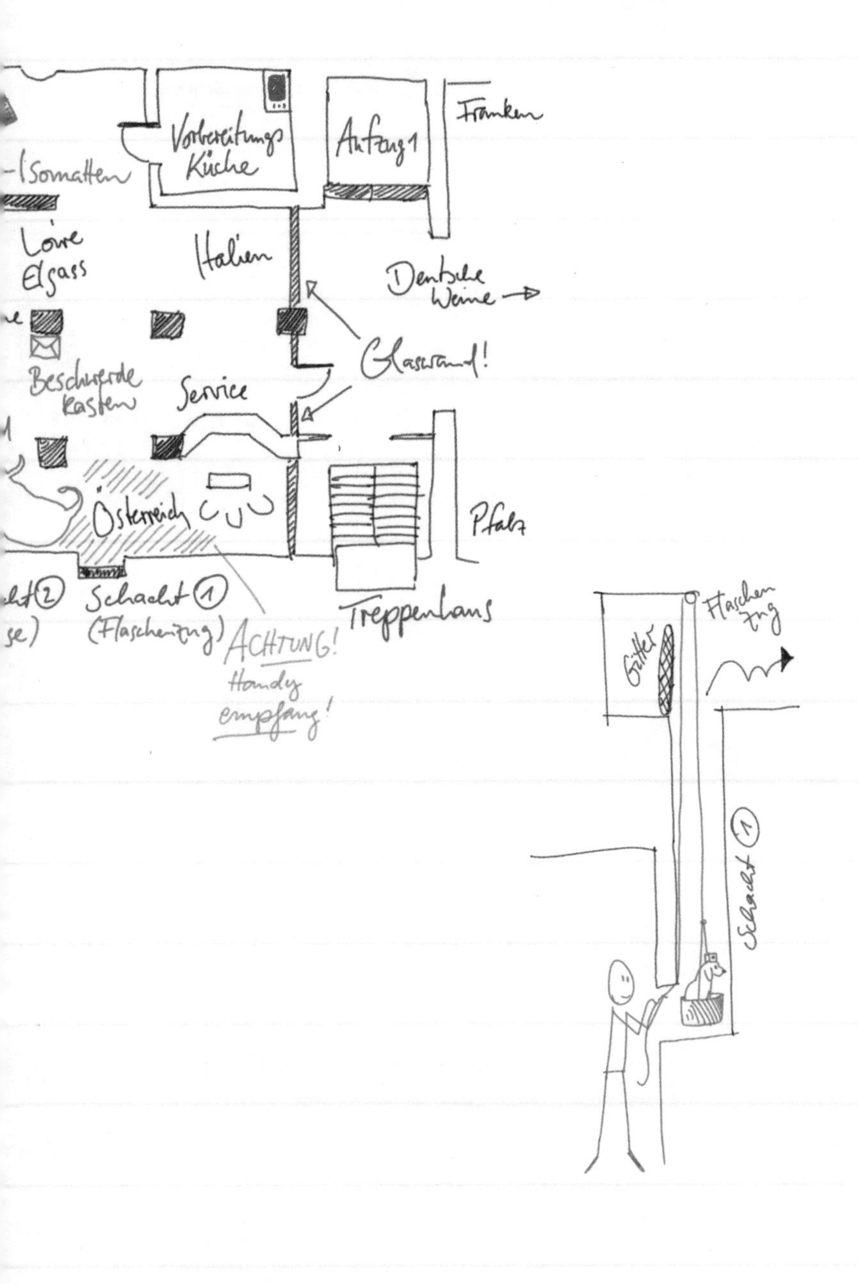
Vorbereitungs Küche
Aufzug 1
Franken
Isomatten
Loire
Elsass
Italien
Deutsche Weine
Glaswand!
Beschwerde Kasten
Service
Österreich
Pfalz
Schacht (1) (Flaschenzug)
Treppenhaus
ACHTUNG! Handy empfang!
Flaschenzug
Gitter
Schacht (1)

Übermann

Tommy Jaud wurde vor unfassbar langer Zeit in der fränkischen Automobil-Zulieferer-Metropole Schweinfurt geboren. Nach dem Abitur arbeitete Tommy für genau zwei Tage bei McDonald's (zuständig für McRib) und absolvierte danach ein Moderatoren-Praktikum bei Radio PrimaTon, einer Lokalradiostation neben dem Irish Pub Fiddlers Green.

1994 begann Jaud sein Germanistikstudium in Bamberg und moderierte bei Antenne Thüringen, wo er im Rahmen einer Bombendrohung den Headwriter von ›RTL Samstag Nacht‹ kennenlernte, der ihn nach Köln einlud. Jaud folgte der Einladung, verkaufte in zwei Wochen aber nur einen einzigen Witz* und kehrte enttäuscht nach Bamberg zurück, wo er nichts unversucht ließ, sein Studium doch noch erfolgreich abzubrechen.

Motiviert durch den Verkauf gleich mehrerer Witze an die Harald-Schmidt-Show, zog es ihn Ende der Neunziger wieder nach Köln, wo er u. a. für die ›Wochenshow‹ arbeitete und später als Creative Producer bei Anke Engelkes Kultsendung ›Ladykracher‹. 2004 schrieb Jaud seinen ersten Roman ›Vollidiot‹. Warum, weiß er bis heute nicht. ›Vollidiot‹ stand monatelang auf den Bestsellerlisten und im Schaufenster des Buchladens Sülzburgstraße (Köln).

In den folgenden Jahren erschienen ›Resturlaub. Das Zweitbuch‹, die ›Vollidiot‹-Fortsetzung ›Millionär‹ und ›Hummeldumm‹, der Jahresbestseller 2010. Tommy Jaud schrieb auch die Drehbücher zu den Kinokomödien ›Vollidiot‹ und ›Resturlaub‹ sowie zu der mit dem Deutschen Comedypreis ausgezeichneten Fernsehkomödie ›Zwei Weihnachtsmänner‹. Mit ›Überman. Der Roman‹ hat Jaud fristgerecht den dritten und vermutlich letzten Teil seiner Simon-Peters-Reihe abgeliefert. ›Überman‹ wurde vom Autor selbst auch als Hörbuch eingelesen.

Derzeit lebt und arbeitet Tommy Jaud als freier Autor vor allem in Köln.

Mehr über Tommy Jaud und das neue Buch ›Überman‹: www.tommyjaud.de

* »Der Bundestag soll verkleinert werden. Er heißt ab sofort Bundesvormittag.«

Tommy Jaud

Überman

Der Roman

Scherz

www.ueberman.de

www.fischerverlage.de

Erschienen bei Scherz,
einem Unternehmen der S. Fischer Verlag GmbH

Satz: Dörlemann Satz, Lemförde
Druck und Bindung: CPI – Ebner & Spiegel, Ulm
Printed in Germany

ISBN 978-3-651-00032-2

Gibt es in der Geschichte nur einen Fall,
bei dem die Mehrheit recht hatte?

Robert Heinlein

Keine Kekse mehr

Noch acht Tage

Spätestens seit es bei meinem Finanzberater keine leckeren Kekse mehr gab zu den Besprechungen, hätte ich ahnen müssen, dass irgendetwas nicht stimmt.

Den letzten Keks gab es, als ich mein letztes Finanzprodukt erwarb. Es handelte sich dabei um einen überaus leckeren Keks, denn er hatte Krokantsplitter obendrauf und eine fluffige Marzipanfüllung. Dann scherzten Kosmás Nikifóros Sarantakos und ich über dumme Fußballprofis, die ihr ganzes Geld für teure Autos verballern, und ich zeichnete eine steueroptimierte Beteiligung an einem Fonds, der über die Cayman Islands Flugzeugturbinen an namhafte brasilianische Airlines verleast, sowie gehebelte Discountzertifikate auf Magerschwein, das ist so eine Art verschärfte Wette darauf, dass der Preis für Magerschwein stabil bleibt oder steigt oder zumindest nicht schlimm fällt, und das ist gar nichts Besonderes, weil es das nicht nur für Magerschwein gibt, sondern auch für Baumwolle und fettes Schwein. »Essen werden die Leute immer«, hatte Sarantakos gesagt, und das leuchtete mir ein, weil man mich mit essbaren Argumenten sowieso immer kriegt. Dies hatte offenbar auch mein Finanzberater mit seinem dünnen schwarzen Haar und der schmalen Lederkrawatte schon bemerkt.

Das Seltsame war: Obwohl ich nie auch nur die geringste

Ahnung hatte, warum ich etwas daran verdienen sollte, wenn jemand ein Magerschwein hebelt, so vertraute ich Kosmás Nikifóros Sarantakos doch, schließlich hatte ich seine Visitenkarte nicht von irgendwem, sondern von Phil Konrad, dem einzigen meiner Freunde, der es zu etwas gebracht hatte, also außer Flik vielleicht, Paula und den anderen.

Am besten gefiel mir an meinem Finanzberater aber, dass er so gerissen war. Wer, wenn nicht Sarantakos, würde auf die Idee kommen, für ein bereits bezahltes Mehrfamilienhaus nachträglich einen Kredit aufzunehmen und Mieteinnahmen und Steuerersparnis in rumänische Waldfonds zu stecken? So etwas konnte nur Sarantakos! Er gab mir das Gefühl der Überlegenheit, er ließ mich lachen über den Börsenbericht in der ARD und die Eurokrise, denn Sarantakos und ich, wir waren ja schlauer als das verschreckte Fußvolk, das sich nach jeder Krisen-Talkshow zitternd winzige Goldbarren aus Flughafenautomaten zog und Schweizer Franken ins Kissen nähte.

Gut, inzwischen weiß ich es besser, aber hinterher ist man ja bekanntlich immer schlauer. Vorwürfe, ich sei naiv gewesen, würde ich wahnsinnig gerne von mir weisen, denn natürlich hab ich mich vor meinen Investitionen sorgsam umgehört: Keiner hatte Schlechtes zu berichten über Sarantakos (was natürlich in erster Linie damit zu tun hatte, dass ihn keiner kannte außer Phil, aber es hätte ihn ja auch jemand kennen können und dann Schlechtes berichten und dann hätte ich ihm keinen Euro anvertraut).

Auch im Netz hab ich mich schlaugemacht und erfahren, dass Sarantakos leidenschaftlicher Radrennfahrer ist (Platz 589 bei der Teutoburger-Wald-Rundfahrt), dreifacher Familienvater (jeweils ohne Sorgerecht) und 211 Freunde bei Facebook hat, darunter auch den ehemaligen Bundesliga-Star und RTL-Dschungel-Kandidat Ailton. Wie Sarantakos mir einmal persönlich verriet, betreute er darüber hinaus das Vermögen von unzähligen Promis aus Politik, Sport und Film. Er tat dies überaus professionell und diskret, denn ich habe in seinem Büro nie einen Promi zu Gesicht bekommen.

Und dann kam heute Vormittag der Moment, an dem mir Sarantakos in nahezu arglistiger Beiläufigkeit offenbarte, dass mein Plan nicht wirklich aufgegangen sei.

»Warum denn plötzlich ›mein Plan‹?«, hab ich Sarantakos gefragt, wo er doch sonst immer Formulierungen benutzt hatte wie »Das machen WIR so, mein lieber Herr Peters« oder »Da fahren WIR auf jeden Fall in den grünen Bereich«, aber plötzlich saß da ein ganz anderer Mann vor mir als der Sarantakos, den ich zu kennen glaubte, und der sagte plötzlich Sätze ohne das Wort »wir«, Sätze wie: »Wenn die Märkte runtergehen, können die Leute nicht zaubern«, oder: »Man kann der Wirtschaft nicht in den Kopf gucken.«

Ob er damit nun eine Taverne meinte oder die Wirtschaft insgesamt, hätte ich früher bestimmt gefragt, doch meine Scherze hatten sich bereits irgendwo zwischen Magerschwein und Mischwald verheddert. Es wäre ohnehin keine Zeit mehr gewesen zum Scherzen, denn Sarantakos' nächster Termin stand bereits an, sicherlich ein Promi, und dann wünschte mir Sarantakos noch alles Gute und sagte, Geld sei dann ja auch nicht alles im Leben.

Meine 22-seitige Vermögensübersicht habe ich im faden Neonlicht der Tiefgarage gelesen, und mit jeder Spalte von ebenso verlustreichen wie schwachsinnigen Finanzinstrumenten bin ich tiefer in den Sitz meines schwarzen Toyota Hilux gerutscht. Zwischen meiner Offshore-Windpark-Beteiligung und einem todsicheren Filmfonds (weil Justin Timberlake mitspielt) ging Gott sei Dank das Licht aus.

Und dann kam die Wut. Wie eine gigantische Welle brach sie über mich herein und riss alles mit, was sich ihr in den Weg stellte: die Vernunft, den dunklen Stoffdachhimmel meines Autos und natürlich ganz besonders jede einzelne der erbärmlichen Anti-Wut-Techniken aus dem Wutseminar. Für eine Sekunde dachte ich tatsächlich kurz daran, die Worte ›Liebe‹ und ›Frieden‹ in mein Wutbuch zu schreiben, doch da war meine rechte Hand schon durch den japanischen Dachhimmel, der Stoff riss ein und die Haut meiner Knöchel mit dazu. »ICH! IDIOT!«, schrie ich, und rasch wurde mein Auto zur Gummizelle. Das Bizarre: Ich war weder auf Phil wütend noch auf Sarantakos, sondern auf mich. ICH war es schließlich gewesen, der jeden noch so dämlichen Investment-Tipp aufgesaugt hatte wie ein frisch geborenes Kalb die Milch seiner Mutter. ICH hatte den rumänischen Mischwald unterschrieben, das fette Schwein und das brasilianische Triebwerk. ICH war hier der IDIOT!

Eine Viertelstunde lang saß ich einfach so da im Dunklen, und mit jeder Minute, in der ich auf das bunte Lämpchen für die Zündung starrte, begriff ich ein wenig mehr, was die minus 211,2 Prozent in meinem Portfolio bedeuteten: Sie bedeuteten, dass ich am Arsch war. Dass ich keinen verschissenen Cent mehr hatte. Dass ich nicht mal mehr den Kredit würde zahlen können für das Haus, in dem ja unsere Wohnung war.

Mir wurde schlecht, denn nun blühte mir exakt das, was mir mein Gehirn in diversen Low-Budget-Alpträumen seit Monaten präsentierte: Pfändung, Enteignung, Gosse, Prostitution sowie Drogensucht mit nachfolgendem Ausfall der Schneidezähne.

Mein Magen schrumpfte auf die Größe eines Pinienkerns, die Zähne begannen, sich selbst zu Staub zu mörsern, und als mein Körper mitbekam, was einzelne Teile von ihm so veranstalteten, da fing das Zittern an. Ein weiteres Mal hämmerte meine Faust gegen mein Auto, dieses Mal war es die Hupe. *Nööööööööökkkk!*, hallte es durch die Tiefgarage. Wie peinlich das alles war! Was würden die anderen sagen? Und Annabelle?

Irgendwann zog ich mich am eiskalten Lenkrad nach oben,

und obgleich meine Knöchel pochten vor Schmerz und Wut, wusste ich, was ich meiner Freundin von all dem erzählen würde: einen Scheiß! Annabelle würde es nicht erfahren, NIEMAND würde überhaupt IRGENDWAS erfahren, bis ich mich selbst wieder aus dieser unsäglichen griechischen Scheiße gezogen hatte.

Aber wie sollte ich das machen? Ich, der selbsternannte Spaßpräsident, der sich seit dem erfolgreichen Verkauf seiner Internetseite vornehmlich mit Partys, Fernsehen und sonstigem Unsinn die Zeit vertrieben hatte und dessen größte Wochenaufgabe es war, die leere Kiste Kölsch durch eine volle zu ersetzen? Wie sollte so jemand schnell wieder zu Geld kommen?

Apathisch zog ich mein Smartphone aus der Jeans und klickte mich zu meinem ewigen Ideenzettel. Ideen hatte ich viele und die meisten waren nur deswegen so gut, weil kein Mensch sie je umsetzen konnte. So wie die »Cloud für echte Sachen«, die ich vor einer Woche nach sieben Gin Tonic mit meinem Kumpel und Bürokollegen Manni Friedemeyer erfand: Warum sollte man nur zu Musik, Fotos und Daten überall und jederzeit Zugriff haben? Warum nicht zum Beispiel in Köln den Kühlschrank vollmachen und im Ferienhaus auf Mallorca steht eine Sekunde später exakt das Gleiche drin? Und würden Frauen nicht zalandoesk ausrasten, wäre ihre komplette Schuhsammlung von zu Hause bereits im Hotel inklusive Koffer und Abendkleid? Nicht auszudenken, wenn auch alle Freunde immer schon da wären, wo man selbst ist, und man sich gar nicht mehr verabreden müsste … Wie gesagt: sieben Gin Tonic.

Ich klickte mich weiter über »tragbarer U-Bahn-Eingang«, »Bierbike Las Vegas« bis zu »Jamie Oliver verklagen«, wobei ich mich daran erinnerte, dass ich hierbei durchaus Potential sah. Leider hatte ich vergessen, weswegen ich Jamie Oliver verklagen wollte. Weil man seine indischen Kolonial-Zutaten nirgendwo bekam? Weil man seine komplizierten Rezepte auch nach dem zehnten Durchlesen nicht verstand? Weil er … Engländer war?

Ratlos schaltete ich mein Smartphone aus, legte es auf den Beifahrersitz und beschloss, dass ich zuallererst wieder mit dem Rauchen anfangen würde. Dann flackerten die Neonröhren, und ein silbergrauer Jaguar mit Düsseldorfer Kennzeichen glitt zur Tiefgaragenausfahrt, von wo er lautlos in der tiefstehenden Wintersonne verschwand. Am Steuer saß ein Mann mit dünnem schwarzen Haar und einer schmalen Lederkrawatte.

Hatte Sarantakos nicht immer gesagt, Autos seien die schlechteste Geldanlage überhaupt? In meinem Fall war es noch die beste. Entschlossen gab ich ›Autohaus Karst‹ ins Navi und startete den Motor.

Das 1221-Minuten-Menü

Noch nie in meinem Leben stand ich so enthusiastisch in der Küche, denn: ES! IST! MIR! WIEDER! EINGEFALLEN! IM AUTOHAUS! Nicht nur, dass Jamie Oliver schon jetzt mit einem Bein im Knast steht, er wird mir auch den Arsch retten!

97 Minuten hab ich alleine für's Einkaufen der komplizierten Zutaten auf meiner Stoppuhr, und das für das einfachste seiner verlogenen 30-Minuten-Menüs: die ›Scharfe Salamipizza mit dreierlei Salaten und Kirschdessert‹. Ich zitiere hier mal kurz die bodenlose Anmaßung von einem Klappentext: *»Ein ganzes Menü in 30 Minuten kochen? Unmöglich, glauben Sie? Dann lassen Sie sich überraschen. Ich beweise Ihnen, dass Sie jede Menge leckere Sachen in einer halben Stunde auf den Tisch zaubern können!«*

Danke, Jamie. Und ich beweise dir, dass nicht eine halbe Stunde, sondern der ganze Abend draufgeht für deine halbgare Insel-Pampe. Eine ganze Stunde habe ich gebraucht, um in drei Supermärkten ›Mehl zum Bestäuben‹ zu suchen. Eine! Verschissene! Stunde! Für Mehl! Bis mir ein Verkäufer erklärte, dass es so was wie ›Mehl zum Bestäuben‹ gar nicht gibt. Das muss man sich mal reintun: Da kritzelt dieser selbsternannte Blitzkoch Zutaten in seine Menüs, die es gar nicht gibt! Aber das reicht ihm natürlich nicht, nein, Sir Jamie Oliver hat noch einen Trick auf Lager, um gutgläubige Buchkäufer bis Mitternacht an den Herd zu ketten: Damit man so richtig durcheinanderkommt, verteilt seine königliche Durchkocht die Zutaten für sein Menü noch so geschickt auf die einzelnen Gänge, dass man sie selbst rauspicken und zusammenrechnen muss. Klingt kompliziert? Ist es auch!

Beispiel: Was brauchen wir für mein Menü? Eine halbe Kugel Büffelmozzarella für den Pizzabelag (75 g) sowie 1 ½ Kugeln Büffelmozzarella für den Mozzarellasalat (185 g). Mal abgesehen von der Frage, warum eine halbe Kugel Mozzarella 75 Gramm wiegen soll und 1 ½ Kugeln dann 260 (statt 300 Gramm) – in welchem Supermarkt kriegt man bitte 260 Gramm Büffelmozzarella, außer vielleicht im 260 Gramm-Büffelmozzarella-Paradies? Und wo zum Teufel kauft man eine »interessante Mischung aus Tomaten in verschiedenen Farben und Größen«? Im Tomatenverschiedener-Farbe-und-Größe-Outlet? Sogar eine mickrige Chilischote kriegt dieser britische Aushilfs-Rach noch aufgeteilt: ½ Chilischote für den Salat sowie ½ Chilischote für die Pizza soll ich da kaufen.

»Guten Tag, haben Sie Chilischoten?«

»Aber natürlich!«

»Gut, dann hätte ich gerne eine halbe Chilischote für den Salat und eine halbe Chilischote für die Pizza!«

Hello? Anybody home, Jamie? Oder hast du dir gerade 'nen fetten Joint aus Yorkshirepudding, Cheddar und einem siebzehnten Achtel Thymian geknattert?

Ich halte die Stoppuhr an und zünde mir die erste Zigarette aus meiner brandneuen Packung Gauloises an. Kurzer Blick auf die Uhr: Eine gute halbe Stunde hab ich noch, dann wird meine rotblond gelockte Freundin Annabelle in der Küche stehen und grinsend fragen, was zum Teufel ich hier mache. Vielleicht sollte ich mir also noch mal einen Überblick über das komplette Rezept verschaffen.

Die Zigarette schmeckt schrecklich, ein gutes Zeichen, dass ich nicht mehr abhängig bin. Ich drücke sie aus und beuge mich über das Kochbuch. Schon beim vierten Satz bin ich raus. Da soll ich eine ofenfeste Pfanne auf kleiner Stufe erhitzen, aber warum? Steht nicht da. Außerdem soll ich ein Flügelmesser in die Küchenmaschine einsetzen. Was? Für? Eine? Verdammte? Küchenmaschine? Wenn der feine Herr Oliver will, dass ich mir für sein Jahrhundertrezept eine Küchenmaschine mit Flügelmessern kaufe, warum schreibt er es dann nicht auf das Cover oder zumindest zu den Zutaten: *1 Küchenmaschine (1000 Gramm) samt Flügelmesser zum Einsetzen* oder, pardon: *eine halbe Küchenmaschine für den Teig und eine halbe Küchenmaschine für die Kräuter.*

Ich genehmige mir eine weitere Kippe in der Hoffnung, dass diese besser schmeckt als die davor. Dann klappe ich meinen Laptop auf und gebe »Jamie Oliver Küchenmaschine« bei Amazon ein. Die Maschine kostet € 67,47, und wenn ich sie in den nächsten zwölf Minuten bestelle, bekomme ich sie sogar zum Frühstück geliefert. So beachtlich das aus logistischen Gesichtspunkten auch sein mag – diese Lieferzeit muss ich natürlich zur Zubereitungszeit addieren, schließlich ist die Küchenmaschine auf dem Buch nirgendwo erwähnt.

Zur Sicherheit schaue ich ein weiteres Mal, ob ich sonst noch was Außerplanmäßiges kaufen soll für das Rezept, einen Jamie-Oliver-Backofen vielleicht, ein Jamie-Oliver-Gewächshaus oder ein Jamie-Oliver-Atomkraftwerk. Als ich nichts mehr finde, drücke ich meine Zigarette aus und widme mich den drei Salaten.

Salat Nummer eins ist ein Tomatensalat. Ein To!ma!ten!sa!lat! Zu einer Pizza mit Tomaten! Ich heiße ja weder Lafer noch Mälzer, aber ist ein Tomatensalat mit Pizza nicht eventuell genauso dämlich wie eine Spaghetti Bolognese mit Nudelsalat? Brot mit Brötchen? Currywurst mit Currywurst?

Ich lese weiter. Jamie schreibt, ich soll die kleinen Tomaten mit der Hand zerdrücken und die großen in Stücke schneiden. Warum? Steht das in allen Ausgaben oder nur in der deutschen, von wegen: *Euer wahnsinniger Diktator hat die Salatbeete meiner Oma mit V2-Raketen beschossen, dafür lasse ich Euch jetzt verdammt noch mal Tomaten in verschiedenen Farben drücken und schneiden, bis ihr umfallt?* Lächerlich! Ich befolge die Anweisung natürlich trotzdem, geht ja alles auf's Zeitkonto.

Allein das Sortieren der Tomaten in Groß und Klein kostet mich fünf Minuten. Sollte ich überhaupt sortieren? Kein Wort im Rezept zum Sortiervorgang. Natürlich. Das ganze Buch ist ein kulinarischer Amoklauf. Ich mache mich an die bisher größte Herausforderung: den Pizzateig. Hierzu soll ich eine saubere Arbeitsfläche bemehlen, Mehl in eine Küchenmaschine schütten (die noch im Amazon-Zentrallager steht, ich nehme deswegen einfach unseren Mixer), das lauwarme Wasser dazugeben (WELCHES verdammte lauwarme Wasser und WIE VIEL davon?) und dann mit Olivenöl und Salz einen homogenen Teig mixen. Was um alles in der Welt ist ein homogener Teig? Ein Teig, in dem sich die einzelnen Zutaten echt gut miteinander verstehen? Ein milde lächelnder Waldorf-Teig, der seinen eigenen Belag tanzt? Also echt, der Typ macht mich fertig.

»So!«, sage ich laut und klemme den Deckel auf den Mixer. Als ich auf die Expresstaste drücke, heult das Gerät so laut auf, als würde es nicht nur die Zutaten zerkleinern, sondern den eigenen Motor gleich mit. Ich lupfe den Deckel, um mir den Teig anzuschauen: Es ist rein gar nichts passiert mit dem Teig. Vorsichtig drücke ich das Mehl mit der Hand nach unten, und ja, ich habe den Stecker des Mixers gezogen vorher, ich hab genug Splatter-Filme gesehen, rotzbesoffen zwar, aber ich hab sie gesehen. Ich mixe und mixe, hebe den Deckel und zünde mir eine taufrische Gauloise an. »Heterogen, der Teig!«, sage ich, checke die Zeit und bin zufrieden: Minute 127, also ohne Küchenmaschinen-Lieferzeit.

Leider steigt jetzt Rauch aus meiner Pfanne, von der Jamie geschrieben hat, dass ich sie erhitzen soll, ohne zu verraten warum.

Und dann steht da eine blondgelockte Frau mit offenem Mund und Sektflasche im Qualm und starrt mich an, als hätte ein rauchender Zyklop ihre Küche in Brand gesteckt.

»Wo ist denn unser Auto?«

Also ehrlich – unsere Küche sieht aus, als wäre soeben eine amerikanische Drohne durchgedonnert, und die Frau fragt, wo unser Auto ist.

»Bei Toyota!«, sage ich, was nicht mal gelogen ist.

»Echt? Und warum?«

»Rückrufaktion! Die … haben da irgendwie ein Stabilitätsproblem mit dem Dach.«

DAS war gelogen. Aber in jedem Fall besser als »Muss ich verkaufen, weil ich pleite bin und meine EC-Karte gesperrt.«

»Unfassbar. Und was kochst du?«

»Eine scharfe Salamipizza!«, antworte ich hektisch und schubse die heiße Pfanne vom Kochfeld.

»Im Mixer?«, fragt Annabelle, und dann geht der Rauchmelder los, den ich ihr zum dreißigsten Geburtstag geschenkt habe, und ich muss mit Kippe auf die Arbeitsplatte steigen, um ihn herauszudrehen, was ich sogar schaffe, nur dann trete ich mit meinen Socken in die brüllheiße Pfanne und schreie wie am Spieß.

Meiner Freundin fällt leider nichts Besseres ein, als einen verdammten Lachanfall zu bekommen, bei dem sie in die Hocke geht, so wie Frauen es machen, wenn sie beim Skifahren heimlich Löcher in den Schnee pinkeln. Ich reiße die Batterie aus dem Rauchmelder und pfeffere alles in die Plastikschüssel mit der interessanten Mischung aus Tomaten verschiedener Farbe und Größe.

»Scheiß-Britenschwuchtel-Nazi-Drecks-Teig-Mist-Rezept!«

Annabelle reagiert schnell. Noch während ich heruntersteige, reicht sie mir einen dicken schwarzen Filzstift und mein Wutbuch.

»Schnell, Schatz! Hier!«

»Vergiss es! Ich schreib da nicht ›Liebe‹ und ›Frieden‹ rein!«

»Dann 'ne andere Technik!«

»Nein!«

Die Liebe-Frieden-Technik ist eine von insgesamt zehn nicht funktionierenden Techniken aus dem Wutseminar, das Annabelle mir geschenkt hat. Und ich Idiot bin sogar hingegangen! Wie das Seminar war? Es war so schlecht, dass ich danach einen Werbeaufsteller vor dem Seminarraum umgetreten habe.

»Was soll denn der Sekt?«, frage ich und setze mich auf die Arbeitsplatte.

»Den trinken wir jetzt, gibt was zu feiern nämlich!« Meine Freundin strahlt, und ich hoffe sofort auf eine Beförderung. Allerdings – wie wird man in einem Waxing-Studio befördert? Vom Arschhaar zum Fußhaar? Annabelle schaltet den Herd aus, und ich versuche vorsichtig, mit den Händen an meine verkohlten Beinstümpfe zu kommen.

»Kannst du vielleicht vor dem Feiern kurz nach meinem Fuß schauen? Bitte?« Mit zugekniffenen Augen strecke ich den Fuß von mir. Ich kann gar nicht hinsehen. Ich konnte noch nie hinsehen, ich falle schon in Ohnmacht, wenn im ZDF-Vorabend-Krimi ein Unbekannter durch ein Altbaufenster schaut. »Es ist alles zu Klump verbrannt, oder?«, jammere ich mit geschlossenen Augen.

»Ach Schnuppes, doch nicht wegen der einen Sekunde in der Pfanne!«

»Fühlt sich an wie dreißig Minuten! Und nenn mich nicht Schnuppes, das klingt wie Tuppes …«

»Gut, Simon. Ich ziehe den Socken jetzt aus, okay?«

»Ja. Falls ich in Ohnmacht falle und nicht wieder aufwache: Danke für alles, Feechen!«

»Du bist so ein Weichei! Und nenn mich nicht Feechen, das klingt wie Fähnchen.«

Es tut höllisch weh, als Annabelle mir den Socken auszieht, und ich bin mir ganz sicher, dass sie gleich noch einen Quadratmeter qualmender Haut mit abzieht …

»Es ist nur noch ein blutender Stumpf, oder?«

Annabelle rollt mit den Augen. »Schau halt selbst, da ist gar nichts!«

Ich greife ihre Hand. »Feechen, hör mir zu. Wenn ich … wenn ich nicht mehr gehen kann, dann will ich auch nicht mehr leben. Ich will nicht auf dem Bauch ins Büro robben, und ich will auch nicht so ein erbärmliches Holzwägelchen wie Eddie Murphy in *Glücksritter*!«

»Schahaaaatz! Schau hin! Es ist NICHTS!«

»Gar nichts?«

»Nein! Nichts. Das ist N.I.C.H.T.S!«

Vorsichtig öffne ich ein Auge. Annabelle hat recht. Es ist wirklich nichts.

Während ich von der Arbeitsplatte steige, zieht sie ihren neuen Wintermantel aus und öffnet den Sekt. Ein neuer Wintermantel. Das heißt, sie IST befördert worden. Sehr gut, das nimmt ein wenig Druck aus der Finanzgeschichte.

»Was ist denn passiert, dass du plötzlich kochst?«

»Ich koche nicht, ich klage an!«

»Und wen?«

Der Sektkorken ploppt heraus. Ich deute auf das Kochbuch. »Jamie Oliver. Ich verklage Jamie Oliver!«

»Weil du seine Gerichte nicht hinkriegst?«, grinst Annabelle.

»Nein. Weil man seine 30-Minuten-Menüs niemals in 30 Minuten schafft. Ich verklage ihn wegen Betrug und Falschaussage. Hier!« Ich schiebe Annabelle mein Kochbuch rüber, auf dessen Cover ein grinsender Berufsjugendlicher in Jeans und weißblauer Trainingsjacke posiert. Titel: *Jamies 30-Minuten-Menüs.* Annabelle blättert es durch.

»Wie behauptet er das denn mit den dreißig Minuten?«

»Er behauptet es nicht nur, er schreibt sogar, dass er es beweist. Und er wirbt damit, und dann kauft man das Buch, weil man sich sagt ›Mensch, ein Menü in 30 Minuten, ich hab so wenig Zeit, das kauf ich mir mal‹, und peng hat er unsere sauer verdienten Teutonen-Euros in seinem englischen Geldsack! Das macht der extra, weißt du?«

»Extra?«

»Wegen dem Krieg.«

»Und … bei welcher Minute bist du jetzt?«

»Bei Minute 157!«

»Logisch. Du kannst ja auch nicht kochen.«

»Schau doch mal auf's Cover, Annabelle. Steht da irgendwo ›Nur für erfahrene Köche‹?«

»Da steht: ›Genial geplant – blitzschnell gekocht‹.«

Ein wenig ratlos legt Annabelle das Kochbuch weg.

»Wenn dir so langweilig ist, warum suchst du dir nicht wieder einen Job?«

»Mir ist nicht langweilig und Jobs sind was für Arbeitslose. Ich sorge für Gerechtigkeit!«

»Toll …!«

»Aber jetzt sag mal: Warum der Sekt?«

Ich bekomme ein Glas gereicht und blicke in das Gesicht einer glücklichen Frau. »Heute hab ich endlich den Mut gehabt. Ich hab's tatsächlich gemacht!«

»Du bist Bahn gefahren ohne Ticket?«

»Ich hab gekündigt heute!«

Ich will etwas sagen, doch stattdessen japse ich nach Luft. Das Einzige, was ich herausgewürgt bekomme, ist ein »Herzlichen Glückwunsch …!«.

»Haste nicht gedacht, dass ich das mache, oder?«

»Äh … nein. Ich meine, mir war schon klar, dass du nicht bis zu deinem Lebensende anderer Leute Arschhaar jäten willst, aber …«

»Hallo? Ich hab nie Arschhaar gejätet, ich bin im Marketing!«

Zitternd zünde ich mir eine weitere Zigarette an.

»Trotzdem hatte ich immer dieses Bild vor Augen …«

»Jedenfalls …«, unterbricht mich Annabelle und strahlt weiter, »… und jetzt halt dich fest – sie nehmen mich in Geisenheim!«

»In Geisenheim?«, wiederhole ich. »Internationale Weinwirtschaft. Der Bachelor-Studiengang mit den … hohen Gebühren!«

»Richtig!«

»Und … da nehmen sie dich!«

»Genau. Heute Morgen kam der Brief, dass ich zugelassen bin zum Studium. Sag mal, ist alles in Ordnung mir dir?«

»Klar!«, keucht es aus meinem rauchigen Hals, »es ist nur einfach so überraschend!«

Und dann umarmt mich Annabelle, und ich muss meine Zigarette zur Seite halten, damit ich ihren blauen Pullover nicht abfackle.

»Ohne dich könnte ich mir das nie leisten! Danke, dass du mich unterstützt, mein Schnuppes.«

»Aber ich bitte dich!«, lache ich großherzig und bin froh, dass Annabelle meine metertiefen Panikfurchen im Gesicht nicht sieht. Noch während ich Annabelles freudig pochendes Herzchen an meiner Brust spüre, gehe ich die Kosten für ihr dreijähriges Bachelor-Studium durch: Semesterbeiträge, Wohnung, Fahrtkosten, die verpflichtenden Auslandsaufenthalte …

»Freust du dich gar nicht?«

»Klar, ich frage mich nur gerade, ob die Leute in der Krise noch so viel Wein trinken und nicht lieber Bier, also … ob das ein sinnvolles Studium ist …«

»In der Krise«, lächelt Annabelle und reicht mir mein Sektglas,

»trinken die Leute ganz besonders viel Wein. Auf mein Studium?«

Ich bemühe mich um ein erfreutes Gesicht und dann stoßen wir an. »Auf dein … Studium!«

Ich weiß auch nicht warum, aber in einer Sekunde ist mein Glas leer.

»Knallt nicht schlecht«, sage ich und schenke mir zur Beruhigung gleich einen zweiten nach, »was 'n das für ein Sekt?«

»Das ist ein 2008er Cava von Juvé y Camps. Blumig, fruchtig, leichte mineralische Säure, riechst du den Honig?«

Erschrocken stelle ich das Glas ab. »Die panschen da Honig rein, die Spanier?«

»Ach Schnuppes, du bist hoffnungslos. Aber immerhin – du kochst! Wann … ist es denn fertig?«

»Dauert noch ein bisschen …«

Exakt 111 Minuten später hole ich die Salamipizza aus dem Ofen und stelle sie neben die drei Salate und das Kirschdessert. Annabelle bestaunt neugierig die dampfende Pizza, zur Feier des Tages hat sie auch noch einen Wein geöffnet.

»Was trinkst du da?«, frage ich.

»Einen ›Evangelos Tsantalis‹ aus Griechenland. Magst du auch ein Glas?«

»Natürlich nicht«, antworte ich reflexartig.

»Ich krieg dich nie zum Wein, oder?«, seufzt Annabelle ein wenig enttäuscht.

»Da müsste schon ziemlich viel passieren!«, sage ich und sehe, wie Annabelle sich ein Stück von der Pizza nimmt.

Hastig klopfe ich es ihr wieder aus der Hand. »Feechen, das dürfen wir doch nicht essen!«

»Nich …?«

Das mag ich an Annabelle: ihre großen Augen, wenn sie was

nicht versteht oder hilflos ist, vermutlich, weil es so eine Art Beschützerinstinkt auslöst in mir.

»Aber ich dachte, das ist unser Menü …«

»Das ist kein Menü, das ist ein Beweis!«

»Und was essen wir dann?«

Ich öffne den Kühlschrank und präsentiere zwei Packungen CurryKing. »Ach Simon! An so einem besonderen Abend …!«

Ich stehe noch neben dem geöffneten Kühlschrank, da fällt schon die Wohnungstür ins Schloss, und als ich zum Fenster humple mit meinem blutenden Stumpf und Annabelle die Straße überqueren sehe, da wünsche ich mir, es wäre gestern und wir hätten einfach so feiern können.

Doch so leicht lass ich mich nicht unterkriegen. Annabelle wird studieren, und wir werden hier wohnen bleiben mit allen Zähnen und ohne Knast und Drogensucht.

Die Flasche ›Evangelos Tsantalis‹ wandert trotzdem in den Ausguss. Ich denke mal, ich bin da irgendwie unglücklich drangekommen. Griechischer Wein! Bei allem Respekt vor Udo Jürgens – irgendwann ist Schluss mit lustig.

Ganze Kraft von unendliche Kosmos

Noch sieben Tage

Es muss unfassbar schmutzig sein in unserem Schlafzimmer, warum sonst sollte unsere Putzfrau die Bodendüse unseres brandneuen Parkett-Staubsaugers immer und immer wieder gegen unser schönes Kirschholzbett donnern?

Ich taste nach Annabelle und greife ins Leere. Dass sie nicht da ist, bedeutet, dass es in jedem Fall schon nach sieben Uhr ist. Dass Lala schon da ist, bedeutet wiederum, dass es mindestens drei Stunden später als sieben Uhr ist, und alles zusammen bedeutet, dass ich verdammt nochmal aufstehen muss, um mit dem weiterzumachen, womit ich letzte Nacht aufgehört habe: mit der klammheimlichen Blitzentschuldung eines naiven Vollspackos, der seine kompletten Rücklagen in rumänischen Mischwäldern und geleasten brasilianischen Triebwerken verfeuert hat. Und wieder knallt Lala die Düse gegen mein Bett. Ja, sieht diese hohle Balkanhupe denn nicht, dass da noch jemand drin liegt?

»Siiimon!«

»Jaaaaaaaa, verdammt nochmal!«

Für wenige Augenblicke bieten mir Bettdecke und Kissen noch Schutz, dann wird es plötzlich hell, und ich liege mit nicht viel mehr als meiner roten Schnellficker-Unterhose auf dem Bett. Eilig spüre ich nach, ob ich eine Morgenlatte habe, was Lala sofort noch höher auf die Palme bringt: »Schämst du dich, an dir rumzuspielen, wenn ich arbeite in gleiche Zimmer!«

»Du hast die Decke doch weggezogen!«

»Weil ich nicht kann arbeiten, wenn ganze Haus ist voller Leute!«, empört sich Lala, und leider muss ich sagen, dass das jedes Mal so geht: Lala kommt und wir streiten wie ein altes Ehepaar.

Hastig ziehe ich mir ein T-Shirt über. »Was denn für Leute?«

»Bist du Leute genug! Brauch ich keine dicke, faule Kontrolleur.«

Ich rolle mich zur Bettkante und richte mich auf, was Lala sofort ausnutzt, indem sie mit der Bodendüse gegen meinen linken Fuß fährt.

»Aua!«, rufe ich.

»Ist es elf Uhr fast! Warum liegst du Loch in Bett?«

»Weil ich nachts gearbeitet habe und erst um vier ins Bett bin, verdammt nochmal!«

Dank einer geschickten Körpertäuschung gelingt es mir, das Bett ohne weitere Blessuren zu verlassen.

»Was hast du gemacht nachts?«

»Eine Stellenanzeige aufgegeben für eine neue Raumpflegerin!«

Der Staubsauger geht aus, und der Hauch eines Lächelns legt sich über Lalas grimmiges Gesicht wie eine dünne Frischhaltefolie.

»Dann niemand mehr bringt dir Pljeskavica!«

»Was ist das?«

»Kroatische Spezialiätät! Hab ich mitgebracht für meine Simon.«

»Danke. Nehm ich mit ins Büro.«

»Nein, isst du hier, will ich sehen, dass du nicht wieder wegwirfst. Was hast du denn an Auge, Simon?«

Grummelnd schleppe ich mich ins Badezimmer, wobei mir

die bleischweren Alpträume feist grinsend hinterhertaumeln, als wollten sie sich ebenfalls duschen.

Die Träume handelten im Wesentlichen alle davon, dass ich gescheitert war und in der Gosse landen würde. So sammelte ich träumlings Pfandflaschen in einer Elefantenrüssel-Unterhose, was mir aber nichts brachte, da die Flaschen von der neunköpfigen Pfand-Jury unter Vorsitz von Kosmás Nikifóros Sarantakos nicht anerkannt wurden. Später sollte ich mit meinem Körpergewicht einen großen, weißblauen Zeppelin am Boden halten, doch plötzlich war ich ganz schmächtig und wurde weit hoch in die Luft gezogen. Als ich am Seil zum Zeppelin hochklettern wollte, sah ich, dass es gar kein Zeppelin war, sondern ein grotesk aufgeblähter Sarantakos. Und noch einen Alptraum hatte ich: Als weißer Fahrbahn-Trennstreifen verkleidet, wollte ich mir auf der A3 das Leben nehmen, doch als ich mich hinlegte, merkte ich, dass der Straßenbelag viel zu weich war für eine Autobahn und außerdem nach Ouzo roch: Das war gar nicht die A3, das war schon wieder Sarantakos, der sich als A3 verkleidet hatte. Schweißgebadet wachte ich auf und musste mich an Annabelle kuscheln, um überhaupt den Mut zu finden, noch mal einzuschlafen.

Die Stunden zwischen Annabelles Kündigungs-Verkündung und kroatischem Bodendüsenangriff, sie waren eine Mischung aus Horrorträumen und panischer Ideensuche. Um kurz vor drei hatte ich meine Liste mit den Ideen aus meinem Smartphone ergänzt, die ich gleich am Vormittag mit meinem Anwalt Lars Ditters besprechen wollte.

Ich schrieb sogar eine kurze Mail an meinen ehemaligen Geschäftspartner Shahin, ob wir nicht mal wieder ein Bier trinken wollten. Mit ihm hatte ich es vor Jahren ja schon mal vom versoffenen Beschwerde-Junkie zum Millionär geschafft, und das mit genau meinem Thema: einer Webseite, bei der sich reiche Leute über einen Strohmann (uns) über Dinge beschweren konnten, für die sie sich zu fein waren. Vier Millionen hat eBay uns bezahlt für whatsyourproblem.de, was sich nach so wahnsinnig viel anhört, dass man sofort an »ausgesorgt« denkt, aber geteilt durch zwei waren es nur noch zwei Millionen, minus Einkommenssteuer blieb etwas über eine Million – und dann kam Sarantakos.

Mehrere Kubikmeter eiskaltes Wasser ergießen sich über mich, wach werde ich trotzdem nicht. Hektisch schlüpfe ich in alte und ungebügelte Klamotten und sehe augenblicklich so aus, wie ich mich fühle. Lala hat recht: Ich hab tatsächlich ein blaues Auge und als ich es mit meinem iPhone fotografiere, hab ich auch schon eine Ahnung woher. In jedem Fall werde ich es Ditters zeigen. An Lala vorbei schleiche ich mich in die Küche. Mein erster Gang ist der zu unserem teuren Schweizer Kaffee-Vollautomaten. Einen schnellen Kaffee noch und dann auf in den Kampf!

»Simon! Vergisst du nicht die Pljeskavica!«, krakeelt es aus dem Schlafzimmer.

»Jaaa!«, rufe ich, denn einen Streit mit Lala kann ich jetzt nicht auch noch gebrauchen, ich weiß ja, wie schnell sie ihre Arbeit abbricht, und dann schickt sie sofort ihren wahnsinnigen Cousin, um ja kein Geld zu verlieren, und zwar den Cousin, der im Herbst sternhagelvoll und nackt in unserer Badewanne lag und in voller Lautstärke Radio Dubrovnik über unser Webradio hörte. Was will man machen? Eine gute Putzfrau möchte man nicht verlieren. Eine nicht ganz so gute auch nicht. Nicht mal eine schlechte Putzfau will man verlieren, heutzutage, und genau das wissen alle schlechten Putzfrauen auch. Und jetzt werde ich sie verlieren, weil ich sie nicht mehr zahlen kann, wenn ich nicht sofort mit einer Raketenidee finanziell auf Neustart gehe.

Ich drücke die große Kaffeetaste. Nichts passiert. ›Bohnen füllen‹, meldet die Maschine. Also fülle ich Bohnen nach und drücke erneut auf die Kaffeetaste. »Schale leeren«, steht auf dem Display. Nach Jamie Olivers Tomatenmischung der nächste Fall von Deutschenhass: Jura liefert manipulierte Maschinen mit extra vielen Fehlermeldungen an uns »Tüütschi«, und wenn wir dann mit unserem Kaiser-Wilhelm-Dialekt auf der Hotline anrufen, dann stellen sie laut in ihrem Berner Büro und bepissen sich vor Lachen. Angespannt leere ich die Schale, und als ich sie wieder einsetze, entdecke ich einen Zettel von Lala: »Tank voll mit gute Wasser!«, steht drauf.

»Au Mann …!«, stöhne ich und drücke auf die Kaffeetaste, und dann passiert ein verdammtes Wunder: Die Maschine macht einen Kaffee! Aus gutem Wasser!

Die Sache ist so: Lala ist leider esoterisch geworden in letzter Zeit, und man muss schon einigermaßen gut ausgeschlafen sein, um darüber hinwegzusehen, was ich heute nicht bin. Lala füllt zum Beispiel das Bügelwasser mit positiver Energie, indem sie es minutenlang zulabert mit Tankstellen-Mantras wie »Bist du gute Wasser, kräftige Wasser!« und »Saugst du auf die ganze Kraft von unendliche Kosmos!« Manchmal klebt sie auch nur einen Zettel drauf, auf dem so was steht wie »Wundervolle Wasser, wir mögen dich!«

Ich hab den Unsinn natürlich sofort gegoogelt. Folgendes: Irgendein bekloppter Laborkittel-Japse hat die Auswirkung von Musik und Stimmungen auf Wasserkristalle untersucht und behauptet nun ernsthaft, Wasser hätte so etwas wie ein Gedächtnis. Es gibt Fotos von Wasserkristallen, die mit Beethoven beschallt wurden – prächtig und stolz sehen sie aus. Und es gibt Fotos von Kristallen, die man mit Heavy Metal beschallt hat. Sie sehen aus wie Leute, die Heavy Metal hören.

Das mit dem Bügelwasser macht Lala nur für mich, hat sie mal gesagt, denn schließlich landet die positive Energie über den

Wasserdampf dann ja auch auf meiner Kleidung. Einmal habe ich gewagt zu fragen, warum sie dann nicht gleich meine Klamotten zulabert statt das Bügelwasser, aber das war ein Fehler, denn dann hat sie mir, dem Unwissenden, in einer seltsam gütigen Überheblichkeit erklärt, dass Kleidung ja keine Wasserkristalle habe und demzufolge auch keine Information annehmen könne.

»Meine Jeans sind also dumm, Lala?«

»Nicht dumm. Sie sind einfach nichts!«

»Ah …«

Leider blieb es nicht beim Bequatschen von Bügelwasser, denn im Laufe der letzten Monate habe ich erfahren, dass es so ziemlich keine Verschwörungstheorie gibt, die Lala nicht glaubt. Obama ein Alien? Aber natürlich, das sieht man doch schon an seinem federnden Gang. Warum die Kondensstreifen so lange am Himmel stehen? Weil die Amerikaner absichtlich giftige Chemikalien ins Kerosin kippen, um die Erderwärmung aufzuhalten. Das Erdbeben auf Haiti? Fukushima? Die Euro-Krise? In schierer Bösartigkeit und Machtgier entwickelt und gesteuert aus unterirdischen amerikanischen Geheim-Labors.

Überhaupt sind es immer die Amerikaner. Nicht, dass ich jetzt alles, was die Amis machen, super finde, so wie ein zahnbespangter Teenager, der sich zitternd und mit offener Hose sein erstes Rihanna-Video runterlädt, aber ALLES kann man den Amis dann ja auch nicht in die Schuhe schieben. Okay, sie haben den Irak und Afghanistan in Schutt und Asche gelegt, unsere Währung zerstört und Thomas Gottschalk wiederholt ausreisen lassen, aber sonst? Ganz ehrlich, es macht mich irgendwie fertig, wenn ein halbwegs normaler Mensch so einen Bullshit glaubt. Vielleicht ist es derzeit auch deswegen so schlimm mit Lala, weil bald die Welt untergeht. Soll ja den einen oder anderen Einzeller nervös machen.

Vor einer Weile hab ich Lala gefragt, ob sie nicht auch glaubt, dass sie langsam verrückt wird, und hab den Einlauf des Jahres verpasst bekommen. Höhnisch hat sie den Putzlappen geschwenkt, und ich musste mir anhören, dass sie bessere Putzstellen hätte mit gebildeteren Leuten in geschmackvolleren Wohnungen, das sehe man schon an unserem Baumarkt-Laminat und an der Kleidung, aber auch am Stil insgesamt, neureich seien wir eben und ohne Bildung. Ich war geschockt, weil ich mir ja tatsächlich minderwertiges Laminat habe andrehen lassen vom Zwirbeljupp, und kurz blitzte auch mein Abi-Schnitt von 3,9 auf, aber aus Angst vor ihrem Cousin und Radio Dubrovnik habe ich sie einfach weiterreden lassen. Als sie weg war, habe ich eine Flasche Rotwein mit Rammsteins »Ich tu dir weh« beschallt und ihr eine Woche später geschenkt.

»Hier! Isst du auf!« Lala steht direkt neben mir mit einem prallen Alufolienpäckchen, aus dem irgendeine schwere, eitrige Flüssigkeit suppt. Es gibt keine Fluchtmöglichkeit.

»Ess ich später, Lala, ich muss los!«

»Für Pljeskavica immer Zeit!«

Wie gesagt: Eine gute Putzfrau will man nicht verlieren. Also nehme ich das klebrige Paket entgegen, und meine Zähne arbeiten sich tief in die kroatische Fleischtasche vor. Sie schmeckt nach … sagen wir: mehrfach erbrochenem Amsel-Käse-Lurch mit Eiterfurz.

»Was ist das Weiße?«, frage ich.

»Käse!«, antwortet Lala mit der Haltung einer ukrainischen Knast-Aufseherin.

»Köstlich!«, lüge ich, und ein schwerer Batzen Lurchsperma tropft auf den Holztisch.

»Sagst du aber nicht nur nicht, weil du glaubst, ich will hören?«

»Nein, wirklich ganz hervorragend«, flunkere ich, als auf meinem Handy eine Nachricht von Ditters aufpoppt, dass er auf mich wartet. Gut! Sehr gut sogar!

Ich lege den oder die oder das Pljeskavica zur Seite und springe auf. Lala hat sich inzwischen eine Zigarette angemacht und hustend den Küchenfernseher eingeschaltet.

»Wenn Pljeskavica dir schmeckt, bring ich übermorgen meine Topf mit Krautwickel. Hier, schaust du: ›Wieder Grippewelle auf Vormarsch!‹ Wir werden alle sterben!«

N24 zeigt Bilder von einem schniefenden Mehlkopf in einem Büro. Typisch, die Frittenbuden-Journalisten machen, was sie wollen, man könnte ebenso gut titeln: ›Büroluft macht Mehlköpfe krank‹.

»Vielleicht sollte ich mich impfen lassen?«, frage ich Lala, doch die schlägt die Hände über dem Kopf zusammen.

»Um Himmels willen, nein!«

»Nicht? Und warum nicht?«

»Weil Amerikaner machen Nano-Roboter in Impfstoff!«

»Und warum sollten sie so etwas tun, die Amerikaner?«

»Können sie uns alle überwachen und fernsteuern!«

»Das machen doch Google, Apple und Facebook schon.«

»Ja, aber der Google weiß nur, was du machst in Internet. Mit Nano-Roboter in Blut wirst du willenlose Körper von amerikanische Gehirn.«

Die neue Qualität von Lalas Verschwörungstheorien ist beeindruckend.

»Und das steht wo?«

»Im Internet!«

»Aber das kontrollieren doch die Amis. Würden sie dann so eine Info nicht löschen?«

Strike. Nach einer kurzen Schrecksekunde nimmt Lala hektisch das Putzen wieder auf.

»Gehst du aus dem Weg, muss ich Tisch saubermachen.«

Grinsend schlüpfe ich in meinen hellbraunen Mantel und packe die tiefgefrorenen 30-Minuten-Beweismittel von gestern

Abend in eine Kühltüte. Um eine längere Diskussion zu vermeiden, verspreche ich Lala zum Abschied, mich nicht impfen zu lassen. Wir umarmen uns, und Lala küsst mich wie immer auf den Mund (ohne Zunge), was ich aus den bekannten Gründen geschehen lasse. Ich hab den Türgriff schon in der Hand, da lugt Lala noch einmal aus der Küche.

»Simon, kannst du mir noch Weihnachtsgeld geben vor Weltuntergang?«

»Alles klar, gerne. Denkst du vorher noch an die Wäsche?«

»Wirst du Zeichen schon noch sehen. Versuch ich nur, Augen dir zu öffnen!«

Schweren Herzens gehe ich in Annabelles Zimmer, wo ich ihre Spargiraffe so lange schüttle, bis so viele Münzen und Scheine rausfallen, dass ich den Tag überstehe. Keine Ahnung, warum die EC-Karte gestern im REWE nicht mehr ging, vielleicht sollte ich nach zwei Jahren ja meinen Kontostand doch mal checken?

Ich verabschiede mich mit einem »Dein Pilawa, der war köstlich!«

»Pljeskavica!«, krächzt es zurück, doch da kracht schon die Tür ins Schloss.

Während ich die Treppen nach unten zur Straße stampfe, stelle ich mir vor, wie ein Obama-förmiger Komet auf Lala kracht, und zwar nur auf sie. Ich stecke den Schlüssel ins Schloss der Garage und schaue stumm zu, wie das Tor hochfährt und den Blick auf ein einsames Regal mit Elektroschrott und Farbresten freigibt. Es dauert fast eine Minute, bis sich die beiden Informationen »Garage leer« und »Auto zur Bewertung beim Toyota-Händler« zu einem sinnvollen Gesamtbild zusammenfügen.

Kausalketten

Während der Bahnfahrt zu meinem Anwalt google ich »Nano-Roboter« auf meinem iPhone, finde aber nur einen Artikel über eine ostafrikanische Spinne, die auf stinkende Socken steht.

Bevor ich weitersuchen kann, muss ich aussteigen, und ein paar Minuten später sitze ich auf dem nächsten knallharten Acrylstuhl, nur dass dieser jetzt von der Designerfirma Kartell ist, wie mir Ditters in einem rotweißen Karohemd erklärt, und nicht von den Kölner Verkehrsbetrieben.

Eigentlich mag ich Lars Ditters ja, weil er so eine Art Anti-Anwalt ist mit seinen fast zwei Metern Größe, den bunten Holzfällerhemden und der rotbraunen Merkel-Topffrisur. Nur heute mag ich ihn irgendwie nicht, wie er so skeptisch in seinem Plastikstuhl klemmt mit seiner neuen, albernen Riesenbrille und die tiefgefrorenen Beweise auf meiner Ideenliste hin- und herschiebt, statt mich begeistert zu fragen, wo um alles in der Welt ich diese genialen Ideen herhabe.

»Die reine Zubereitungszeit hätte mir gereicht, Simon.«

Feindselig fixiere ich Ditters' Brillenparodie. »Dann sag das doch vorher, wir hätten's gern gegessen nämlich.«

Ditters lupft amüsiert einen der Tupperdeckel und lugt hinein. »Ich weiß nicht so recht. DAS hättest du gegessen?«

»Mensch … gestern Abend warst du doch noch begeistert und hast gesagt, wir verklagen die Britenschwuchtel auf Betrug und Falschaussage!«

»Das war deine Formulierung. Britenschwuchtel hab ich bestimmt nicht gesagt.«

»Mein Gott, du machst aber auch ein Ding draus, dass du schwul bist!«

Ein wenig schwerfällig steht Ditters auf, setzt sich auf die Schreibtischkante und kratzt sich an seinem rotbraunen Fünftagebart. »Du bist dir deiner Stimme nicht bewusst, oder?«, flüstert er.

»Die wissen das immer noch nicht?«

»Simon!«

»Natürlich wissen sie's! Du hast Karohemden mit pinken Quadraten. Du wohnst zwischen DOME-Fetisch und der Phoenix-Sauna. Du hast Blumen auf dem Tisch und schwarze Lederhosen an, manchmal.«

»Ja, wenn ich mit dem Motorrad hier bin. Und wie gesagt: Man kann dich hören!«

»Wie du willst – dann nix mehr mit schwul ab sofort.«

»Danke. Also … wie lange hast du denn jetzt gebraucht für ein Menü?«

»1221 Minuten.«

»Bullshit. Du hast niemals 1221 Minuten an dem Menü gekocht. Das sind ja … über zwanzig Stunden!«

»Absolut. Weil ich nämlich die Lieferzeit für die Küchenmaschine mit reingerechnet habe.«

»Das ist unfassbar kreativ, Simon, aber damit kommen wir nicht durch.«

»Warum nicht?«, wehre ich mich, »auf dem Cover steht nichts davon, dass man eine Maschine braucht, und wenn man keine hat, kann man das Menü nicht kochen. Für mich ist das Betrug!«

»Für den Richter aber vermutlich nicht. Wir müssen nämlich zuerst mal nachweisen, dass der unbefangene Verbraucher die Gerichte nicht in einer halben Stunde kochen kann. Ohne

Einkaufen und ohne eine noch nicht gelieferte Küchenmaschine.«

»Bevor ich das mache, wäre ja eine Sache ganz interessant: Wie viel Kohle ist da für uns drin in der Klage gegen die Britenschwuchtel? Und wann krieg ich die?«

»Simon?«

»Äh … gegen Jamie Oliver?«

»Also in Deutschland ist das bei so was mit dem Geldverdienen ein bisschen schwierig. Vermutlich bekommst du hier nur eine Minderung für den Buchpreis durch, bestenfalls Mangelfolgeschäden.«

»Mangel bitte was?«

»Na ja … ein verpatztes Dinner, dadurch Job verloren und so weiter, aber das ist tricky, weil hier die Kausalkette für die Schäden schnell unterbrochen ist. Lustiger wäre das sicher in den USA.«

»Lustiger? Ich klag doch nicht, um mich zu bepissen.«

»Das weiß ich. Trotzdem schwierig in Deutschland.«

»Verstehe. Aber wenn ich jetzt zum Beispiel einen amerikanischen Geschäftspartner zum Essen eingeladen hätte zu Hause und nicht fertig werde, weil ich gedacht habe, das Menü sei in einer halben Stunde zubereitet, und dann kriegt mein Geschäftspartner so schlechte Laune, dass der Deal über die 20 Milliarden Dollar teure Server-Farm in South Carolina platzt, dann ist doch Jamie Oliver schuld!«

»Hast du denn einen zwanzig-Milliarden-Dollar-Server-Farm-Deal?«

»Natürlich nicht«

»Eben. Noch was?«

»Ja, ich möchte, dass wir Apple verklagen.«

»Oh … das ist jetzt wieder was Neues. Wegen was verklagen wir Apple?«

Ich deute auf mein linkes Auge. »Ich hab im Bett Spiegel Online gelesen auf dem iPhone.«

»Ja und?«

»Da isses mir beim Einschlafen aufs Auge gefallen!«

»Ach Simon …«, stöhnt Ditters.

»Weißt du, wie scheißenglitschig das Ding ist?«, protestiere ich. »'ne Gefängnisseife ist Schleifpapier gegen das iPhone! Und in der Bedienungsanleitung steht kein Wort von ›nicht im Bett lesen‹.«

»Wie gesagt – vergiss es.«

»Weil du dich nicht traust gegen die Anwälte aus Kalifornien?«

»Nein, weil es knatschbekloppter Unsinn ist!«

»Knatschbekloppt ist ein unfassbar schwules Wort.«

»Überhaupt nicht!«

»Wohl.«

»Gar nicht!«

Enttäuscht streiche ich *Apple verklagen* von meiner Liste, und gemeinsam schauen wir durch das beeindruckende Panoramafenster in den von zahllosen Kondensstreifen zerfetzten, knallblauen Winterhimmel über Köln.

»Die packen da Chemikalien rein, die Amis, um die Erderwärmung aufzuhalten«, sage ich.

»In unsere Fenster?«

»Ins Kerosin von den Flugzeugen. Die Streifen stehen viel zu lange am Himmel.«

»Sagt wer?«

»Meine Putzfrau.«

»Na dann …«

Für einen Augenblick steht ein unangenehmes Schweigen im Raum. Ditters vertreibt es mit einem »Sonst noch was, Simon?«

Ich rutsche ein wenig hoch, greife nach meiner Liste und suche die Passage mit dem Kopfhörer. »Idee Nummer vierzehn: Der Crime-Safe-Diebstahlkopfhörer.«

»Du willst allen Ernstes diese Liste durchgehen, oder?«

»Ja, das würde ich wahnsinnig gerne machen.«

»Okay, den Kopfhörer hab ich nicht ganz verstanden irgendwie.«

»Ganz einfach«, erkläre ich, »wenn dir jemand dein Smartphone klaut, geht die Musik aus.«

Ditters legt die Liste zur Seite und seine klobige Legobrille neben die Plastikschale mit dem Tomatensalat aus einer interessanten Mischung in verschiedenen Farben und Größen.

»Aber geht die Musik nicht immer aus, wenn man die Kopfhörer ausstöpselt?«

»Das ist ja das Geniale, weil ich dann einfach irgendwelche Billig-Kopfhörer nehmen kann aus China und als teure Crime-Safe-Edition verkaufen. Geht das rechtlich?«

»Simon, sorry, aber das ist einfach nur albern.«

»Weißt du, was wäre, wenn es nach dir ginge? Wir würden alle noch mit der Kutsche fahren und *Dalli Dalli* auf Schwarzweiß-Fernsehern gucken. Autos? Albern! Menschen auf dem Mond? Niemals! Es gäb nicht mal 'ne Schwulenbar, weil ja keiner zugeben würde, dass er schwul ist!«

»Simon, ich hab noch einen ernsthaften Termin gleich.«

Sauer schiele ich auf meine Liste. Zwei Ideen hab ich ja noch.

»Was hältst du denn von wirsaufens.de? Die Leute schicken ihre alten Flaschen ein mit ungetrunkenem Partyfusel, und wir verkaufen den Alkohol an Pharmaunternehmen, oder –«

»Wie langweilig genau ist dir eigentlich, Simon?«

»Mir ist nicht langweilig!«

»Ich muss trotzdem zum Oberlandesgericht jetzt. Also, warum quatschen wir nicht, wenn du was Konkretes hast?«

»Hab ich doch! Eine Idee nach der anderen hab ich! ›wergrilltwas.de‹ zum Beispiel, da haben wir noch gar nicht drüber geredet, das ist eine soziale, location-based App für Wurstfreunde ohne Grill.«

Kopfschüttelnd steht Ditters auf und klopft mir auf die Schulter. »Grillen. Im Dezember. Klar.«

»Gerade dann sind Wurstfreunde ohne Grill besonders verzweifelt! Wir könnten auch eine Gay-Version machen mit schwulen Wurstfreunden ohne Grill. Oder ohne Wurst und mit Grill!«

»Ruf mich an, wenn du mich wirklich brauchst!«

Ditters nutzt den Schulterklopfer und geleitet mich pseudofreundschaftlich zur Tür. Man könnte auch sagen, dass ich nach draußen geschoben werde. Glücklicherweise kann ich mich kurz am Türrahmen festkrallen.

»Bevor ich gehe: Hast du dich eigentlich jemals gefragt, warum es in Las Vegas keine Bierbikes gibt?«

»Nein. Tschüss, Simon!«

»Tschüss, Lars, und wenn du allen Ernstes Angst vor einem Outing oder so hast: dein Hemd IST dein Outing!«

»Einen schönen Tag wünsch ich dir!«

»Bussi!«

»Verpiss dich!«

Da ist es wieder, das knatschbekloppte Sarantakos-Gefühl. Ich halte mein homophiles Lächeln noch genau bis zum Aufzug. Als die Tür sicher zu ist, ritze ich mit meinem Haustürschlüssel »Schwuler Brillenhobbit« in die Aufzugskabine und drücke alle Tasten. Eine saublöde Idee schon alleine deswegen, weil Ditters' Kanzlei im 31. Stock ist.

Demnach zu wenig gezahlt:

Als ich den Schlüssel zu unserem Gemeinschaftsbüro umdrehe, hoffe ich inständig, dass weder der sportfanatische Manni da ist noch Paula mit ihrem selten fressgeilen Hund, einem Beagle, der allen Ernstes ›Evil La Boum Tsunami‹ heißt.

Meine Gebete werden erhört. Keiner da, der mich zu einer Demo für ein veganes Oktoberfest überreden will oder zu einer Kicker-Partie, die ich ohnehin verliere. Es ist die Stunde der Wahrheit: Ideenliste meets Kontostand meets Finanzamt Köln-Nord. Ich will mich gerade in meinen fair gehandelten Baumwoll-Bürostuhl sacken lassen, da schießt ein hellbrauner Beagle mit weißem Bauch schwanzwedelnd auf mich zu. Nicht, dass Evil La Boum Tsunami mich lieber mag als Paula oder Manni – seine Liebe zu mir basiert in erster Linie auf den Billig-Bockwürsten, mit denen ich ihn immer dann füttere, wenn Paula ihn mit mir im Büro alleinlässt. (Wenn ich Paula schon nicht mehr beeinflussen kann, dann mache ich wenigstens ihren Hund fett.)

»Keine Wurst heute, Evilchen, der Onkel hat kein Geld mehr«, erkläre ich das aus Beaglesicht Unbegreifliche und streichle ihn. Als Evil merkt, dass es wirklich nichts gibt, schleicht er mit gesenktem Kopf zurück in sein Körbchen an Paulas Tisch.

Ich tippe gerade mein Codewort (Saupillemannarschloch) in den Rechner, da bemerke ich einen Tetrapak H-Milch neben der Tastatur und zwei Zehn-Cent-Münzen. Paulas Schrift, natürlich! Mit nach oben gezogenen Augenbrauen lese ich den Text:

Lieber Kaffeetrinker, warum Industriemilch? So viel mehr kostet ein Liter Bio-Milch! Gruß, Paula.

Stöhnend schiebe ich die Milch zur Seite und wünsche mir meine alte Paula zurück. Die Paula, mit der ich nach einer Kneipentour noch einen Burger mit Transfett-Pommes essen konnte und über das Leben philosophieren und die Liebe. Doch diese Paula ist Vergangenheit. Sie hat sich nämlich radikalisiert durch diverse Bio-Seiten im Internet, und nun ist sie so was wie eine Öko-Taliban, die nicht müde wird, ihre hilflose Umgebung mit nachhaltigem Themenwurstsalat zu bombardieren.

Dabei fing alles ganz harmlos an mit ein paar Bioprodukten in unserem Gemeinschaftskühlschrank, und natürlich hätten Manni und ich wachsamer sein müssen, aber wir konnten ja nicht ahnen, in welche Richtung das alles gehen würde. Der Wechsel zu einem Ökostrom-Anbieter war für uns ja noch völlig okay, die paar Euro mehr konnte man schließlich schon investieren in die Umwelt. Bedenklich wurde es erst, als man mit Paula in kein normales Restaurant mehr gehen konnte, wenn es nicht »bio« war. In einer Nacht-und-Nebel-Aktion wurden dann unsere schönen Ikea-Büromöbel ausgetauscht gegen fair gehandelte Öko-Möbel, und kurz darauf bekamen Manni und ich die Spitznamen »Flauschi« (ich) und »Kuschelweich« (Manni), weil Paula fand, dass wir nach ekelhaftem, chemischem Industrieweichspüler rochen. Das war kein Scherz, sie riecht es wirklich: Wenn Manni oder ich am Wochenende auch nur eine Sekunde im Büro waren, um eine Runde zu kickern – Paula riecht es montags vier Blöcke gegen den Wind, und wir haben »Flauschi, bitte lüften!«-Post-its am Bildschirm und »Kuschelweich, Fenster auf!«

Das war noch die moderate Phase. Die radikale begann, als Paula und ihre Guerilla-Gardening-Freunde anfingen, mit Hilfe einer neuartigen, ferngesteuerten Drohne Hanfbomben auf die

Dachgärten von Banken fallen zu lassen, um sie dann, also wenn etwas gewachsen war, wegen Drogenbesitz anonym anzuzeigen. Immerhin: Die Drohne ist jetzt im Gemeinschaftsbesitz unseres Büros, und Manni und ich hatten schon großen Spaß daran, alle möglichen Leute damit in den Wahnsinn zu treiben.

Ich nutze die Gunst des menschenleeren Büros, um mir eine Zigarette anzuzünden, und überlege, mit was ich anfangen soll – Liste? Kontostand? Steuer? Auto? Ich entscheide mich für eine leichte Aufwärmaufgabe und rufe beim Autohaus Karst an, um zu fragen, ob sie mein Auto schon bewertet haben. In jedem Fall würde mir das Geld für den Hilux erst einmal Luft verschaffen bis zum Ende des Jahres.

»Achttausendfünfhundert Euro?!?«, tobe ich. »Für einen komplett neuwertigen Hilux, inklusive Sommerreifen auf Felge und PEZ-Spender? Haben Sie auch nur den Funken einer Ahnung, was ein Kredit für ein Mehrfamilienhaus kostet im Monat und ein Bachelor-Studium in Geisenheim?«

Sie haben keine Idee, und eine Frau mit geduckter Graumaus-Stimme verweist auf angeblich faustgroße Löcher im Dachhimmel.

»Dann hol ich ihn wieder ab. Achtfünf ist mir zu wenig. Wie lange haben Sie auf?«

»Achtzehn Uhr. Ich glaube aber, nicht, dass Sie woanders –«

Wütend lege ich auf.

Als ich mir die nächste Zigarette anzünde, fällt mein Blick auf den Schuhkarton mit den Briefen vom Finanzamt. Jetzt wäre eigentlich ein idealer Zeitpunkt, der Realität in ihr kühl blitzendes Auge zu sehen. Oder sollte ich erst mal auf mein Girokonto schauen? Irgendwas muss da ja passiert sein, wenn keine meiner EC-Karten mehr geht. Aber was?

Ich könnte gerade kotzen. Vor drei Tagen hätte ich mein

Konto noch selbst ausgleichen können und jetzt – vielen Dank noch mal an den 589. der Teutoburger Wald-Rundfahrt. Möge er bei seinem nächsten Rennen mit hundert Sachen in eine Thüringer Grillstation krachen und sich so lange brennend überschlagen, bis ihm ein rumänischer Mischholz-LKW über seine griechischen Eier fährt.

Ich halte inne, horche, und schließlich rufe ich »Manni?« Nichts. Gut so. Mit merklich erhöhtem Puls nehme ich den Deckel des Schuhkartons ab. Zuerst zähle ich die Umschläge. Es sind 21, allesamt vom Finanzamt Köln-Nord. Ich überlege, ob 21 gut oder schlecht ist, und komme zu dem Schluss, dass man gar nicht wissen kann, ob 21 gut oder schlecht ist, weil 21 einfach nur die Anzahl der Briefe ist, die ungeöffnet in meinem Karton liegen. 21 an sich ist keine Information. 21 gibt lediglich einen Hinweis auf die Fülle an Information. Ich beschließe, einen der Briefe zu öffnen. Nur welchen?

Ich stehe auf und gehe in die Küche, Evil La Boum folgt mir begeistert. Als er allerdings bemerkt, wie ich mir von dem Jack Daniels eingieße, der von der letzten Büroparty übriggeblieben ist, schaut er ziemlich erschrocken.

Der Whisky schmeckt beschissen, ein gutes Zeichen, dass ich nicht abhängig bin. Dafür hab ich jetzt den Mut, die Briefe wenigstens mal anzufassen. Sie fühlen sich alle gleich an. Schließlich ordne ich die Briefe nach Datumsstempel, starte iTunes und beschalle sie zweimal mit *Nossa Nossa* von Michel Teló.

Mit angehaltenem Atem reiße ich den obersten Umschlag auf und ziehe den Briefbogen raus. ›FESTSETZUNG‹ steht groß unter meinem Namen und darunter diverse viel zu große Summen in diversen Spalten, von denen eine ›ABZURECHNEN SIND‹ heißt und die andere ›BEREITS GEZAHLT‹. Ich hab Steuern gezahlt? Das ist ja phantastisch! Aber für was haben sie es ausgegeben? Kindergärten? Kreisverkehre? Kanalsanierung?

Für den Hauch einer Sekunde erhalte ich mein schönes Gefühl aufrecht, dann sehe ich die Summe, die hinter ›DEMNACH ZU WENIG GEZAHLT‹ steht. Sie ist nicht nur fett gedruckt, sie hat auch sechs Stellen, vor dem Komma. Direkt hinter der Summe ist ein Sternchen, und als ich das Sternchen schließlich ganz unten auf der Seite finde, steht dahinter der ebenso lapidare wie niederschmetternde Satz: *Die mit * gekennzeichneten Beträge werden, wenn sie fällig geworden sind, vom Konto 897 892 765 bei der Sparkasse Köln-Bonn durch Lastschrift eingezogen.*

Was heißt das denn, *wenn sie fällig geworden sind*? Was soll denn dieses blöde Drumherumgerede? Ich geh doch auch nicht zu irgendeiner Tussi in 'nem Club, steck ihr ein Sternchen in die Haare und sag, dass ich ihr Bescheid gebe, wenn sie fällig ist. Sekunden darauf erstarrt mein Strohfeuer-Grinsen zu einer grotesken Grimasse. Der gekennzeichnete Betrag ist nämlich eine sechsstellige Summe in Euro. ICH bin die Tussi mit dem Sternchen im Haar. Und am 21. 12. 2012 bin ich fällig.

»Scheiße!«, sage ich laut. Aber warum am 21. 12. 2012? Also entweder sitzt da ein Spaßvogel im Finanzamt oder ein direkter Nachfahre der Maya. Ich starre auf meine weiße Retro-Bürouhr mit Kalenderblatt. DEC 14 steht da. Sieben Tage nur noch, bis mich das Finanzamt knallt.

SIEBEN! VERDAMMTE! TAGE!

Ich zünde mir eine weitere Zigarette an und zittere ›Steuerschulden‹ und ›Knast‹ in meinen Laptop. Bei *gutefrage.net* gibt's eine recht passende Antwort auf die Frage: *Was passiert, wenn man seine Finanzamt-Schulden nicht zahlen kann?* Ein gewisser mafusius schreibt:

> Nicht bezahlte Steuern bei Selbständigen ist klar eine Steuerhinterziehung!!! Man nimmt das Geld des Staates als Treuhänder vom Kunden und ist verpflichtet, dieses Geld an den Staat abzuführen.

Wer dies nicht tut, wird sich früher oder später vor einem Richter wiederfinden, und der wird es nicht schwer haben, Betrug nachzuweisen, was zu 90 % mit Gefängnisstrafe endet! Ich spreche aus Erfahrung, meine Damen und Herren. Sie können in Deutschland jedem oder jeder Geld schulden, nur nicht dem Staat!

Fast schon panisch klicke ich *gutefrage.net* weg, und dann nehme ich noch einmal meinen ganzen Mut zusammen und öffne zum ersten Mal seit einem Jahr die Internetseite der Sparkasse Köln-Bonn, die, warum auch immer, komplett auf Kölsch daherkommt: *Hätzlich wellkumme beim kölsche Internet-Banking vun der Sparkasse Köln-Bonn* steht ganz oben auf der Seite. Sind da jetzt die Höhner im Vorstand oder was? So was hat es bei der Deutschen Bank nicht gegeben, aber da bin ich ja nun nicht mehr, weil wenn ich keinen Kalender kriege zu Weihnachten, dann bin ich konsequent. (Paula habe ich natürlich gesagt, ich sei da weg, weil die mit Lebensmitteln zocken, sie war sehr stolz auf mich.) Egal. Ich gebe meine Kontonummer ein und meine PIN, klicke auf *Giro-Detailüvversich* und starre auf meinen Kontostand.

Minus 21 898,78 EUR steht da. Wenigstens steht minus davor und nicht *Wat fott es, es fott.*

Zitternd wechsle ich die Sprache von Kölsch auf Deutsch. Der Kontostand bleibt derselbe. Auf Französisch ebenso: *Etat du compte:* – 21 898,78 EUR. Merci. Türkisch: *Hesap durumu:* – 21 898,78 EUR. Was kuckst du so blöd? Also, von den Türken hätte ich mir mehr Solidarität erhofft, wo wir den kleinen Mesut immer mitkicken lassen in unserer Nationalmannschaft, und das, obwohl er bei der Hymne streikt.

Ich klicke auf *Cikis,* von dem ich glaube, dass es *avmelde* bedeutet, und komme zu dem Schluss, dass es ein Wunder ist, dass ich überhaupt noch Geld bekommen habe die letzten Wochen.

Mein Handy klingelt, Annabelle steht auf dem Display. Nicht, dass ich meine Freundin mit ihren Studienplänen nicht liebe, aber es gibt so was wie den komplett falschen Zeitpunkt. Jetzt zum Beispiel.

»Ja?«

»Schnuppes, wegen heute Abend … Magst du einen Wein besorgen, ich hab schon Blumen.«

»Blumen für wen?«

Schweigen am anderen Ende der Leitung. Nach einer Weile hake ich nach.

»Wir telefonieren, Schatz, du musst was sagen ab und an?«

»Stichwort Pulheim?«

Die Einladung bei Flik und Daniela! »Das ist heute?«, frage ich entsetzt.

»Ich hab auch keine Lust, aber es ist halt mal heute, und es sind unsere Freunde.«

»Dann sagen wir ab!«

»Weil?«

»Weil … wir keinen Bock haben. Das wäre doch mal ehrlich.«

»Ehrlich vielleicht, aber im Gegensatz zu dir finde ich den Gedanken ganz nett, Freunde zu haben.«

»Dann suchen wir uns neue oder denken uns was anderes aus!«

»Haben wir schon zweimal gemacht: Einmal haben wir gesagt, dass du eine Tofu-Allergie hast und kotzt wie ein Springbrunnen, und das andere Mal hat es gebrannt bei uns im Haus.«

»Es hat gebrannt?«

»Ja!«

»Im Nachhinein klingt das ganz schön unglaubwürdig.«

»Eben!«

»Also gut, wir fahren hin.«

»Und du besorgst einen schönen Wein?«

»In jedem Fall!«

»Du weißt, wie viel Vertrauensvorschuss das gerade für mich bedeutet?«

»Ich werd mich beraten lassen.«

»Super, bis später!«

Bleischwer sacke ich in meinen Bürostuhl und lege die zwanzig Cent von Paula neben den letzten Euro aus meinem Portemonnaie. Jetzt ist es passiert. Das, was ich mein Leben lang vermeiden wollte. Ich muss Phil anpumpen. Ausgerechnet Phil. Nach einer weiteren Zigarette rufe ich ihn schweren Herzens an.

»Hey, Phil. Wo steckst du?«

»Immer noch Zimmer 502. Warum interessiert dich das plötzlich?«

»Du bist noch im Krankenhaus?«

»Nein, du Otto, sie haben mich ins Hyatt verlegt, weil ich das Essen nicht mochte. Was ist?«

»Ich wollte dich mal besuchen, das ist!«

»Glaub ich nicht. Es gibt Kuchen, ich leg jetzt auf!«

Was er tatsächlich macht.

Bevor ich das Büro verlasse, schreibe ich noch eine Nachricht für Paula, hefte sie an ihren Bildschirm und lege meinen letzten Euro daneben.

Liebe Veganerin, warum teure Tofu-Würstchen? So viel weniger kostet ein Mettbrötchen bei Merzenich! Gruß, Flauschi

Kopfsteinpflasterlied

Phil Konrad sitzt mit brennender Kippe und roter Kapuzenjacke vor dem rotbraun gekachelten Klinikeingang, glotzt ein Loch in sein Handy und wirkt wie ein runtergefeierter Punkrock-Sänger, dem eine Dreijährige gerade seine Sneakers abgezogen hat.

Dass dieser blasse Typ Geschäftsführer einer TV-Produktionsfirma ist, mit gleich drei gut laufenden Formaten auf drei Sendern, man würde es nicht glauben. Als Phil mich kommen sieht, pumpt er sich hoch und drückt seine Kippe an einem der beiden tellergroßen Nichtraucherzeichen aus. Noch bevor ich was sagen kann, hat er sich sein breitestes Grinsen übergezogen. »Hey, da kommt ja der treulose Otto!«

»Sag doch erst mal, wie's dir geht!«

»Erst mein Geschenk.«

»Was denn für ein Geschenk?«

»Das aufwendige und unfassbar teure Geschenk, das du besorgt hast, um dich dafür zu entschuldigen, dass ich wegen des kompliziertesten Kniebruchs der Medizingeschichte einen brandneuen X3 zu Hause stehen hab und ihn nicht fahren kann!«

Ich beiße mir auf die Lippen. War ja klar, dass er deswegen auf mich einprügeln würde. Nach exakt 189 Kölsch, 56 Schnäpsen und 18 Absinth fanden wir es vor gut einem Monat nämlich eine super Idee, Amerikanisches Roulette am Barbarossaplatz zu spielen. Die Regeln waren recht einfach: Jeder von uns musste, bei laufendem Verkehr, über die acht Fahrspuren vom Barbarossaplatz bis zum McDonald's rennen, ohne auf die Autos zu gucken. Ich hab 'ne Münze geworfen, und Phil war halt Erster. Zu besoffen, um die pubertäre Dämlichkeit unseres schnapsschwangeren Unterfangens auch nur eine Sekunde in Frage zu stellen, eimerte Phil los.

Er kam genau drei Fahrspuren weit und das trotz seines beeindruckenden Schlachtrufs, ich glaube, es war so was wie »Ihr dummen Ficker!«. Als er auf der vierten von einem pink-weißen Lieferwagen für Frozen Yoghurt erfasst und gute fünf Meter durch die Luft geschleudert wurde, beschloss ich, dass es vorerst keinen Sinn machen würde, es selbst auch zu versuchen: Phil hätte es ohnehin nicht mehr sehen können.

»Wir waren besoffen, Phil! Haubitzendicht! Da macht man eben so einen Scheiß!«

»DU hast mit der Münze beschissen, Simon! Normalerweise solltest DU hier hocken!«

»Ja ja ...«

Ganz ehrlich: Wenn ich keine Kohle bräuchte, würde ich ihm eine scheuern und wieder gehen. Stattdessen sage ich, dass ich viel an ihn gedacht habe und ihn die ganze Zeit besuchen wollte, aber »... du weißt ja, wie das ist.«

»Nein, ich weiß nicht, wie das ist, weil ich nämlich seit vier Wochen verdammt noch mal so viel Zeit habe, dass ich vor Langweile mit meinem Schwanz Tetris spiele auf dem iPad!«

»Und das geht?«

»Unter gewissen Umständen. Also – warum hast du mich nicht besucht?«

»Weil... ich dachte, dass es nur eine kurze Geschichte ist.«

»Kurze Geschichte? Du warst doch dabei, oder?«

»Ja, aber danach hab ich nichts mehr mitbekommen von dir.«

»Du bist doch bei Facebook, oder?«

»Ja, aber ich schau nicht rein.«

Genervt rollt Phil mit den Augen. »Und ich hab ein Handy, aber ich mach's nicht an. Ich hab auch 'ne Haustür, aber die mach ich nie auf. Ich hab sogar einen Arsch, aber ich setz mich nie drauf. Du bist so ein Otto, echt!«

»Phil, du weißt, wie sehr ich Facebook hasse.«

»Deswegen hast du ja auch nur drei Freunde.«

»Stimmt. Aber die drei sind halt noch da, wenn bei Facebook der Server abraucht.«

»Da wär ich mir nicht so sicher. Was machen wir denn jetzt? Haste ein Programm?«

»Ein Programm? Seh ich aus wie RTL?«

»Gut, dann machen wir mein Programm. Ich brauch noch ein paar Sachen für die Reha übermorgen. Ich muss REWE, Apotheke und Abendessen.«

»Abendessen? Wir haben siebzehn Uhr!«

»Eben. Ganz normale Krankenenhauszeit. Und jetzt mach hin!«

»Wie? Mach hin?«

»Du kriegst schon noch was mit, oder?«

»Ja offenbar nicht!«

»Dann schau mich mal an, du Otto. In was sitze ich?«

»In 'nem Rollstuhl?«

»Gut. Und was hab ich in der linken Hand?«

»Ein Handy.«

»Und in der rechten?«

»'ne Kippe.«

»Na also. Und was könnte das jetzt alles zusammen bedeuten?«

»Dass ich den qualmenden Facebook-Junkie in den REWE schiebe?«

»Bingo!«

Gereizt und ungeübt im Umgang mit aggressiven Gehbehinderten, greife ich die klebrigen Plastikgriffe, aber offensichtlich schiebe ich Phil zu ruckartig an, denn der beginnt sofort dermaßen zu schimpfen, als hätte ich ihm eine Axt in den Rücken gehauen.

»Auauauauauaua! Warum tust du mir so weh?«

Eine Gruppe rauchender Bademantel-Tropf-Menschen am Eingang schaut erbost zu uns herüber.

»Er macht Spaß!«, beschwichtige ich und rolle Phil an kopfschüttelnden Mitpatienten vorbei Richtung Supermarkt. Natürlich geht die elektrische Tür zu langsam auf, und Phil knallt mit dem Fuß dagegen.

Sofort schreit er los. »Aua! Warum fährst du meinen Fuß gegen die Tür?«

»Entschuldigung!«

Im Supermarkt wird es noch schlimmer. Mit einem roten Korb auf dem Schoß lässt Phil sich an den Regalen vorbeischieben. Und egal, was ich mache – es ist immer falsch. Und mit jedem Fehler sinkt die Aussicht, dass ich auch nur einen Cent geliehen kriege von Phil.

»Hey! Bist du behindert? Die Goldbären von Haribo, nicht den Lakritzquatsch. Weiter. Stopp. Zurück. Da unten! Zwei Packungen! JETZT Kühlregal.«

Wütend drehe ich Phils Rollstuhl zu mir und gehe in die Hocke. »IN DEM TON schiebe ich dich keinen Meter mehr weiter!«

Eine attraktive Verkäuferin mit brünettem Pagenschnitt geht lächelnd an uns vorbei, bleibt neben uns stehen und sortiert irgendetwas im Regal. Phil nutzt die Gelegenheit, um sich vertrauensvoll an mich zu wenden. »Ich hab mir das überlegt mit dem Puff, Simon, aber ich möchte da nicht hin.«

Kurzer, irritierter Blick der Verkäuferin. Dieser miese Sack!

»Das ist doch Unsinn«, entgegne ich, »keiner wollte mit dir in den Puff!«

Wir haben jetzt die volle Aufmerksamkeit der Verkäuferin, die ihre Packung Bio-Cornflakes so in der Hand hält, als hätte sie diese gerade bei der Oscar-Nacht verliehen bekommen. Phil kommt leider erst richtig in Fahrt.

»Nein, nein, nein, nein, nein, du hast gesagt, nach dem REWE fahren wir schön in den Puff und lassen uns die Sacksahne absaugen, hast du gesagt, Simon.«

Er hat es geschafft. Die Verkäuferin lässt die Cornflakes fallen und flüchtet zu ihren Kollegen, ich rüttele stocksauer an Phils Rollstuhl. »Du hörst sofort auf mit dieser peinlichen Scheiße, oder ich lass dich einfach so hier stehen, einfach so, hörst du?«

»Nicht wieder schlagen, Simon, bitte!«, krakeelt Phil und windet sich wie ein mittelmäßiger Schauspieler, der einen Behinderten spielen muss. »Ich will nicht in den Puff! Ich will nur gesund werden, Simon Peters!«

»SCHREI! MEINEN! NAMEN! NICHT! HERUM!«, brülle ich, doch Phil kontert noch lauter und mit inzwischen recht gut gespielter Verzweiflung: »SAG NICHT KRÜPPEL ZU MIR, SIMON PETERS, SAG BITTE NICHT KRÜPPEL ZU MIR! DAS TUT SO WEH!«

Das ist zu viel. Ich greife mir die Packung Cornflakes vom Boden und donnere sie auf Phils Kopf.

»JETZT HALT DIE FRESSE, DU KRÜPPEL!!!«

Die Packung platzt auf, und Phil sieht augenblicklich aus wie ein Chicken McNugget. Ich drehe mich um. Hinter uns steht eine Wand aus drei REWE-Verkäufern und starrt uns konsterniert an. Immerhin. Es hat gewirkt. Nahezu ehrfürchtig schaut Phil zu mir hoch und hält die Klappe.

»Phil, WAS genau geben sie dir?«

»Oxycodon, Tramal und Hydromorphon? Warum?«

»Nur so.«

»Bin ich komisch?« Phil macht das unschuldigste Gesicht der Welt. »Weil, wenn ich komisch bin, dann musst du mir das sagen.«

»Ja!«

»Versprich es!«

»Ich versprech es.«

»Und? Bin ich komisch? Verhaltensauffällig irgendwie?«

»Ein bisschen vielleicht.«

»Gut! Weil ich hab den Ärzten extra gesagt, sie sollen mir nichts geben, was mich komisch macht.«

»Dann sprich doch noch mal mit ihnen.«

»Mach ich.«

Ruhig und entspannt gleitet Phil durch den Supermarkt, seine Hände fest um den roten Einkaufskorb auf seinem Schoß gekrallt. Vielleicht wäre ja jetzt die richtige Stimmung, um ihn nach Geld zu fragen. Jetzt oder nie. Wir wollen an einem Ständer mit Prepaid-Karten vorbei.

»Warte mal. 'ne iTunes-Karte bitte. Für zehn Euro.«

Ich halte am Kartenständer, und Phil packt eine der Karten in seinen roten Korb.

»Sag mal, Phil, kannst du mir vielleicht was leihen?«

»Wieso, bist du Griechenland?«

»Nee, EC-Karte vergessen.«

»Und Bargeld auch keines?«

»Nein!«

»Was für eine arme Sau du bist. Ich meine, ich sitz nur im Rollstuhl für ein paar Tage, aber du – du hast keine Freunde, kein Geld …«

Die Versuchung ist groß, Phil einfach so in die Suppendosen-Pyramide zu schieben und zu gehen, aber irgendeine winzige Hoffnung hält mich zurück.

»Stoooopppp, Simon! Die Müllermilch!«

»Erdbeer, Banane oder Schokolade?«, frage ich genervt.

»Egal, nur kein Kokos. Aber aufs Datum schauen, ich will die frischen von ganz hinten!«

Ächzend ziehe ich die hintersten Becher aus dem Regal und erwähne beiläufig, dass ich gehört habe, man könne hier beim Bezahlen Geld abheben.

»ICH kann Geld abheben, Simon, du nicht, du hast keine Karte.«

Sauer lehne ich mich gegen ein Regal mit Brotaufstrichen. »Ich brauch nur hundert Euro, keine zehntausend.«

»Genau hundert zuviel. Frag doch Shahin!«

»Wir haben keinen Kontakt mehr.«

»Wie? Ihr habt vier Millionen gemacht zusammen und jetzt habt ihr keinen Kontakt mehr?«

»Genau so isses.«

Phil hat 17 Euro 89 ausgegeben. Diese miese Ratte weiß ganz genau, dass man bei REWE nichts abheben kann, wenn man unter zwanzig Euro bleibt mit seinen Einkäufen. Ich schlage daher vor, dass er noch eine Packung Zigaretten nimmt.

»Hab aufgehört zu rauchen.«

»Wann?«

»Gerade eben!«

»Phiiiiilllll!«

»Hey Simon, bleib mal locker, is nur Spaß! Wir kommen ja noch an 'ner Sparkasse vorbei vor der Apotheke.«

»Apotheke auch noch? Was willst du denn da? Ich meine, du bist im Krankenhaus!«

»Diese scharfe Türkin arbeitet da, die soll total versaut sein.«

»Toll! Und jetzt willst du sie zur Reha einladen, oder was?«

»Weißt du, was ich glaube, Simon?«, flüstert Phil geheimnisvoll.

»Nein?«, frage ich und gehe in die Hocke, um ihn besser zu verstehen.

»Ich glaub, dass echt die meisten armseligen Wichser nur wegen der geilen Türkin da reingehen in die Apotheke und irgendeinen Scheiß kaufen! Ich glaube, die ganze Scheiß-Apotheke lebt überhaupt nur wegen all der Wichser, die die geilen Möpse sehen wollen.«

Ich nicke stumm und rolle Phil schweigend aus dem Supermarkt.

»Simon?«

»Ja?«

»Ich war wieder komisch eben, oder?«

»Ja!«

»Ich dank dir echt für deine Ehrlichkeit!«

»Dafür sind Freunde da.«

»Reeeeechts, du Blind-Spast!«

»Arschloch!«

Ein paar hundert Meter weiter sind wir tatsächlich in der Apotheke, und als ich die Türkin sehe, muss ich Phil zustimmen, denn die ist wirklich Hammer. Wäre ich der Chef der Apotheke, ich würde sie entlassen, weil sie zu schön ist. Während ich aus genau diesem Grund weitere Blicke der Kategorie »Darf ich dich mit nach Hause nehmen und ablecken?« vermeide, informiert sich Phil bei ihr pseudo-wissbegierig über Vitaminpräparate, Sonnencremes und Schüssler-Salze. Ich stehe daneben und starre abwechselnd auf Zahnweiß-Zahncremes und den armseligen Phil, der sich schließlich eine Sonnencreme mit Lichtschutzfaktor 30 und eine Packung extragroße Kondome kauft, die er mir grinsend präsentiert.

»Ich finde, die Babes sollten rechtzeitig wissen, woran sie sind! Oder, Kumpel?«

»Da hast du recht!«

Was für eine bekloppte Idee, ausgerechnet Phil anzupumpen. Hätte mir ja eigentlich klar sein müssen, dass der das bis aufs Blut ausreizt.

»So, Simon, jetzt hab ich Hunger. Hier lang!«

»Da liegt aber Kopfsteinpflaster!«

»Eben! Deswegen will ich ja da lang, bisschen Spaß haben.«

»Aber –«

»Hörst du mir zu? Ich nehme Hydromorphon, da kannste mir auch einen Kanaldeckel auf den Sack knallen. Mir ist langweilig. Also schieb! Den ganzen Tag freu ich mich schon auf die Kopfsteinpflaster-Stelle!«

Ich schaue auf die Uhr, wir haben kurz nach halb sechs.

»Was ist? Schieb, Otto, schieb!«

»Jaha!«

Vorsichtig rolle ich Phils Rollstuhl aufs Pflaster, und schon mit dem allerersten Stein fängt er an zu singen, wobei das Ruckeln des Kopfsteinpflasters seine Stimme zittern lässt … LAUT erzittern lässt.

»Ich si-ng das Ko-pf-stein-pfla-st-er-li-i-i-i-ed, das Lied, das jeder Ro-o-o-o-o-llli liebt. Bin saugut drauf auch dank Trama-a-a-a-a-a-l … und mir ist alles scheißega-a-a-a-a-al!«

»Ist okay, lustiger Effekt, wir haben's gehört«, seufze ich und halte an.

»Geil, oder? Voll am Vibrieren, die Stimme!«

»Na ja …«

»Schieb weiter!«

Weil mir nichts anderes übrigbleibt, tu ich ihm den Gefallen.

»Ich sing es stolz, ich sing es lau-u-u-u-u-t, weil sich das sonst ja keiner trau-u-u-u-u-t …!«

Ich bremse ab und drehe Phil zu mir.

»Hey!«

»Phil! Du machst wieder komische Sachen! Und das wolltest du doch nicht, oder?«, sage ich. Ein Fehler, denn Phil beginnt sofort laut zu weinen.

»Warum machst du mein Kopfsteinpflasterlied kaputt? Ich hab doch sonst nichts!«

»IST! JA! GUT!«

Während ich schiebe, versuche ich ruhig zu atmen und das Ende des Kopfsteinpflasters zu fixieren.

»Als Rolli sitz ich auf 'nem Thro-o-o-o-o-n und spritz mir selbst Oxycodo-o-o-o-n!«

Mit gepressten Lippen schaue ich, wie lange das Kopfsteinpflaster noch geht. In gut zwanzig Metern sollte ich es geschafft haben.

»Und yo … gib mir das Mikrofo-o-o-o-o-n, denn ich flieg komplett auf Hydromorpho-o-o-o-o-n!!«

Noch zehn.

»A-a-a-a-a-lle Ro-o-o-o-lll–i-i-iiiii-s nah und fe-e-e-e-e-rn haben Kopfsteinpflaster ge-e-e-e-e-rn! Oder, Simon?«

In genau dieser Sekunde rollen wir auf herrlich glatten Asphalt. Ich atme erleichtert auf.

»Ja Phil, so einen Straßenbelag haben alle Rollis furchtbar gern.«

»HAAAAAALLLLTTTT!!! Abendessen!«

Ich bin mir sicher, dass Phil sein Schnitzel absichtlich langsam isst. Und dass einem so viele Pommes gar nicht zurück auf den Teller fallen können, auch nicht auf Oxytramorphon.

»Gar nix mehr vom Spaßpräsidenten gehört die letzte Zeit«, schmatzt Phil beiläufig, während er gutgelaunt BILD auf seinem Handy liest.

»Phil, ich muss jetzt mein Auto noch holen bei Toyota.«

»Aber … du machst wieder mal 'nen Spaßtag für uns, oder, Simon? Die … äh … Tortenschlacht, das war nicht schlecht!«

»Ich mach mal wieder was, ja. Aber jetzt brauche ich erst mal ein bisschen Geld. Bin extra zu dir gefahren statt nach Hause mit der Bahn, um die Karte zu holen. Also, kannst du mir jetzt was leihen oder nicht?«

Für einen Augenblick hört Phil auf zu schmatzen und schaut mich fast erschrocken an. »Nein.«

»Wie? Nein? Warum denn nicht?«

Als hätten ihm die Pommes sämtliche Medis aus dem Körper gesaugt, ist Phil plötzlich ganz der Alte. »Weil ich keinen Bock habe. Du hast mich vier Wochen hier hocken lassen in Sankt Asi, und zwei Tage vor meiner Reha kommst du angeschissen, und statt zu fragen, wie's mir geht und ob mein Knie verheilt ist oder ob du mich in die Eifel fahren kannst zur Reha, willst du dir Kohle leihen, nur weil du zu faul bist, deinen weißen, haarigen Hilfiger-Arsch in dein Poser-Penthouse zu fahren, um deine verschissene Platinkarte zu holen!«

»Okay. Erstens: Wie geht's dir? Zweitens: Ist dein Knie verheilt und drittens: Soll ich dich in die Eifel fahren zur Reha?«

»Erstens: Beschissen. Zweitens: Nein. Drittens: Jetzt hab ich auch keinen Bock mehr!«

Vielleicht täusche ich mich auch, aber es ist nicht viel Liebe in Phils Formulierung. Ich stehe auf, stürze mein Kölsch runter und gehe raus. Man kann so eine Geschichte nicht ewig ziehen. Ich hab Phil ins Krankenhaus gefahren. Ich hab ihn besucht. Ich war sogar mit ihm einkaufen und essen. Beleidigen lassen muss ich mich nicht, zumindest keine ganze Stunde lang. Phils Rollstuhl im Eingang nehme ich mit, weil der nämlich dem Krankenhaus gehört und nicht Phil, weil wenn er Phil gehören würde, dann stünde ja hinten »Nachtragender, gehässiger Wichser« drauf und nicht »Eigentum St. Vizenz-Hospital«.

Schon wegen Phils großartigem Gesicht lohnt sich die Sache mit dem Rollstuhl. Und natürlich wegen der hundert Euro Pfand, die ich von der netten Schwester Erika in bar ausgezahlt bekomme, obwohl ich das Leih-Formular verbummelt habe.

»Das Wichtigste ist ja, dass Ihr Freund wieder laufen kann«, lächelt sie sanftmütig.

»Absolut, Schwester Erika!«, antworte ich und gebe noch fünf Euro Trinkgeld für die Kaffeekasse.

»Danke, Sie sind ein guter Mensch.«

»Ich weiß!«

Zufrieden und mit 95 Euro 20 in der Tasche trete ich in die kalte Winterluft. Phil wird zurechtkommen. Er hat Oxygrammophon, übergroße Kondome und 'ne iTunes-Karte.

Vierzehn Bahnstationen später erreiche ich das Autohaus, wo mir ein rundgesichtiger Mann im Toyota-Overall meine Autoschlüssel in die Hand drückt und sagt, dass ich ihn jederzeit wiederbringen kann, wenn keiner mehr bietet. Ja, ich bekomme sogar noch eine Flasche Toyota-Sekt mit, vermutlich weil bald Weihnachten ist und ich ja offiziell noch Kunde bin. »Vielen Dank für Ihr Vertrauen!«, steht auf dem Etikett.

Ich will gerade vom Hof fahren, da sehe ich, dass ich eine Nachricht von Phil bekommen habe.

Respekt. Das ist die mit Abstand erbärmlichste Scheiße, die du je gebracht hast. Fick dich! Phil. (Mit meinem Schwanz gesendet)

Holland in Not

»Pulheim-Sinthern. Nicht am Arsch der Welt, sondern am Hintern …«, murmle ich missmutig, als Annabelle und ich in Fliks Fertighaus-Favela rollen. »Sollte man echt auf das Ortsschild schreiben, ich meine, wir sind ja fast in Holland.«

Wenn man auf den letzten Drücker eine Privatinsolvenz abwenden will, steht ein gefälliger Pärchen-Abend in Kölns fadem Neubau-Familien-Speckgürtel nicht an erster Stelle der To-do-Liste.

»Da! Amselweg!«, ruft Annabelle und deutet auf ein Straßenschild. Mürrisch folgen meine Augen ihrem Finger. Es ist eine schlimme Welt da draußen: Selbst im kalten Licht der vermutlich vor einer Stunde fertigmontierten Straßenlampen wirkt alles so, als hätte die CDU hier einen Feldversuch für vollkommenes Familienglück aufgebaut – kein Garten ohne Kunststoffrutsche, keine Doppelgaragenauffahrt ohne Basketball-Korb, kein Küchenfenster ohne eine halogenbeleuchtete, fleißige Hausfrau dahinter, und ganz bestimmt liegt im Nachtschränkchen auch noch die Bibel.

Annabelle tippt mich an. »Da war die Fünfzehn, Simon, du bist vorbeigefahren.«

»Stimmt«, nuschle ich und gebe zu Bedenken, dass wir die Fünfzehn jetzt wohl auch nicht mehr finden werden, wo doch ein Haus wie das andere aussieht und es nicht den geringsten geographischen Bezugspunkt gibt wie zum Beispiel eine Kneipe, ein

Waffengeschäft oder wenigstens einen Kiosk, so wie in einem echten Stadtviertel.

»Ist halt nicht unsere Welt«, antwortet Annabelle schlichtend.

»Nicht unsere Welt? Das ist nicht mal unser Sonnensystem.«

»Da ist er wieder, der Amselweg!«

»Depressive-Katze-tot-über-dem-Zaun-Weg, meinst du!«

»Vorsicht, Bobby-Car!«

»Danke, Schatz, hab ich gesehen.«

Es macht kurz ›Klock‹, gefolgt von ein paar erbärmlichen Schleifgeräuschen, und schon bin ich drüber.

Annabelle starrt mich mit offenem Mund an. »Hallo? Du bist nicht gerade wirklich über das Bobby-Car gefahren, oder?«

Ich halte vor einem besonders schlimmen Doppelhaus mit der Nummer fünfzehn. »Es stand mitten auf der Straße und es hatte kein Licht an!«

»Es hatte kein Licht an? Das Bobby-Car? Tickst du noch ganz richtig?«

»Schau, liebes Feechen: In so einer hässlichen Doppelhaushälfte wohnen Flik und Daniela. Und damit man gleich sieht, dass es jetzt schon Streit gibt mit den Nachbarn, haben sie die eine Fassadenhälfte in Schiefer gemacht und die andere in Babyblau.«

Annabelle hat ihre Augen noch immer auf mich gerichtet, und ein wenig von mir weggerutscht ist sie auch.

»Simon, es ist nicht Fliks Schuld, dass du so aggro bist und auch nicht die von den Kindern hier!«

Wenn Annabelle Simon sagt statt Schatz oder Schnuppes, dann ist sie richtig sauer.

»Ich bin nicht aggro, ich will nur einfach nicht hier sein, weil ich zu tun habe.«

»Was denn?«

»Es ist … eine Überraschung!«

»Und … hab ich da auch was von, von dieser Überraschung?«

»Du hast da sogar ganz besonders was von!«, verrate ich verschwörerisch und quetsche meinen Hilux zwischen zwei bunte Kleinstwagen auf der gegenüberliegenden Straßenseite. Da planen sie eine Siedlung im Nichts, und es gibt wieder keine Parkplätze.

»In dem Fall«, grinst Annabelle, »will ich ausnahmsweise mal ein Auge zudrücken.«

Dann erst entdeckt sie die Risse im Dachhimmel. »Sag mal, was ist denn da passiert?«

»Aber Feechen, das hab ich dir doch erzählt. Das ist wegen Dachsteifigkeit.«

»Sieht eher so aus, als hätte da jemand nach Drogen gesucht.«

»Haha!«, lache ich, »stimmt …!«

Annabelle schaut mich dennoch eine gefühlte halbe Minute lang an, als habe mich irgendetwas verraten. Was hat sie bloß noch?

»Willst du nicht trotzdem mal den Motor abstellen, vielleicht?«

»Nein, ich lass ihn laufen, damit wir nachher schneller loskommen.«

»Wie, nachher? Schau! Da ist Flik!«

Eilig drücke ich auf die Stopptaste des Motors, und dann sehe ich Flik, wie er bräsig im weißen Türrahmen seiner babyblauen Haushälfte steht und uns zuwinkt. Er trägt ein kleinkariertes Langarmhemd mit einem grauen Pullunder drüber und eine beige Cordhose und wirkt dabei wie der naive Papa mit dem Verarscht-mich-ruhig-Gesicht aus dem LBS-TV-Spot.

»Mein Gott …!«, ächze ich, »Flik sieht aus wie ein Idiot.«

»Also wirklich, wenn du so drauf bist, können wir echt wieder fahren.«

»Nein, wir ziehen den Quark jetzt durch. Aber um neun Uhr sind wir zu Hause!«

Annabelle greift meinen Arm. »Das können wir nicht bringen!«

»Dann um zehn!«

»Simon! Sie haben sich hier ihren Traum gebaut. Wir bringen ein bisschen Zeit mit, und wir finden die Sachen toll, okay?«

Ich starre Annabelle an. »Wir finden die Sachen toll? Was denn für Sachen, Schatz?«

»Alle Sachen. Wir finden einfach alle Sachen toll heute!«

»Das scheißen-hässliche Kompost-Plastikhauben-Dings da auch?«

»Ja!«

»Und die verblödete Grinse-Sonne auf dem Garagentor?«

»Ja. Sogar die finden wir toll! Und jetzt mach die Tür auf und sag Hallo zu deinem Freund Flik und … keine Witze darüber, dass sie so weit weg wohnen, okay?«

Ich nicke, atme kurz durch, dann winke ich Flik und ziehe das Gastgeschenk aus meiner Tasche. Flik schlurft uns stolz grinsend in seinen Birkenstocks entgegen. Auch das noch.

»Na? Habt ihr's gleich gefunden?«

»Klar!«, lache ich, »ich hätte aber auch nicht fragen wollen mit meinen paar Brocken Holländisch.«

Flik macht ein verschallertes LBS-Gesicht, Annabelle kommt ihm zu Hilfe.

»Vergiss es, Flik, er will nur witzig sein …«

»Ach so … na dann, kommt mal rein in die gute Stube!«

Erster Stopp unserer Führung ist Fliks kleine, aber süße Frau Daniela. Als sie mich sieht, begrüßt sie mich mit einem leisen »Ahh … Simon, ¿como estas?«

»Bien, bien … muy bien!«, lache ich laut und gebe Daniela zwei Küsschen auf die Wange. Sie riecht wie früher, und ich frage mich, wie lange das nun her ist, dass wir uns geküsst haben damals nach dem Spanischkurs? Sieben Jahre? Acht? Zehn? Noch während ich Daniela umarme, werde ich von Flik darauf hingewiesen, dass ich ein bisschen leiser sein soll, weil »der Wurm schon schnorchelt«. Für eine Sekunde schießen mir Bilder aus *Der Wüstenplanet* durch den Kopf, dann ahne ich, dass Flik mit dem »schnorchelnden Wurm« eigentlich »schlafender Balg« meint und dass wir das nicht unbedingt wecken sollten.

Ich überreiche die Sektflasche an Daniela und flüstere ihr »Un poco de Blubberbrause para la señora …« ins Ohr.

»Perfecto!«, lobt mich Daniela und streicht mir über den Arm, und für einen Augenblick tut es weh, die kleine Daniela aus dem Spanischkurs von damals so zu sehen, wie sie mit ihrer gelben Schürze und dem Wurm-Babyphon an Fliks Vorstadtherd gefesselt ist. Neugierig und ein bisschen verwirrt betrachtet Daniela das Flaschenetikett: »›Vielen Dank für Ihr Vertrauen!‹. Ein Jahrgangssekt von Toyota, cool, danke!«

»Eigentlich hatte ich einen … äh, Riesling für euch gekauft im Kölner Weinkeller, aber den hab ich leider im Büro vergessen.«

Ich will kurz zu Annabelle schauen, doch die ist vor Scham gerade im Laminat versunken. »Simon, ich glaub's nicht …«

»Ich hab ihn VERGESSEN!«, tröte ich genervt und Flik zischt »Pssssst!«

»Nicht schlimm, das Wichtigste ist ja, dass ihr endlich mal hier seid bei uns. Habt ihr lange hergebraucht?«

»Ach …«, winke ich ab, »wir lieben ja Hörbücher, und wann kann man *Verblendung*, *Verdammnis* und *Vergebung* schon mal komplett durchhören?«

»Hey«, lacht Flik, »jetzt übertreibst du aber! Ich brauch zwanzig Minuten in die Stadt.«

»In welche? Amsterdam?«

Annabelle flüchtet sich ins Wohnzimmer und schaut in den beleuchteten Garten. Vielleicht hat sie ein Eichhörnchen gesehen, man weiß es nicht. Flik fragt, ob wir vielleicht die anderen

Zimmer sehen wollen, bis das Essen fertig ist, und ich frage, warum das Essen nicht fertig ist, wo sie doch seit einem Monat wissen, dass wir kommen.

Annabelle kneift mich recht unfreundlich in den Arm und sagt, dass sie sogar darauf besteht, die anderen Zimmer zu sehen vor dem Essen.

Gut, denke ich mir, schauen wir uns halt in aller Ruhe das Haus an, während ich Sekunde um Sekunde in die Gosse rutsche. Annabelle, Flik und ich gehen eine Holztreppe hinauf, deren Stufen von bunten LED-Leuchten illuminiert werden. Ich schaue auf die Uhr, was Flik bemerkt.

»Noch was vor heute?«

»Er plant eine Überraschung und ist mit dem Kopf woanders«, erklärt Annabelle und bekommt ein Küsschen von mir. Ich frage Flik, warum er jede einzelne Treppenstufe mit Halogen beleuchtet.

»Damit wird die Treppe Teil des Raums!«

»Ah ...!«

Dann treten wir ins Bad, und ganz automatisch geht ein gutes Dutzend Deckenleuchten an.

»Cool, oder?«, strahlt Flik, »man braucht nichts drücken mit nassen Händen oder so!«

»Absolut!«, gebe ich zu, »und wenn du jetzt noch deinen Arsch beleuchtest, dann wird er Teil des Bades!«

Keiner lacht. Mir egal. Immerhin sind wir Freunde, da will ich nicht jedes Wort zweimal auf der Zunge rumdrehen, bevor ich was sage.

»Und natürlich geht das Licht auch wieder aus, wenn keine Bewegung im Raum ist«, erklärt Flik ein wenig angepisst.

»Aber was passiert denn«, frage ich Flik, »wenn du mal 'ne Viertelstunde regungslos auf der Schüssel sitzt mit der Zeitung und ...«

»Na ja, wenn das Licht ausgeht, dann muss ich nur kurz winken.«

Ich kann nicht anders als hemmungslos laut herauszulachen.

»Du musst winken beim Kacken?«

»Simon! Jetzt ist aber gut!«, mahnt mich Annabelle, und sofort recke ich den Daumen in die Höhe.

»Sorry! Hast recht. Kurz gewunken und Licht wieder an. Ist schon praktisch. Ich find's toll!«

Ich sage keinen Ton mehr ab sofort, offenbar handelt es sich ja hier um eine humorfreie Zone. Also schweige ich zu der viel zu kleinen Duschkabine, und auch der geschmacklose Neunzigerjahre-Spiegelschrank bleibt unkommentiert, ja, ich sage nicht mal was zu dem peinlichen Spruch auf einer der Fliesen: »Unser Tag wird schön!«, steht dort allen Ernstes. »Unser Tag?« Verbringen sie denn jeden Tag gemeinsam? Und werden die alle schön? Was ist, wenn mal nur einer von beiden einen schönen Tag hat und der andere nicht? Lassen sie dann alles neu fliesen?

Das Licht geht aus, Flik winkt, und es geht wieder an. Ich betone noch einmal, dass ich das ganz toll finde, dann tapsen wir auf leisen Sohlen ins Kinderzimmer.

»Lass mich raten. Das Zimmer von Karl-Heinz?«, flüstere ich Flik zu.

»Lea-Marie«, flüstert Flik ungerührt zurück, »unsere Tochter heißt Lea-Marie.«

»Deswegen hab ich ja gesagt, lass mich raten ...«

Wir sehen nicht viel von Wurm Karl-Heinz, weil der besorgte Supervater das Licht nämlich nicht anmachen will, weil der Wurm nämlich gerade so »lecker durchschnorchelt«. Während ich meine Mails auf dem Smartphone checke und sehe, dass Ditters mir geschrieben hat, ist Annabelle ganz verzückt vom kleinen Wurmbalg im Gitterbettchen. Sogar mit Anhang die Mail. Mein Gott, was haben die denn hier für ein langsames Netz!

»Süß, oder?«, fragt Annabelle.

»Absolut!«, sage ich und lade den Anhang. 56 KB, 61 KB, 76 KB …

Kurz vor neun. Flik präsentiert uns noch das gemeinsame Schlafzimmer (ganz toll die rote Farbe und die Idee, ein tolles Brett direkt über das Kopfende zu schrauben mit den schweren Vasen drauf), und wir sehen Fliks tolles Büro (es ist so klein, wenn da noch die Sonne reinkommt, muss entweder Flik oder die Sonne rausgehen). 201 KB, 209 KB …

Ja, wir gehen sogar nach draußen, wo wir das von Flik eigenhändig erbaute Gartenhäuschen (ein tolles Bauset von Max Bahr) bewundern dürfen, in dem ich neben Gartenwerkzeugen und Sonnenliegen auch einen gelben Benzin-Generator samt mehreren Kanistern Sprit erspähe.

»Ist das ein Generator da?«

»Ja!«

»Habt ihr keinen Strom oder bereitest du dich auf die Hurrican Season vor?«

»Weder noch, aber wenn er mal ausfällt und die Lichter ausgehen, haben wir den Generator.«

»Könntest du dann nicht einfach winken?«

»Ach weißte was, Simon? Leck mich!«

Wütend stapft Flik in Richtung Terrasse und lässt meine Freundin und mich einfach so auf dem Rasen stehen. »Du bist so ein Depp, echt!«, zischt Annabelle und verschwindet mit ihm im begehbaren Ikea-Katalog. Irritiert schließe ich die Tür des Gartenhäuschens und zücke mein Handy, der Anhang von Ditters ist da.

Hallo Simon,
ich hab mal was aufgesetzt. Eine Klage könnte wie folgt aussehen:

Amtsgericht Köln
Luxemburger Straße 101
50922 Köln

Peters, Simon ./. Mayersche Buchhandlung KG
Unser Zeichen: 1234/12
Köln, den 21.12.2012

KLAGE

des Herrn Simon Peters, …, … Köln,

– Kläger –

Prozessbevollmächtigte: Rechtsanwalt Ditters, Friesenwall 1, 50672 Köln

gegen

die Mayersche Buchhandlung KG, vertreten durch die Geschäftsführer Dr. Hartmut Falter, Helmut Falter, Ullrich Falter, Matthiashofstr. 28–30, 52064 Aachen,

– Beklagte –

wegen Minderung des Kaufpreises.
Vorläufiger Streitwert: 7,00 €

Ich brauch gar nicht weiterlesen. Das gibt's ja wohl nicht. Stocksauer wähle ich Ditters' Handynummer. Nach dem dritten Klingeln geht er ran.

»Willst du mich verarschen?«, schnauze ich ins Telefon.

»Was? Wieso?«

»Sieben Euro Streitwert? Da kann ich ja gleich Leergut sammeln!«

»Simon! Das Buch kostet fünfundzwanzig Euro, da kann ich ja schlecht eine Million fordern. Sieben Euro ist einfach mal der Betrag, den wir mindern können.«

»Aber sieben Euro MAL der kompletten Auflage?«

»Nein. Sieben Euro für das Buch, das du gekauft hast!«

Durchs kleine Fenster des Gartenhäuschens schaue ich auf das erleuchtete Wohnzimmer, wo Daniela gerade kleine Holzschüsselchen auf den Tisch stellt.

»Was willst du, Simon?«, fragt Ditters gequält.

»Ich will keinen Betrag mindern, und ich will auch nicht die Mayersche verklagen, sondern Jamie Oliver!«

Die Tür des Gartenhäuschens geht auf, und Annabelle und Flik schauen mich verständnislos an.

»Wir warten mit dem Essen und du telefonierst?«

»Sorry, äh, ist… wegen der Überraschung!«

Ich schließe die Tür wieder.

»Lars? Wieder da. Also. Haste noch 'ne Idee oder muss ich erst die Kanzlei wechseln?«

»Ich glaub nicht, dass irgendjemand außer mir umsonst arbeitet für dich.«

»Dafür wird auch kein anderer reich, wenn wir gewinnen.«

»Is ja gut. Ich setz mich noch mal ran, Simon.«

»Ich danke dir.«

»Wichtig wäre aber eventuell, dass du dir vorstellen kannst, vor Gericht zu kochen.«

»Lars, ich würde auch die Titelmelodie von *Two and a Half Men* furzen vor Gericht, wenn ich genug Geld dafür kriege.«

»Was anderes: In unserem Aufzug, da war –«

»Dank dir, Lars, knatschgeilen Abend noch!«

Ich lege auf und verlasse Fliks selbstgezimmerte Gartenhütte. Drinnen, im Wohnzimmer, sind sie schon am Wein einschenken und lachen. Als sie mich mit dem Handy regungslos im nassen, graugrünen Gras stehen sehen, verschwindet ihr Lachen. Schon klar: Simon, die Spaßbremse. Um sie aufzumuntern, grinse und winke ich. Als kein Licht angeht, deute ich auf die Außenleuchte und hebe ratlos die Schultern. Flik zeigt mir den Mittelfinger.

»Was?!«, rufe ich laut und alle machen »Pssssst! Der Wurm!«

Ich hab's gesagt: nicht meine Welt.

Kurz darauf läutet Daniela mit einem Glöckchen. GLÖCK! CHEN! Flik hat es wahrlich geschafft, das süße Ding zum desperate bingeling housewife zu machen. Kopfschüttelnd nehme ich Kurs aufs Wohnzimmer.

»Entschuldigung«, sage ich leise. »ich … arbeite an einer Monster-Überraschung und –«

»Schon in Ordnung, Herr Spaßpräsident«, nuschelt Flik, und Annabelle und Daniela wirken ein wenig erleichtert. Ich setze mich und schaue direkt in eine völlig überdimensionierte, verzwirbelte Energiesparlampe mit der Lichtstärke einer Champions-League-Flutlichtanlage. Offenbar spricht mein Gesicht Bände, denn Flik sagt ziemlich schnell: »Wir machen da noch andere Leuchtmittel rein«, und Daniela: »Jetzt lasst's euch aber mal schmecken!«

Stumm betrachte ich die Holzschüsselchen mit den drei Salaten, einer davon mit einer interessanten Mischung aus Tomaten unterschiedlicher Farbe und Größe.

»Ist ein Jamie-Oliver-Rezept«, sagt Daniela, und offenbar steht gerade alles in meinem Gesicht, denn sie ergänzt: »Aus dem Dreißig-Minuten-Rezept-Buch!«

»Ha!«, lache ich auf, »ein Dreißig-Minuten-Menü! Toll!«, und auch Annabelle schmunzelt. Dann spieße ich eine besonders verschiedene Tomate auf und betrachte sie im Flutlicht. Als ich gerade erzählen will, dass ich mir überlegt habe, Jamie Oliver zu verklagen, sagt Flik: »Natürlich dauert es nicht wirklich dreißig Minuten«, und Daniela ergänzt: »Der Jamie schreibt das halt für Idioten.«

Dann halt nicht, denke ich mir, esse die Tomate und folge den langweiligen Gesprächen bis zur extrascharfen Salamipizza.

Mein dicker Exkollege Flik verkündet, dass bei der Telekom jetzt zwanzig Leute unter ihm arbeiten, und es gelingt mir, den dazu passenden Witz für mich zu behalten. Daniela erzählt, wie froh sie ist, dass sich ein Abend endlich mal nicht nur ums Thema Kinder dreht, schließlich sei sie ja nicht nur Mutter, sondern auch einfach noch die Daniela, die gerne reist, ins Kino geht und Zumba macht im Fitnessstudio. Dann schildert sie eine gute halbe Stunde Lea-Maries Fortschritte beim Brabbeln, Krabbeln und Furzen, dass sie eine Woche durchgeheult habe, als ihre Lieblingspuppe kaputtgegangen sei und dass Flik Streit hat mit den Nachbarn, weil das Bobbycar immer mitten auf der Straße rumstehen würde, und neulich habe er sogar im Streit gedroht, dass er irgendwann mal drüberfahren würde. Ich spüre, dass Annabelle mich anschaut, vermutlich wartet sie auf eine Art Geständnis. Ich räuspere mich und sage mit tiefer Stimme: »Ich bin schon drübergefahren.«

Annabelle reibt sich die Schläfen und fixiert einen Punkt an der Tapete. Daniela und Flik blicken mich entgeistert an.

»Du bist drübergefahren? Über das Bobbycar von unseren Nachbarn?«, fragt Daniela nach, und ich nicke. »Es stand mitten auf der Straße, und es hatte kein Licht an!«

Seltsamerweise sagt die nächste Minute keiner was, Flik findet als Erster die Worte wieder.

»Und bei dir, Simon?«, fragt Flik, »was machen die Geschäfte?«

»Keine Ahnung, da kümmert sich mein Vermögensverwalter drum«, antworte ich trocken.

»Flik hat erzählt, du hättest einen griechischen Berater«, grinst Daniela.

»Ja und?«, frage ich gereizt.

»Also ich finde das lustig!«

»So wie du spaghettifressende Italiener lustig findest, kiffende Holländer oder klauende Polen?«

Und schon wieder herrscht Ruhe am Tisch.

Annabelle rettet die Situation und hebt ihr Glas. »Es gibt Neuigkeiten«, verkündet sie stolz.

»Du trennst dich von Simon?«, fragt Flik, und alle lachen befreit auf, vielleicht kann Annabelle mir ja später erklären, was komisch dran war.

»Ich hab gekündigt!«, erklärt Annabelle. »Sie haben mich genommen in Geisenheim. Ab Frühjahr studiere ich Internationale Weinwirtschaft!«

»Das ist ja super!«, freut sich Flik.

»Gute Entscheidung«, lobt Daniela und ich sage … nichts.

»Und wie lange geht so ein Studium?«, fragt Flik neugierig.

»Drei Jahre insgesamt und drei Monate muss ich ins Ausland!«

»Und wie macht ihr das finanziell?«, fragt Daniela, »ich meine, du wirst da ja erst mal nichts verdienen, oder?«

»Simon hilft mir.«

Ich nicke tapfer und bekomme einen anerkennenden Schulterklopfer von Flik. »Ich sag ja immer, lass die Leute reden, ich finde, der Simon ist ein Klasse-Typ!«

Genervt nehme ich Fliks Hand von meiner Schulter. »Bist du jetzt plötzlich Komiker, oder was?«

Plötzlich springt Daniela auf und kiekst: »Wir haben auch Neuigkeiten!«

Dann rennt sie in die Küche und sagt, dass sie alkoholfreien Sekt besorgt habe. Ich schaue Flik mit großen Augen an. »Alkoholfreien Sekt? Warum zum Teufel sollte man so was trinken?«

»Na ja … ist doch klar, oder?«, schmunzelt er.

Ich denke angestrengt nach. Flik hilft, indem er sich zu mir dreht und spricht wie mit einem Dreijährigen.

»Okay, Simon. Denk mal nach. Dein sicherlich hervorragender Toyota-Sekt für uns, alkoholfreier Sekt für Daniela … bist du so weit noch bei mir?«

»Ja!«

»Was kann das wohl heißen? Daniela ist …?«

Ratlos starre ich Flik an. »Alkoholikerin?«

»Ach leck mich doch!«

Kopfschüttelnd steht Flik auf und nimmt Sektgläser aus einem von innen beleuchteten Regal. Er ist wirklich Beleuchtungsfetischist geworden. Kurz darauf begreife ich: Dass Daniela keinen Alkohol trinkt, bedeutet natürlich, dass ihr schon im April ein weiterer Wurm aus der Leggings rutschen könnte beim Zumba. Ich heuchle eine Riesenfreude und beglückwünsche in meinem Überschwang sogar Annabelle, dann – ich brauche dringend eine Auszeit – flüchte ich Richtung Gästeklo.

»Eine weiter!«, höre ich Flik noch sagen, aber zu spät. Als ich die Klotür aufmache und das Licht anknipse, stehe ich in einer Vorratskammer von einer solchen Größe, dass jedes Restaurant stolz darauf wäre: Gleich säckeweise stapeln sich Kartoffeln, Reis und Mehl in deckenhohen Stahlregalen, Pflanzenöl gibt es in Zehn-Liter-Kanistern, und alleine mit den Konserven würde eine komplette Familie auch mit mehr als zwei Würmern vier Wochen lang durchhalten. Mit offenem Mund gehe ich weiter und staune: Klopapier, Tampons, Windeln, Streichhölzer und Teelichter sehe ich da, aber auch Wasserkanister, Verbandszeug, Campinglampen und Gas-Kartuschen. Ich greife zu einem Karton mit kleinen, grünen Flaschen drin und lese das Etikett: Micropur Classic Wasserentkeimer. Verblüfft stelle ich das Fläschchen zurück. Flik fürchtet offenbar nicht nur einen Stromausfall, sondern auch gleich einen Zusammenbruch der niederländischen Trinkwasserversorgung. Ich gehe einen Schritt weiter und öffne eine kleine Box. Darin liegen Pfeffer-Abwehrsprays. »Ja, leck mich am Arsch …«, sage ich zu mir selbst, »jetzt geht's aber los!«, und nehme eine Dose in die Hand.

»Pfefferspray zur Tierabwehr.«

Ich zucke zusammen und reiße den Kopf herum. Flik schließt die Tür und schaut dermaßen ertappt, als hätte ich gerade die DVD *Höschen runter für den Rosettenkasper* entdeckt.

»Ich hab Familie, Simon. Das verändert ganz schön was.«

Ich stecke das Spray zurück in die Box. »Aber jetzt mal unter uns: Hast du zu viele Talkshows geguckt?«

»Ich möchte da nicht wirklich drüber reden mit dir, so wie du heute drauf bist. Lass uns einfach wieder zu den Frauen gehen und die Sache vergessen.«

»Aber jetzt hab ich das gesehen, und jetzt will ich auch drüber reden!«

»Ich aber nicht!«

»Und ich dachte ja immer, meine Putzfrau wäre bekloppt.«

Ich nehme eine Box mit Atemschutzmasken aus dem Regal. »Glaubst du, dass wir ersticken? Dass Aliens unsere Luft vergiften, unsere Kinder entführen und dann Treibstoff aus ihnen machen für ihre Raumschiffe?«

»Leg's wieder hin, Simon, bitte. Ich mag mich da jetzt echt nicht rechtfertigen, ich weiß ja, was du sagen wirst.«

»Aber Flik, was willst du denn mit dem ganzen Zeugs? Ich meine, was glaubst du denn, was passiert, dass du den ganzen Krempel brauchen kannst?«

»Ich glaube gar nichts, und jetzt gehen wir wieder rein.«

»Mann, du hast echt drei Gasheizer, oder?«

»Vier. Einer ist in der Garage.«

»Und das da, was ist das Weiße da?«

Ich deute auf ein koffergroßes Gerät neben einigen Autobatterien, aus dem ein Schlauch in einen Kanister mit durchsichtiger Flüssigkeit führt.

»Brennstoffzelle.«

Verwirrt setze ich mich auf einen der drei Gasöfen und wiederhole Fliks Antwort. »Brennstoffzelle. Du reicherst nicht zufällig auch Uran an?«

Seufzend setzt Flik sich auf den Gasofen neben mir. »Ich weiß selbst, dass das alles irgendwie bekloppt ist, aber es hat was mit dem Wurm zu tun, weißt du. Ich meine, schau dir die Nachrichten an, es ist ja wirklich gar nichts mehr sicher.«

»Ja klar, ist nichts mehr sicher, aber sag mir einfach, dass du den ganzen Scheiß hier nicht stapelst, weil du jetzt auch noch glaubst, dass die Welt untergeht!«

»Untergehen nicht, aber die Zeiten sind doch wirklich komisch, findest du nicht?«

»Ja. Wegen Leuten wie dir!«

»Weißt du, was seltsam ist: Seit ich mir die Sachen zugelegt habe, bin ich irgendwie beruhigter. Weißt du, warum?«

»Nee!«

»Weil ich vorbereitet bin.«

»Auf was?«

»Ist doch egal auf was. Wenn also was passiert, dann kann ich mir und meiner Familie zumindest sagen, dass ich alles getan hab im Vorfeld und nicht den Kopf in den Sand gesteckt hab. Ich hab keine Angst mehr jetzt.«

»Du hattest Angst?«

»Na ja … Angst vielleicht nicht gerade, aber …«

»Du hast Probleme, echt!«

»Andere bauen sich Bunker, Simon. Ich hab nur was zum Essen, Trinken und Heizen. Und wenn nichts passiert, kann ich das Zeug auch so gebrauchen.«

»Für was bitte brauchst du eine Atemschutzmaske ›auch so‹?«

»Na ja, die meisten Sachen halt.«

Dann sitzen wir kurz einfach nur so da, und während ich meine Augen über die Regale wandern lasse, kratzt Flik sich einen unsichtbaren Fleck von seiner Stoffhose.

»Du bist nicht wirklich über das Bobby-Car gefahren, oder?«

»Doch. Wieso?«

»Alles klar mit dir?«

Für einen kurzen Augenblick überlege ich, dem guten alten Flik von der Sarantakos-Geschichte zu erzählen, lasse es dann aber und sage einfach nur: »Ja, klar.«

Und wieder sitzen wir eine Weile, von der Tür hören wir die Frauen lachen. Dann schmunzle auch ich, denn ich entdecke einen Karton im Regal. »Weißt du was, Flik, ich glaube, du bist doch gar nicht so doof.«

»Warum?«, fragt er erleichtert.

»Weil ... wenn alles brennt und es kein Trinkwasser mehr gibt und ... die Pest wieder ausbricht und marodierende Banden deine Gartenhütte beschießen, weil sie den Generator hören, und der Rhein verstrahlt ist, weil den Franzosen ihr Discount-Atommeiler in Fessenheim um die Ohren geflogen ist und es keinen Euro mehr gibt, sondern alle mit Gold, Schnaps und Lucky Strike bezahlen, dann ...«

»Dann?«

»Hast du wenigstens noch einen anständigen Gin!«

»Stimmt«, lacht Flik, »das ist Regel Nummer eins in der Krise: keine Nahrungsumstellung!«

»Weißt du, was ich glaube?«, frage ich und lege meinen Arm um Flik.

»Was?«

»Ich glaube, der Umzug nach Holland hat euch nicht wirklich gut getan.«

Bestellvorgang

Gleich noch sechs Tage

Mit meiner vorletzten Kippe und dem dritten Haselnussschnaps sitze ich am gemeinsamen Esszimmertisch vor meinem Notebook und frage mich, in welchen Knast ich eigentlich kommen würde, wenn ich das Geld für die Steuer nicht habe.

Noch ein paar Minuten, dann haben wir den fünfzehnten. Ich zähle mit den Fingern ab, wann ich offiziell pleite bin, und ende beim siebten Finger. Sechs Finger sogar nur noch in drei Minuten. Was hab ich dagegen gemacht bisher? Mir jede einzelne Idee von meinem schwulen Anwalt zersemmeln lassen und in einer südholländischen Lego-Siedlung den Abend bei Toyota-Sekt und Tomaten in verschiedenen Farben und Größen verplempert. Super!

»Kommst du auch?«, ruft Annabelle aus dem Schlafzimmer.

»Ich bleib noch bisschen wach!«, rufe ich zurück, und in der nächsten Sekunde geht die Schlafzimmertür zu. Klong! Inniges Verlangen hört sich anders an.

Annabelle ist sauer. Stinksauer sogar. 67,9 auf der nach oben offenen Annabelle-ist-sauer-Skala. Was will ich machen? Mich entschuldigen dafür, dass ich meinen Arsch rette und ihr Studium? Ein weiteres Wutseminar buchen? Die Erfahrung hat gezeigt, dass es das Beste ist, wenn sie ein paar Wochen über alles schläft.

Ich entscheide mich für einen weiteren Haselnussschnaps und klappe mein Notebook auf, um meine Liste noch mal intensiv zu begutachten. Drei Ideen stehen noch drauf, auf die Ditters nicht eingehen wollte, weil er sie lächerlich findet, der karierte Kleingeist. Dabei wurden so viele berühmte Persönlichkeiten verspottet für ihre Ideen, bevor sie dann doch groß rauskamen: Napoleon Bonaparte, Adolf Hitler, ja sogar Daniela Katzenberger. Ich weiß, man muss in Deutschland mit so was immer aufpassen; sobald man irgendetwas oder irgendwen vergleicht mit Katzenberger, da greift dann eine reflexhafte Empörungsmaschinerie, aber das geht an meinem Allerwertesten auf das Geschmeidigste vorbei. Google verrät über Napoleon, dass der der Meinung war, dass es zwischen dem Erhabenen und dem Lächerlichen oft nur wenige Schritte sind. Vielleicht ist das ja mit meinen Ideen auch so?

Schütteljupp:
Smartphone-App, mit der man zählen kann, wie viele Kölsch man getrunken hat, in dem man sein Smartphone schüttelt (damit einen der Köbes nicht betuppt oder an Karneval).

Dotterblom (Sorgenblume):
Smartphone-App mit sprechender, animierter Dotterblume, die man alles fragen kann und immer eine positive, kölsche Antwort bekommt, zum Beispiel: »Ming Dotterblom, meinst do, isch soll noh e Kölsch trinken?« – »Ävver klor, lieve Simon, dat hes do dir verdient!«

McDrive Bestellvorgang:
Umsatzexplosion bei McDonald's, indem anders nach Getränken gefragt wird.

Ich ergänze meine Liste um einen Comingout-Service für schüchterne Schwule und überlege, mit was ich anfangen soll.

Die Klage gegen Jamie Oliver macht ja Ditters. Vielleicht. Schütteljupp ist lustig, muss aber erst programmiert werden und dürfte auf Anhieb nicht genug Geld bringen. Das Gleiche gilt für die Dotterblume. Leider. Denn ehrlich gesagt, wünschte ich, dass es die App schon gäbe, dann könnte ich sie fragen, was zum Teufel ich machen soll.

Und die McDrive Frage? Eigentlich will ich ja mit McDonald's nix mehr zu tun haben, seit sie mich bei ihrem »Bau deinen Burger«-Wettbewerb abgelehnt haben. Ich fand meinen McBlitzkrieg nämich klasse – mit durchlöchertem englischen Cheddar und liebevoll eingetoastetem Hakenkreuz. Aber vielleicht ergibt sich ja jetzt die Chance auf eine Reparationszahlung, denn wenn irgendjemand Geld hat, dann McDonald's! Der Aufwand wäre null, schließlich müssten sie nur ihre Frage am Bestellautomaten ändern. Allerdings ist die Idee ja blöderweise schon ein paar Jahre alt, und es könnte sein, dass sie inzwischen die richtigen Fragen stellen. Und wenn nicht? Ich gieße mir noch einen Haselnussschnaps ein. Wenn nicht, könnte Ditters einen Termin machen bei der Zentrale und 10 % vom Umsatzplus anbieten, falls unsere Getränkefrage besser funktioniert als ihre. Ich wäre wieder Millionär mit nur einem einzigen Satz! DAS ist es, was ich sofort tun könnte: rausfinden, welche Frage sie stellen.

So leise es irgend geht, schleiche ich aus der Wohnung, setze mich ins Auto und mit der Kraft der mächtigen Haselnuss krache ich rückwärts gegen das Garagentor, das ich aus unerfindlichen Gründen wieder geschlossen haben muss.

»Liebe Dotterblom!«, nuschle ich, als ich wieder aussteige, um den Schaden zu begutachten, »was soll ich denn jetzt machen, so besoffen, wie ich bin?«

»Zu Foss jonn …«, antworte ich mir selbst, was ein bisschen so klingt, wie eine betrunkene Dotterblume.

Eine halbe Stunde später stehe ich zwischen einem weißgrünem Elektro-Smart und dem Durchbruch. Der Smart surrt nach vorne zum berühmten zweiten Fenster, und ich bin dran. Ich bin dran!

»Willkommen bei McDonald's, Ihre Bestellung bitte!«, quäkt es aus einem unsichbaren Lautsprecher der bunten Burger-Bestellwand, und noch bevor ich irgendetwas sagen kann, folgt: »Sie haben ja gar kein Auto!«

»Ja und?«

»Das geht nicht.«

»Warum geht das nicht?«

»Weil das der Autoschalter ist.«

»Fragen Sie mich doch einfach, was ich bestellen will, und zwar so, als hätte ich ein Auto.«

»Sie haben aber keines!«, scheppert es aus dem Automaten.

»Ich hab schon eins, ich hab's nur nicht mit.«

»Dann kommen Sie doch ins Restaurant.«

»Nein. Ich muss hier bleiben!«

Die Burger-Bestellwand leuchtet und summt, der Lautsprecher aber bleibt aus.

Ich checke die Schlange hinter mir, fange mir den verächtlichen Blick eines speckigen Managers in einem BMW ein.

»Hallo?«, spreche ich in die Bestellwand. »Ich hab Hunger!«

»Tun Sie mir den Gefallen und bestellen Sie drinnen, der Schalter hier ist nur für Autos.«

»Ein Auto kann gar nicht sprechen!«

»Sie wissen, was ich meine.«

»Hunger!«

Es rauscht und knackt hinter den beleuchteten Burgern, Fritten und Salaten. »Ich darf Sie nicht bedienen, wenn Sie kein Auto haben!«

»Weil ich kein Auto habe, ist das Ihre Begründung?«

»Ja. Sagt auch der Restaurantleiter.«

»Sie wissen, dass Sie mich diskriminieren, oder?«

»Was?«

»Das Allgemeine Gleichbehandlungsgesetz von 2006 sagt Ihnen nichts? Die weniger günstige Behandlung einer Person gegenüber einer anderen in einer vergleichbaren Situation? Paragraph drei, Absatz eins?«

Natürlich geht hinter mir jetzt das Gehupe los. Ist es zu fassen? Ein Uhr noch was, und keiner hat Zeit! Die sollen mal froh sein, dass es um die Zeit überhaupt noch was zu essen gibt. Bei einem grünen Landrover geht ein Fenster runter, und ein grauhaariger Rocker mit Ohrring bölkt mich an.

»Was soll denn der Scheiß hier?«

»Ich werde diskiminiert!«

»Hä?«

»Paragraph drei, Absatz eins!« Wie zur Demonstration rufe ich noch einmal extralaut in den Lautsprecher. »Seid ihr noch da, ihr Fritten-Faschos? Krieg ich jetzt meine zwei Cheeseburger, oder nicht?«

»Sie kriegen Fritten. Drinnen!«

»Nein, hier!«

»Drinnen!«

»Liebe! Frieden!«

»Wie bitte?«

Mein rechter Fuß kracht gegen den Automaten, das Licht hinter zwei Menüs geht aus.

»Alter, bist du fertig!«, ruft der Rocker aus dem Landrover, und dann sehe ich im Restaurantfenster, wie drei hektische Uniformierte miteinander sprechen und auf mich deuten. Ich gehe zu dem Rockertypen rüber.

»Bestellst du ein Menu?«

»Sag ich dir doch nicht!«

»Wäre aber wichtig, geht um viel Geld.«

»Komm, schwirr ab, du arme Sau!«

Die Scheibe des Landrovers geht nach oben, und ein südamerikanisch aussehender Herr im Anzug kommt auf mich zu. Er ist Ende vierzig, pockennarbig und wirkt relativ entschlossen.

»Was zum Teufel machen Sie da?«, herrscht er mich an.

»Ich revolutioniere den Bestellvorgang!«

»Indem Sie versuchen, ohne Auto am Autoschalter zu bestellen?«

»Das ist es nicht!«

»Gehen Sie, oder ich rufe die Polizei!«

»Das brauchen Sie nicht. Ich will nur eine einzige Bestellung hören, dann bin ich weg.«

»Und was machen Sie dann damit?«

»Dann revolutioniere ich den Bestellvorgang!«

Ich weiß nicht warum, aber offenbar wittert die Pocke im Anzug ein Geschäft, denn ich kann mitkommen und mich neben den jungen Mann mit Headset stellen, der unter drei Monitoren die Bestellungen der Autofahrer annimmt.

»Das ist sehr nett von Ihnen«, sage ich zum Herrn im Anzug, der keinen Zentimeter von mir abrückt, und dann höre ich ihn, genau den Satz, den ich die ganze Zeit hören wollte, den Satz, dessentwegen ich überhaupt hier bin, den Satz, der vermutlich der größte Fehler der umsatzstärksten Fastfood-Kette der Welt ist. Der Satz lautet:

»Ein Getränk dazu?«

»Ha!«, rufe ich aus und klatsche meine Hand gegen die weißen Fliesen. »Ein Getränk dazu?!«

Der Restaurantleiter starrt mich an. »Ja und? Was ist falsch daran?«

»Ganz ehrlich? So ziemlich alles. Vielen Dank, ich hab genug gehört.«

»Warten Sie!« Recht kleinlaut reicht mir der Restaurantleiter seine Karte. »Falls Sie doch noch einen Verbesserungsvorschlag haben, können Sie sich gerne an mich wenden.«

Ich sage »Danke, sehr nett!« und drücke höchstzufrieden die Tür zur Bestellfahrspur auf. Einen Teufel werde ich tun! Ich hab vielleicht ein bisschen Scheiße gebaut in letzter Zeit, aber so blöd bin ich dann auch wieder nicht.

Wieder am heimischen Wohnzimmertisch spreche ich Ditters auf die Mailbox, dass ich den Durchbruch habe und auf Rückruf warte, gerne auch jetzt gleich und recherchiere, dass die Deutschlandzentrale von McDonald's in München sitzt. Ich schaue sogar nach Flügen und probiere den alten Anzug an, den ich bei Fliks Hochzeit anhatte, da steht plötzlich eine verschlafene Annabelle vor mir in ihrem überlangen ›I love Maki‹-T-Shirt.

»Was machst du denn?«

»Ich … hab mich gefragt, ob ich noch in den Anzug hier passe!«

»Um vier Uhr früh?«

Verdutzt schaue ich auf die Uhr. Annabelle hat recht. Es ist tatsächlich schon vier.

»Ich … werde leiser sein, Entschuldigung!«

»Alles in Ordnung mit dir?«

»Ja, ich … bin nur voller Ideen!«

»Dann nimm bitte die leisen und … der Anzug ist zu klein. Gute Nacht.«

»Gute Nacht, Feechen!«

Ich quäle mich aus dem Anzug und ziehe mir ebenfalls ein T-Shirt an und eine Jogginghose. Dann gehe ich zurück ins Wohnzimmer und rufe noch mal bei Ditters an. Da er wieder nicht rangeht, zünde ich mir eine Zigarette an und schreibe eine Mail.

Hallo Lars,

die Frage zur Nacht: Angenommen, du wärst Verkäufer von unfassbar hässlichen Plastikbrillen. Wann würdest du mehr unfassbar hässliche Plastikbrillen verkaufen? Wenn du fragst: »Möchten Sie eine unfassbar hässliche Plastikbrille?« oder wenn du fragst »In welcher Farbe hätten Sie Ihre unfassbar hässliche Plastikbrille denn gerne? Weiß, braun oder schwarz?«
Richtig. Du bist ja nicht knatschbekloppt. McDonald's aber offenbar schon, denn sie machen genau diesen Fehler. Sie fragen allen Ernstes, ob man was trinken möchte statt ganz konkret »Cola, Fanta oder Sprite?« oder noch besser »Ihren Softdrink mit oder ohne Eis?« und danach »Was für einen Softdrink?« Ich wette, dass mindestens die Hälfte aller Kunden ein Getränk nimmt, obwohl sie eigentlich nur was zu essen wollten. Das ist wie im Restaurant, wenn sie fragen: noch einen Espresso? Da denkt man auch immer, man kriegt den geschenkt, aber nix da. Ruf mich zurück, ich denke, da sind Millionen drin für uns. Flüge nach München gibt es noch für morgen.

Hetengruß
Simon

Pfffff … macht mein Mailprogramm, und ich mache einen Haken hinter McDrive. Nächster Punkt: das Bierbike. Im Netz scheint es so was wie »Beerbike Las Vegas« noch nicht zu geben. Ich gebe ›Las Vegas‹ in die Weltuhr meines iPhones: Neun Stunden hintendran sind sie dort, also erreichbar im Gegensatz zum Brillenhobbit. Aus einer TV-Reportage weiß ich, dass es das Original Münchner Hofbräuhaus auch in Vegas gibt (da halt nicht ganz so original), und tatsächlich: Unter www.hofbräuhauslasvegas.com heben Pamela Anderson und Hans Klok einen Steinkrug in die Höhe, es gibt eine Masskrugstemmen Competition und

Original Bayerischen Obatz'n auf der Speisekarte. Aber – haben sie auch ein Bierbike?

Ich lege mich auf die Couch und wähle die +1 702 853-BEER. Das kalifornische Brauhaus scheint beliebt, es gibt sogar eine Warteschleife mit bayerischer Volksmusik. »Ein Proooosit, ein Proooosit, der Gemütlichkeit«, knarzt es aus meinem Telefon. Das nenn ich mal eine bayerische Warteschleife. Ob sie deutsch sprechen oder englisch? Obwohl – »Have you got a beerbike?« werde ich ja wohl noch rausbekommen. »Ein Proooosit, ein Proooosit, der Gemütlichkeit. Ein Prooosit, ein Proooosit, der Gemütlichkeit. Eins, zwei, gsuffa! Ein Prooooosit …………«

Wie mir mein iPhone später verrät, ist nach genau sieben Minuten und 47 Sekunden jemand rangegangen. Aber da hab ich schon geschlafen.

Einen Scheiss muss ich

Es läuft nicht gut zwischen mir und meinem Hausarzt: Dr. Parisi ist unzufrieden mit mir als Patient, ja fast schon ungehalten. Stumm scrollt er sich auf dem Bildschirm durch meine Akte. Ich lasse meine müden Augen über die blitzsaubere Oberfläche seines Edelholz-Schreibtisches wandern bis zu einer großen weißen Teetasse, deren Inhalt inzwischen auf Zimmertemperatur abgekühlt sein muss. Bis auf den Dreitagebart hat Parisi sich nicht verändert: Noch immer klebt eine weiße Architektenbrille auf seiner schmalen Nase, noch immer gibt er sich mit seinem blondierten Resthaar alle Mühe, ansatzweise jugendlich zu wirken, noch immer ist sein Bildschirm viel zu klein. Endlich räuspert sich Parisi, dreht sich mit vorwurfsvoller Miene zu mir und sagt: »Zwölfter Neunter Zweitausendundsieben!«

»Wie bitte?«, frage ich leise nach.

»Am 12. 9. 2007 um 9 Uhr 30 wollte er die Blutwerte besprechen mit mir, aber er ist nicht erschienen.«

Okay. Parisi hat noch immer den Fimmel mit der dritten Person. Nun ja, seit 2007 weiß ich ja nun, dass ich gemeint bin. Parisi nimmt die Brille ab und dreht sich dynamisch zu mir. »Hab mich sehr geärgert damals, weil ich über eine Stunde Leerlauf hatte an diesem Tag.«

»Was haben Sie denn gemacht in der Stunde?«

»Ein Allgemeinbildungsquiz im *Focus*.«

»Und?«

Parisi räuspert sich wieder, setzt die Brille wieder auf und dreht sich zu seinem Bildschirm. »Ich kann jetzt Gebäude aus dem Rokoko besser erkennen.«

»Das können Sie sicher oft gebrauchen!«

»Kann ich nie gebrauchen.«

Nach einem kurzen und unangenehmen Moment des Schweigens wage ich es zu fragen, wie meine Blutwerte denn nun sind.

»Also, vor fünf Jahren waren sie eine Katastrophe, offenbar mochte er seinerzeit das Bier und die Wurst recht gern. Wie sie heute sind, weiß ich freilich nicht, da müsste ich ihn noch mal anzapfen.«

»Logisch«, sage ich kleinlaut, und dann fragt mich Parisi, was es denn nach all den Jahren so Wichtiges gebe, dass ich ohne Termin hier reinplatze, während jemand mit Termin im Wartezimmer sitze.

»Ich … also … er möchte Sie um ein Medikament bitten, das mi– … das ihn leistungsfähiger macht. Irgendwas, das ihn länger wach hält, weil …«

Skeptisch nimmt Dr. Parisi seine Brille ab. »Weil er durchtanzen möchte, bis es hell wird, und irgendwelche viel zu jungen Hühner aus Diskotheken abschleppen, um versaute Sachen mit ihnen zu machen, alles zu filmen und ins Internet zu stellen?«

Ich starre Parisi an. »Es ist eigentlich ein bisschen was anderes …«

»Schade. Was ist es denn?«

»Also, ich … er hat eine sehr wichtige Sache zu erledigen in den nächsten Tagen, die wichtigste in seinem Leben vermutlich, und für diese Sache ist die Zeit so unfassbar knapp, dass er es einfach nicht schaffen würde in der normalen Zeit.«

»Er hat noch immer viel zu tun, oder?«

»Wer?«

»Er! Also – Sie.«

»Wahnsinnig viel zu tun! Also … sagen wir so: In sechs Tagen muss er … etwas abgeben, das er noch nicht hat.«

Neugierig beugt sich Parisi über seinen Edelholztisch. »Er hat es noch überhaupt gar nicht oder schon ein bisschen?«

»Er hat es überhaupt noch gar nicht! Es ist alles … ungeordnet und wirr, und sein Anwalt geht nicht ans Telefon, und jetzt hat er die Panik, dass er es nicht schafft.«

»Er schreibt an einem Buch, nicht wahr?«

»Woher wissen Sie das?«, frage ich erleichtert.

»Ich hab geraten. Und er muss auch gar nicht weitersprechen, ich kenne das doch!« Parisi steht auf und flattert wild gestikulierend durch sein Zimmer. »Und wie ich das kenne! Ständig schmeißt man alles um, gerade den Anfang, den Anfang schmeißt man immer um, und dann ruft man beim Verlag an und sagt: ›Bitte, bitte, nur noch einen Tag mehr, sonst lande ich in der Gosse oder werde kriminell und komme in den Knast‹, aber dann sagen sie, dass sie diesen Tag nicht haben, weil die Lektoren schon warten und die Setzer und die Korrektoren und die Drucker und die Händler und die Leser und der dicke Kritiker, alle warten sie darauf, dass man in der Gosse landet und in den Knast kommt. Schrecklich!«

»Schrecklich!«, wiederhole ich und wundere mich, wie nahe Parisi so plötzlich bei mir ist.

»Ich schreibe nämlich auch an einem Buch, wissen Sie?«, fügt er mit leuchtenden Augen hinzu und setzt sich wieder.

»Im Ernst? Oh, da müssen Sie mir aber unbedingt verraten, wie es heißen wird.«

»Einen Scheiß muss ich.«

»Wie bitte?«

»Einen Scheiß muss ich!«, wiederholt Parisi.

»Weil es noch geheim ist?«, frage ich unsicher.

»Nein, nein«, unterbricht mich Parisi, »da versteht er mich miss, das ist der Titel des Buches.«

»Ihr Buch heißt ›Einen Scheiß muss ich‹?«

»Ja! Das ist zwar provokant, aber letztendlich geht es ja genau darum. Dass jeder Mensch ständig glaubt, Dinge tun zu müssen, die er gar nicht tun muss. Wusste er, dass wir am Tag bis zu hundert Dinge tun, die wir gar nicht tun müssten?«

»Steuern zahlen zum Beispiel?«

»Nein, da kommen wir nicht drum rum, ich meinte andere Dinge.«

»Zum Beispiel?«

»Patienten ohne Termin empfangen. Den Bettler zurückgrüßen, der nur Hallo gesagt hat, weil er sein Geld will, aufrecht sitzen, eine Flasche Wein kaufen, nur weil man drei Gläser probieren durfte, im Kino sitzen bleiben, obwohl die Romanverfilmung scheiße ist …«

»Hab ich verstanden!«, unterbreche ich Parisi, der sonst vermutlich die anderen 95 Punkte auch noch aufzählen würde.

»Darum geht es jedenfalls. Und wie heißt SEIN Buch?«

Mist. Komplett falscher Fuß.

»Mein Buch? Das heißt … also … der Arbeitstitel derzeit ist … es tut mir leid, ich darf's nicht sagen.«

»Ist es eine Geschichte oder ein Sachbuch?«

»Es ist so etwas wie … ein Kochbuch.«

»Ah. Sehr gut. Und … er hat noch so gut wie nichts und jetzt geht ihm ordentlich die Flattermuffendüse.«

»Richtig, die geht ihm.«

»Mein Gott, wie sehr ich ihn verstehe. Was kann ich denn jetzt für ihn tun?«

»Also, er hätte gerne so Tabletten, mit denen er –«

»Von mir nicht!«, unterbricht Parisi unwirsch, fast beleidigt.

»Aber er braucht doch die Zeit, damit er –«

»Zeit, aber keine Pillen. Ich bin ein ordentlicher Arzt, kein Larifari-verschreib-mal-eben-eine-Packung-Modafinil-Halodri.«

»Das weiß er ja auch«, beschwichtige ich, »aber warum bekommt er kein Modafinil-Halodri?«

»Modafinil! Der Halodri wäre ich, wenn ich's verschriebe.«

»Verstehe. Und warum braucht er das nicht, das Modafinil?«

»Weil er die Zeit hat!«

»Er hat die Zeit?«

»Ja. Und zwar viel mehr, als er denkt.«

»Wie viel mehr, als er denkt, hat er denn davon?«

»Sagen wir: ein Drittel?«

»Ein ganzes Drittel hat er mehr?«

»Ja!«

»Und wo kommt das her, das Drittel mehr Zeit?«

»Es kommt aus ihm selbst.«

»Das ist ja der Hammer!«, sage ich beeindruckt, weiß aber die Sekunde darauf schon nicht mehr warum.

»Sagt ihm der Überman Sleeping Schedule etwas?«

»Nein.«

»Das ist eine polyphasische Schlaftechnik, mit der man mit nur zwei Stunden Schlaf am Tag auskommt und trotzdem fit und erholt ist. Ich habe sie selbst mal zwei Wochen lang ausprobiert bei meiner Habilitation und war bass erstaunt, was so alles passiert ist mit mir.«

»Was ist denn passiert?«

»Nun, zum einen hab ich meine Habilitation rechtzeitig abgegeben.«

»Glückwunsch!«

»Danke.«

»Und zum anderen?«

»Hab ich mich ziemlich böse an Reißnägeln verletzt.«

»Verstehe«, sage ich einfach mal so, obwohl ich natürlich nichts verstehe.

»Ohne den Überman Sleeping Schedule hätte ich das jedenfalls nicht geschafft und … wie er sich ja denken kann, hätte ich Zugriff auf alle möglichen Medikamente gehabt. Jedenfalls nutzen den Überman viele Ärzte, machmal notgedrungen. Künstler nutzen ihn, wenn sie ihr Werk abgeben wollen oder müssen. Vor allem aber nutzt ihn das Militär.«

»Das Militär auch?«

»Aber hallo! Weil, es soll ja Situationen geben im Krieg, in denen es für einen Soldaten nicht ganz so schlau ist, wenn er sich im Häuserkampf sein FC- Köln-Kissen zurechtzupft, um sich ein schönes Schlummerchen zu gönnen.«

»Das wäre nicht so schlau im Häuserkampf, absolut!«, stimme ich Parisi zu.

»Extrem-Sportler sind auch ganz wild auf den Überman, falls ihm das Race Across America etwas sagt, da muss man ziemlich lange wach bleiben.«

»Das hört sich ja alles ganz gut an, aber … was genau ist denn so schlimm an diesem Modafinil?«

Parisi räuspert sich, kommt ein wenig näher und wechselt in seinen unsäglichen Doktor-Tonfall. »Modafinil ist ganz einfach das Gegenteil von dem, was er braucht. Er braucht Zeit und einen klaren Kopf für sein Kochbuch. Mit Modafinil arbeitet er drei Tage wie ein durchgeknallter Roboter durch, sieht komische Sachen und bricht dann bewusstlos zusammen. Was ER braucht, ist etwas, mit dem er dauerhaft wach ist und leistungsfähig. Aber wenn er nicht mag, zwingen kann ich ihn nicht. Ich würde daher vorschlagen, dass wir ihn jetzt mal anzapfen für neue Blutwerte.«

»Dann doch lieber Überman.«

»Wie er will. Ich erklär's ihm. Aber nur, weil ich den Patienten nach ihm nicht besonders leiden kann. Ich glaube, ich hasse ihn sogar, weil er nach feuchter Wäsche riecht, aber egal, das ist was ganz anderes. Nun, die Sache ist so: Beim Überman Sleeping Schedule muss man seinen Körper durch einen strengen Schlafplan überlisten. Ein Schlafplan, der im Wesentlichen darauf abzielt, den Anteil der wertvollen REM-Phasen an der Gesamtschlafdauer zu erhöhen.«

»Und … wie sieht so ein strenger Überlistungsschlafplan aus?«

»Der sieht ganz einfach aus: Der Patient, nennen wir ihn mal den Überman, verteilt seine zwei Stunden Schlaf auf sechs Nickerchen à zwanzig Minuten. Alle vier Stunden ein Nickerchen, also zum Beispiel um Mitternacht, um vier Uhr, dann wieder um acht Uhr und so weiter.«

»Und wenn der Überman mal länger schläft als zwanzig Minuten?«, frage ich neugierig.

»Dann hat er ÜBERschlafen, alles kommt durcheinander, und er hat es doppelt schwer. Er sollte also einen lauten Wecker haben, besser zwei. Reißnägel sind auch gut, die kann er überall dorthin streuen, wo er verführt ist, sich hinzulegen. Und der Überman sollte sich von Kaffee und Alkohol fernhalten.«

»Oh weh …!«, stöhne ich, »ich wusste, es gibt einen Haken!«

»Die Anfangsphase ist schwierig, weil der Körper sich erst umstellen muss, aber nach ein paar Tagen wird er aus dem Gröbsten raus sein und bis zu zweiundzwanzig Stunden fit am Tag.«

»Jetzt wirklich?«

»Absolut. Und ich sage ihm, es ist ein wirklich tolles Gefühl, keine Tage mehr zu haben und zu arbeiten, wenn alle schlafen. Man fühlt sich überlegen und immer einen Schritt voraus.«

»Das ist gut. Weil zurzeit fühle ich mich unterlegen und einen Schritt zurück. Haben Sie da einen Plan oder eine Broschüre dafür?«

»Ha! Das gibt es dafür nicht. Wenn es ihn wirklich interessiert, ausführlich steht alles im Netz. Kann er googeln.«

Ich stehe auf und reiche Dr. Parisi die Hand. »Macht er. Danke für die Tipps!«

Parisi erhebt sich ebenfalls. »Fein, fein. Und tut mir leid, wenn ich am Anfang ein bisschen … ich … wusste ja nicht, dass er ein Autorenkollege ist sozusagen. Also viel Glück und toi toi toi, vielleicht bringt er mir ja mal ein Exemplar mit, wenn er wiederkommt.«

»Natürlich, auf jeden Fall. Vielen Dank, und das Rezept bekomme ich vorne?«

»Was denn für ein Rezept?«

»Modafinil?«

»Netter Versuch. Ich bin zwar bisschen durcheinander ab und an, aber so durcheinander dann auch nicht. Frohes Fest, Herr Peters.«

»Ihm auch.«

»Wem?«

»Ihm, also Ihnen.«

Der Überman Sleeping Schedule! Ich bin doch nicht bekloppt und schlaf nur zwei Stunden am Tag! Parisis Tür ist noch nicht zugefallen hinter mir, da hab ich schon »Modafinil« in mein Handy eingegeben.

VIGIL – WIKIPEDIA

VIGIL (VON LATEINISCH VIGILARE: WACHEN), IST:

IN LITURGISCHER HINSICHT … BLA …

IN GEOGRAPHISCHEN NAMEN … BLA BLA …

ALS PRODUKTNAME

DER HANDELSNAME EINES ARZNEIMITTELS MIT

DEM ARZNEISTOFF MODAFINIL ZUR BEHANDLUNG

VON NARKOLEPSIE

ODER

SCHLAFAPNOE-SYNDROM:

Klingt bisher nach viel Blabla. Ich klicke auf den Wirkstoff-Link und überfliege den Eintrag.

MODAFINIL IST EIN ARZNEISTOFF ZUR BEHANDLUNG DER NARKOLEPSIE. DIE SUBSTANZ GEHÖRT ZUR GRUPPE PSYCHO-STIMULIERENDER MEDIKAMENTE.

Schon mal gut …

MODAFINIL IST ZUGELASSEN ZUR BEHANDLUNG VON ERWACHSENEN MIT EXZESSIVER SCHLÄFRIGKEIT.

Genau das brauche ich doch!!

Und dieser sture Kittel-Clown gibt's mir nicht. Dabei ist es zugelassen!

MODAFINIL WIRD AUFGRUND SEINER WACHHALTENDEN UND KONZENTRATIONS-FÖRDERNDEN WIRKUNG ZUNEHMEND ALS »BRAINBOOSTER« ANGEWENDET.

JETZT sind wir dabei!

ÄHNLICH WIE METHYLPHENIDAT WIRD ES VOR KLAUSUREN ODER DER ARBEIT KONSUMIERT, UM DIE LEISTUNGSFÄHIGKEIT ZU VERBESSERN. DIE LANGZEITWIRKUNG VON MODAFINIL WURDE NICHT UNTERSUCHT,

Mir egal.

DENNOCH EMPFIEHLT DAS US-MILITÄR SEINEN SOLDATEN DIE EINNAHME VOR LANGEN EINSÄTZEN MIT HOHER STRESS-BELASTUNG.

Bingo. Wenn es sogar das US-Miltär empfiehlt! Langer Einsatz, hohe Stressbelastung, das bin ich! Und ich wäre nicht Simon Peters, wenn ich es nicht innerhalb von 24 Stunden irgendwo herbekommen würde.

Kaufe jeden Wagen

Als ich beim Einfahren in Kölns schlechtestes Parkhaus (ADAC Test 2011) endlich den heißersehnten Rückruf von Ditters bekomme, schramme ich mit der Beifahrertür an die Wand der Auffahrt und verteile den Lack beider Türen auf gut fünf Meter Betonwand.

»Verdammtes Scheiß-Kack-Brechdurchfall-Nazi-Parkhaus-Nessel-Otto!«, brülle ich so laut, dass es nur so durch's Parkhaus hallt und Ditters vorschlägt, dass ich ihn zurückrufe. Für den Bruchteil einer Sekunde gehe ich mögliche Anti-Wut-Techniken durch, aber zu spät: Wild schreiend donnere ich zwei neue Löcher in den Dachhimmel und breche die Nackenstütze vom Beifahrersitz ab.

Ich parke, steige aus und sehe, dass ich mir den Lack der kompletten rechten Seite weggeschmirgelt habe. Und alles wegen Ditters! Kochend vor Wut ziehe ich mein Smartphone aus der Tasche und wende die Anti-Wut-Technik Nummer acht an: Ich verschiebe den Wutanfall! Der Gedanke hinter dieser Technik ist natürlich, dass man, wenn der Termin dann mal gekommen ist, milde lächelnd auf seine Kalender-App schaut und den Eintrag entspannt löscht. Also erstelle ich einen 16-Uhr-Termin mit dem Vermerk »Maßlos über Schramme im Parkhaus ärgern!« und fühle mich augenblicklich besser.

Als ich die Bürotür aufschließe, stehe ich direkt vor Paula. Sie hat einen Ohrring verloren und eine neue Kurzhaarfrisur, vor allem aber ist sie noch mieser drauf als ich. Noch bevor ich irgendetwas sagen kann, verschwindet sie in ihrem Zimmer und knallt die Tür hinter sich zu.

Hab ich das Klolicht brennen lassen? Zu viel Weichspüler benutzt? Oder hab ich eine von indischen Säuglingen sandgestrahlte Jeans an? Die Erklärung von Paulas Laune liegt in Form eines gelben Post-its auf meiner Tastatur, daneben ein Fünfzigeuroschein. Vielleicht hab ich mich mit meinem Mettbrötchen-Zettel ja doch ein bisschen weit aus dem Fenster gelehnt?

Lieber Simon, warum hierbleiben? So viel weniger kostet ein Büroplatz in Ehrenfeld. Paula

Ich stecke die fünfzig Euro ein, knalle meine Tür ebenfalls zu und lasse mich in meinen nachhaltigen Bürostuhl fallen. Dann zünde ich mir eine Zigarette an, gebe ›Saupillemannarschloch‹ ins Anmeldefenster meines Computers ein und rufe Ditters zurück.

»Der ist bei Gericht«, verrät mir seine Assistentin, »kann ich ihm was ausrichten?«

»Soll mich zurückrufen, nachdem er verloren hat.«

»Ich richte es ihm aus. Sekunde mal … was haben Sie gesagt?«

Ein weiteres Mal suche ich nach ›Modafinil‹ im Netz und erhalte ein gutes Dutzend Angebote diverser südamerikanischer Online-Apotheken. Kosten: einhundert bis zweihundert Dollar, Lieferzeit: bis zu drei Wochen. Okay, denke ich mir, so dann schon mal nicht. Wie wäre es mit Phil? Gut wäre es, hätte ich ihm nicht just gestern seinen Rollstuhl geklaut. Ditters? Einen Doktortitel hat er immerhin schon mal …

Ich beschließe, dass es wegen der laufenden Kosten besser ist, mir erst mal einen Händler zu suchen, der mein Auto kauft, und gebe ›Gebrauchtwagen‹ und ›Köln‹ bei Google ein. Gleich das erste Suchergebnis rufe ich an.

»Kaufe jeden Wagen, Maier?«, schnoddert es aus dem Hörer.

»Kaufen Sie auch Toyota Hilux?«

Nach einer kurzen Pause höre ich ein genervtes: »Was hab ich denn gerade gesagt?«

»Äh … ›Kaufe jeden Wagen, Maier‹?«

»Na also.«

»Ahhh … verstehe. Also ein Toyota Hilux ist kein Problem?«

»Wenn wir ›Kaufe keinen Toyota Hilux‹ hießen schon!«

»Sie heißen ja aber ›Kaufe jeden Wagen‹, oder?«

»Eben. Also einfach vorbeikommen.«

»Kann ich auch … jetzt kommen?«

»Hab ich irgendetwas gesagt in der Richtung: ›Kaufe jeden Wagen, nur nicht jetzt‹?«

»Äh … nein!«

»Na also. Wir haben bis achtzehn Uhr geöffnet.«

»Was für ein dämlicher Klugscheißer!«

Eine kurze Pause entsteht.

»Warum sagen Sie das nicht nach dem Auflegen?«

»Weil … ich dachte, dass Sie schon aufgelegt haben.«

»Nun, wie Sie hören, bin ich noch dran.«

»Entschuldigung. Dann bis spätestens achtzehn Uhr!«

Die Tür geht auf und Manni steckt seinen schmalen Beachvolleyballer-Kopf herein. »Simon?«

»Nee, ich hab keine Zeit zum Kickern!«

»Wegen Pro7!«

»Wieso? Was kommt denn?«

»Na ja, die sind hier. Wegen meiner Vorstellungs-MAZ. Und … du hattest doch gesagt, dass du das machst, wenn ich mich bewerbe –«

»Bei was?«

»Bei *Schlag den Raab*!«

»Aber da war ich total betrunken!«

»Na ja, sie sind halt trotzdem hier. Ich hatte dir auch 'ne Nachricht geschrieben auf Facebook und –«

»Kapiert das doch mal: Ich hasse Facebook.«

»Wie auch immer, wir warten eigentlich nur auf dich.«

Stöhnend rapple ich mich auf. »Was muss ich denn sagen?«

»Ganz einfach. Nur ein paar Sätze, warum du glaubst, dass ich den Raab schlage.«

Ich lache ehrlich und aufrichtig. »DU? Den Raab schlagen?«

»Denk dir einfach was aus!«

In Mannis Büro sind bereits eine Kamera mit Stativ und zwei fette Lampen aufgebaut Das Team selbst besteht aus einer einzigen Person mit langer, schwarzer Hardrock-Frisur, Led-Zeppelin-T-Shirt und grauem Rauchergesicht.

»Und du bist Pro7?«, frage ich verdutzt, was das Rauchergesicht komplett ignoriert und stattdessen gelangweilt seine Anweisungen nuschelt.

»Wir haben uns gedacht, du tust so, als ob du arbeitest, und dann schaust du am Bildschirm vorbei und sagst: Manni schlägt den Raab, weil … und so weiter! Und du endest in jedem Fall mit ›Manni schlägt den Raab‹. Machen wir immer so. Okay?«

Ein müdes Nicken meinerseits, denn so tun, als ob ich arbeite, das kann ich schon mal. Ich setze mich vor Mannis Bildschirm, auf dem ein grünes Wollknäuel zu sehen ist, das von zwei Laternenpfählen durchbohrt ist statt von Stricknadeln.

»Was ist das?«, frage ich.

»Strickerilla.de. Neue Webseite für Paula.«

»Ahhh …«, sage ich, »Bitte!«, sagt der Led-Zeppelin-Typ und dann beginne ich so zu tun, als ob ich arbeite, indem ich den Laternenpfahl mit der Maus aus der Wolle schiebe und in den Papierkorb. Dabei sage ich sogar noch »Aha!« und »Okay!«.

Ich glaube, dass ich das recht gut mache für meinen Zustand, aber irgendwann sagt Led Zeppelin: »Und aus!«, und: »Was ist los?«

Ich frage, was los sein soll, ich sollte doch so tun, als ob ich arbeite.

»Ja, aber doch nur am Anfang! Dann musst du natürlich irgendwas sagen!«

»Logisch! Sorry. Hab ich vergessen. Mach ich jetzt!«

»Und bitte!«

Und wieder starre ich auf den Bildschirm, klicke hier und da und lösche den Papierkorb. Dann schaue ich links am Bildschirm vorbei und spreche in die Kamera: »Manni schlägt den Raab, weil …« Ich starre abwechselnd auf Manni, den Regisseur und den Bildschirm. »Also, wenn ich ganz ehrlich bin, kann ich mir nicht vorstellen, dass der Manni den Raab schlägt. Okay, er fährt Mountain Bike und gewinnt im Kickern gegen mich und manchmal macht er verrückte Sachen wie auf Kräne klettern, nackt in den Rhein springen und Webseiten mit Wollknäueln, aber jetzt mal ehrlich: Wie soll jemand den Raab schlagen, dem einmal pro Woche vor Schreck die Beine wegknicken?! Also, ich sage: Der Raab schlägt den Manni!«

Während mich Manni fassungslos anstarrt, grinst der Kameramann mit dem Led-Zeppelin-Shirt.

»Cool. Hatten wir so noch nicht, aber ist gekauft.«

Eine halbe Stunde später stehe ich neben einem stiernackigen KFZ-Proll auf dem Hof von ›Kaufe-jeden-Wagen‹ und starre betröppelt auf den Umschlag mit meinen viertausend Euro.

»Glaub mir, das ist ein guter Preis für deinen Hilux.«

»Seh ich nicht so.«

»Junge! Das Ding hat neun Löcher im Dachhimmel, 'ne kaputte Stoßstange hinten, und die komplette Fahrerseite ist auch aufgerissen!«

»Ist mir aber erst heute morgen passiert«, erwidere ich, als würde das irgendetwas ändern.

Der KFZ-Proll grinst schäbig. »Dann komm doch einfach gestern noch mal vorbei, dann geb ich dir tausend mehr. Klugscheißer!«

Alle Rinder dieser Welt

Ich bin so frustriert, dass ich lieber nach Hause fahre statt ins Büro, dort sind ohnehin nur alle sauer auf mich. Es hört sich saublöd an, aber was ich völlig unterschätzt habe beim Verkauf meines Autos, ist, dass ich danach kein Auto mehr habe.

Jetzt sitze ich in der verranzten KVB, dem Verkehrsmittel also, das ich nach dem Taxi, Flugzeug und dem Schiff am meisten hasse, und starre durch ein schmieriges Fenster nach draußen. Mietshäuser, Copy-Shops und Fünf-Euro-Friseure gleiten vorbei wie auf einem Siebzigerjahre-Panoramaposter.

Noch vier Stationen dann bin ich zu Hause in meiner schönen Dachwohnung, die dank Sarantakos jetzt wieder der Sparkasse Köln-Bonn gehört! Leute, was spare ich nicht an Steuern wegen dieser »BESCHISSENEN IDEE MIT DEM KREDIT!«, schreie ich durch den Wagen, und als mich alle anglotzen, nuschle ich eine Entschuldigung und ziehe mein iPhone aus der Hosentasche. Ich hab eine Mail bekommen, eine Mail von Shahin, die vermutlich letzte Chance auf Trost für den Tag.

Hallo Simon,

schön von dir zu hören, ich hoffe, es geht dir gut. Bei mir ist viel passiert. Ich lebe jetzt mit meiner Frau Shane in San Diego, Kalifornien und genieße das Leben. Wir beide haben ja wirklich ordentlich Kohle gemacht damals, und manchmal kann ich es immer noch nicht fassen, dass ich gar nicht mehr arbeiten muss. Was machst du so? Bist du noch mit Annabelle zusammen oder hat sie die Nerven verloren ;-)? Habt ihr Kinder? Also wir haben zwei: Tim (2) und Luisa (4). Wenn ihr mal in die USA kommt, müsst ihr uns unbedingt besuchen, wir haben ein schönes Gästezimmer mit Blick auf den Pazifik! Schreib dir ein ander Mal mehr, wir haben gerade geile Wellen hier, da muss ich einfach raus mit meinem Brett. Im Anhang ein Foto von mir und meiner Familie vor unserem neuen Haus.

Greetings from sunny California
Shahin

PS: Ich bin der Surf-Adair ;-)

Ich weiß auch nicht, aber ich könnte einfach so losflennen. Warum tut er mir das an? Warum ist er nicht auch pleite oder wenigstens noch in Köln? Warum arbeitet er nicht bei Mr. Wash in der Vorsprühhalle und schreibt so was wie ›Hey Simon, ja, lass uns wieder was auf die Beine stellen zusammen!‹?

Okay, also kein Bierchen mit Shahin. Keine neue Firma zusammen. Kein Neustart. Kein nichts. Er hat's geschafft. Und ich nicht.

Als ich meinen Kopf nach links drehe, schaue ich direkt in die Augen eines kleinen, putzigen Mädchens, vielleicht sechs Jahre alt. »Was hast du denn?«, fragt sie mich, dann wird sie von ihrer Mutter weggezogen »Lass den Mann, der hat Sorgen!«

Ich steige eine Station früher aus, weil ich das Kind nicht mehr ertrage, und kaufe einen Blumenstrauß für Annabelle, damit sie mich nicht verlässt. Mir selbst kaufe ich ein Stück Käsekuchen beim am wenigsten schlechten Bäcker des Viertels und schleppe mich hoch in die Wohnung. Vor unserer Tür liegt ein Paket für mich. Beim Öffnen strahlt mir ein neongrünes Paar Laufschuhe entgegen und eine kleine vorgedruckte Nachricht: »Für meinen Schnuppes! Kuss, Annabelle!«

Ratlos ziehe ich einen der Schuhe aus der Box. Die grüngelbe Neonfarbe hat eine Strahlkraft wie ein Atomkraftwerk bei einer Kernschmelze. Warum zum Teufel schenkt mir Annabelle so was? Ich simse ihr eine Nachricht:

> Danke Dir für die Schuhe, Feechen. Aber was soll ich damit?
> Kuss, Schnuppes

Ich schalte den Fernseher ein. Auf N24 läuft eine Doku über den Magnetsinn von Tieren und wie sie bevorstehende Katastrophen erspüren. Nach neuesten Erkenntnissen haben nicht nur Vögel und Fische, sondern auch Rinder einen solchen Magnetsinn, sagt der Sprecher. Alle Rinder dieser Welt stehen nämlich am liebsten in einer Nord-Süd-Achse, das hätte man nach Auswertung von über dreihundert Rinderherden bei Google Earth herausgefunden. Haben sie Angst oder verändert sich das Magnetfeld, dann verlassen sie diese Achse.

Vielen Dank, N24, dass ihr mein Leben so bereichert mit euren im Vollsuff zugekauften Ramsch-Dokus. Ich greife nach der Fernbedienung, schalte um und lande auf einem Shopping-Kanal, auf dem ein aufgedunsener Glatzkopf begeistert ein Navi für Senioren anbietet. Wo soll denn da der Unterschied zu einem normalen Navi sein? Sagt die Stimme alles dreimal? Ich schalte noch einmal um und lande inmitten der Doku *Der härteste Knast der Welt*. Ob sie da auch Steuersünder reinpacken?

Ich schalte aus, setze mich auf die Couch und überlege, ob ich den Überman Sleeping Schedule beginnen soll oder das Finanzamt Köln-Nord in die Luft sprengen oder besser unterspülen und absacken lassen, was nicht so auffallen würde in Köln. Mein Handy surrt.

Laufen? Kuss, Feechen

Seufzend stehe ich auf und schaue nach draußen. Zum ersten Mal seit Tagen regnet es nicht. Ein Zeichen? Vielleicht sollte ich ja tatsächlich laufen gehen. Immer wieder hört man ja von Leuten, denen das gut tut. Ich könnte mich aufraffen, in die grün-gelben Atom-Autoscooter steigen und mir einen klaren Kopf erlaufen, vielleicht kommt mir ja zwischen Buche und Lärche die rettende Idee! Und wenn nicht, bin ich zumindest besser drauf danach, das sagen ja alle immer. Spechtgleich tackere ich meine Antwort an Annabelle:

Mach ich. Damit du am Abend einen entspannten Freund hast!
Kuss, Schnuppes

»So!«, sage ich und eile entschlossen zur Vitrine mit meinen alten Joggingklamotten. Es ist alles noch da, aber natürlich kann ich unmöglich in zwei linken Laufsocken laufen, weil es mich seit jeher wahnsinnig macht, wenn in meinem rechten Schuh ein Socken mit dem Aufdruck L steckt, obwohl es doch mein rechter Fuß ist. Ein einziges Mal bin ich mit zwei linken Socken gelaufen, weil Annabelle gesagt hat, ich solle mich nicht so anstellen, und ich habe es so gehasst, dass ich die Socken im Wildpark auf ein Lämmchen geworfen habe.

Ich schlüpfe also ohne Socken in die Atom-Schuhe. Sie passen. Und dann renne ich los, mein Handy nehme ich mit, damit ich den Rückruf von Ditters nicht verpasse. Schon an der ersten Straßenecke meldet meine Pulsuhr 137 Schläge pro Minute, ob das gut oder schlecht ist, steht nicht dabei.

Egal, beschließe ich, einfach nur laufen und die Gedanken mitlaufen lassen. Das mit den Gedanken ist leider nicht so einfach. Schon an der zweiten Ecke hoffe ich, dass mir keiner entgegenkommt. Das ist auch so eine Sache wie mit den Socken, weil wenn ich jemandem begegne, dann weiß ich nie, wohin mit den Augen. Wenn mir zum Beispiel eine in GoreTex gepackte Schwartentussi entgegenwabbelt, schaue ich dann peinlich berührt ins Gebüsch? Oder belohne ich die adipöse Leibesstraffung mit einem anerkennenden Blick auf die bebenden Wulste? Was mache ich bei all den attraktiven Müttern, die ihren Buggy vor sich herrollen? Souverän lächeln mit der Botschaft: »Und dich knall ich auch noch weg!«, oder glotze ich stumpf auf den Laufweg, als seien die Mütter gar nicht attraktiv, sondern asexuelle Balg-Schubsmaschinen? Dann gibt es natürlich noch Läufer, die geradezu auf irgendeine Art Bestätigung warten. Ich meine die Testosteron-Cowboys, die auch noch bei minus zweitausend Grad mit kurzer Hose und entschlossenem Blick durch den Wald hetzen in dem Glauben, dies härte ab. Vor was? Stalingrad war '43!

Die Strecke durch's Wohngebiet habe ich nun fast hinter mir, das heißt, dass ich mich in knapp einer Minute dem ersten kritischen Punkt nähere, dem Zebrastreifen zum Park. Schon früher war ich hier wegen des Zebrastreifens äußerst angespannt, und ich bin es heute wieder, weil ich nämlich unter keinen Umständen meine Geschwindigkeit verringern werde oder gar warten, bis mich so ein aufgeblasener SLK-Fahrer gnädigst passieren lässt, nein, nein, nein, nein nein! Ich werde ihn ganz normal überqueren, diesen Zebrastreifen, weil er nämlich 1. nicht zu übersehen ist und 2. exakt zu diesem Zweck an dieser Stelle aufgemalt wurde von der Sportstadt Köln (hahahaha!). Es wird einem jeden sturen Autoschmock eine angemessene Lehre sein, wenn ich mit meinen Atom-Schuhen und lautem Getöse auf die Motorhaube krache und mein blutüberströmtes Gesicht die Windschutzscheibe herunterquietscht und ich schließlich auf dem Zebrastreifen verblute.

»Ja, sind Sie denn blind?«, würde ich noch im Todeskampf schreien und auf die drei riesigen, blauweißen Hinweisschilder deuten: »Das hier ist ein verfickter Zebrastreifen!«, und dann würden andere Jogger anhalten, dem aufgeblasenen SLK-Fahrer die Leber herausreißen und an die fetten Stadtwaldtauben verfüttern und ich … ich bekäme eine Million Schmerzensgeld!

Kurz vor dem Zebrastreifen muss ich leider enttäuscht feststellen, dass gar kein Auto in Sichtweite ist, welches für mich nicht bremsen könnte. Und jetzt? Ich könnte noch einmal zurück, auf ein Auto warten, das für mich nicht bremsen könnte und genau dann loslaufen, dass es bremsen MUSS, wenn ich komme, aber das kann ja ewig dauern, und am Ende bremst es doch.

Ich laufe weiter, schließlich will ich ja zur Ruhe kommen und mich entspannen. Der Puls ist bei 151, als ich endlich den Beethovenpark erreiche, und eigentlich sollte die Luft gut sein, aber irgendwie riecht es nach Plastik und Öl, vermutlich fackeln die Raffinerien im Süden wieder ein paar Tonnen hochgiftigen Schlick ab.

Ich muss an Shahin denken, wie er auf einer Welle reitet, während ihm seine beiden süßen Kinder mit dem Hund vom Strand aus zuschauen, und vermutlich kommen am Abend dann auch noch Freunde ins Haus zum Grillen, und dann wird gelacht und Wein getrunken bis spät in die Nacht und das Leben genossen. Aber irgendwann … IRGENDWANN dreht sich das Leben, es dreht sich gerade für die, denen sonst die kalifornische Sonne aus dem Arsch scheint, und dann wird Shahin einen Brief von der Baubehörde bekommen, weil sein Haus nämlich zu nahe am Strand gebaut wurde, und er wird es abreißen müssen. Seine Frau wird das Trinken anfangen vor lauter Kummer und den mexikanischen Gärtner vögeln, und der Hund wird in eine HIV-verseuchte Spritze treten, und dann beginnen die ach so süßen Kinder ihre erbärmlichen Versager-Eltern zu hassen, bauen einen

Quadrokopter aus dem toten Hund und zünden das Haus an. Und wenn sich dann eines Nachts die gierigen Flammen durch das abgerissene Mahnmal ihrer perfekten Kindheit fressen, dann fliegen sie den Hund mitten hinein ins Feuer! BÄÄM!!!

Puls 154, das ist völlig okay, glaub ich, dafür, dass ich so lange keinen Sport gemacht habe. Ich konzentriere mich auf den Weg und die Atmung, obwohl ich drei prall gefüllte, rote Hundekotbeutel passiere, von denen einer in einem Baum hängt wie Christbaumschmuck. Den Ultras ist aber auch langweilig, seit der FC in der Zweiten Liga spielt.

Zehn Minuten bin ich schon unterwegs, gleich muss die baufällige Fußgängerbrücke über den Militärring kommen. Tatsächlich, da ist sie: Der Lack blättert ab vom Geländer, und aus dem Stahlbeton platzt der Rost, die Stadt hat es echt fertiggebracht, nichts dran zu machen seit Adenauer Bürgermeister war. Für was hab ich eigentlich Steuern gezahlt? Ach so … hab ich ja gar nicht.

Ich laufe weiter und versuche mich zu beruhigen. Zwei tratschende Parfümbomben versperren mir auf dem Scheitelpunkt der Brücke den Weg. Erst als ich gegen das Brückengeländer trete, springen sie erschrocken zur Seite. Am Ende der Brücke passiere ich drei Waldarbeiter in orangen Overalls, sie stecken Zweige und Äste in einen Monsterschredder, wobei sie die Späne wie MG-Salven ins Dickicht feuern, so dass es eine ohrenbetäubende Frechheit ist. Ich zeige den Mittelfinger und renne vorbei.

Mein Puls ist bei 161, als ich den ehemals glasklaren Weiher erreiche. Jetzt ist er neongrün wie meine Schuhe, und als ich auf den Rundweg biege, weiß ich auch warum: weil ihn die dämlichen Enten grüngegrützt haben! Zur Strafe treibe ich insgesamt drei Entenfamilien in ihre eigene Kacke. Eine trübäugig glotzende Gruppe silberköpfiger Senioren empört sich, und ich beschimpfe sie als Schnabeltassen-Flakhelfer. Eine Krücke fliegt in meine Richtung.

Die 170er-Marke hat mein Pulsschlag gerade durchbrochen, da vibriert mein Telefon. Gott sei Dank. Eine Pause. Ungeübt im Annehmen von Telefongesprächen während ich bei einem Waldlauf mit Krücken beworfen werde, drücke ich zunächst die falsche Taste und höre einige Sekunden den Rammstein-Titel, mit den ich Lalas Wein beschallt habe, dann meldet sich Ditters.

»Simon?«

»Ja?«, keuche ich.

»Stirbst du gerade?«

»Ich jogge!«

»Sehr gut, das entspannt dich. Sollen wir ein ander Mal?«

»Nein! Jetzt! Also, München – wann fliegen wir … zu McDonald's?«

»Wir fliegen gar nicht.«

»Aber einen Termin machen wir!«

»Ich brauch da keinen Termin zu machen, Simon, weil ich vorher weiß, was passiert. Deinem Satz da mit Cola, Fanta oder Sprite fehlt leider jede Kennzeichnungskraft.«

Das war ja klar, dass er mir mit seinem halbschwulen Gerichtsgeschwurbel kommt.

»Und das heißt?«

»Dass deine Idee markentechnisch nicht schutzfähig ist und wettbewerbsrechtlich schon gar nicht, da könntest du gleich versuchen, Bananen als Marke für Südfrüchte einzutragen.«

»DAS ist auch eine gute Idee!«

»Ist es nicht, Simon, vertrau mir.«

»Ja, aber wenn ich doch den Satz habe, wie sie mehr Umsatz machen, dann können wir doch nach München fliegen in die Zentrale und es probieren!«

»Brauchen wir nicht, weil ich vorher weiß, was passiert, wenn wir überhaupt einen Termin bekommen. McDonald's wird sagen, dass sie genau das ohnehin vorhatten, und dann wünschen sie dir einen schönen Tag, du sitzt wie Hein Doof im Flieger zurück nach Köln mit einem ekelhaften Air Berlin-Sandwich und reißt die Sitzbezüge ab vor Wut. Davon abgesehen würde jeder Richter argumentieren, dass –«

»Mal was ganz anderes?«, unterbreche ich Ditters.

»Ja?«

»Kannst du Rezepte ausstellen?«

»Warum sollte ich das können?«

»Weil du Doktor bist?!«

»Nein. Aber eine Frage kann ich dir stellen!«

»Ja?«

»Wegen des Aufzugs –«

Ich stecke das Handy in die Tasche und laufe wieder los. So schnell, dass mein Pulsalarm wieder losgeht. Warum zum Teufel klappt denn auch wirklich NICHTS im Augenblick? Ich beiße die Zähne zusammen und laufe noch schneller, der Geruch von Entengrütze vermischt sich mit den radioaktiven Schlickdämpfen der Raffinerie. Dieser Pulsalarm nervt aber auch. Was müssen die einen noch nerven, wenn man eh schon stirbt? Meine Zähne malmen, die Hände werden zu Fäusten. Was hat Sarantakos noch gesagt: Geld ist nicht alles im Leben? Sarantakos, diese linke Ratte! Dieser Finanz-Salafist! Ist gar nicht der Herzfrequenzalarm. Ist mein Handy mit der Wut-Technik Nummer acht:

16 UHR. ERINNERUNG.
Maßlos über Schramme im Parkhaus ärgern!

JETZT, das spüre ich tief in mir, ist endgültig der Ofen aus. Bebend vor Wut rase ich auf den nächstbesten Baum zu und trete so fest dagegen, dass ein gutes Kilo Blätter runterkommt.

»SCHEISS PARKHAUS!«, schreie ich, »SCHEISS DITTERS!«, aber auch »FICKT EUCH DOCH ALLE!«

Ratlos betrachten mich die Schnabeltassen-Flakhelfer vom anderen Ufer des Weihers. Ich rase auf ein Trimm-Dich-Klettergerüst aus den sechziger Jahren zu und werfe mich dagegen. Es knickt zusammen wie ein verschissenes Streichholz. »SPORTSTADT KÖLN?!«, schreie ich und »DASS ICH MICH NICHT TOTLACHE!«, und dann lache ich auch: »HAHAHAHAHAHA!«, und hüpfe dabei, was sehr lustig klingt wegen der Vibration, so wie bei Phils Kopfsteinpflasterlied. »ICH SING DAS FICKT-EUCH-ALLE-LIED! DAS LIED, DAS JEDER SPORTLER LIEBT!« Phil hatte recht. Es ist sehr, sehr lustig, wenn man hüpft beim Singen.

An einer Bude, die im Sommer Eis verkauft und im Winter einfach nur nichts statt zum Beispiel Glühwein, diese hirntoten Idioten, mache ich eine Pause und stütze mich atemlos auf meine Oberschenkel.

»Mann, beruhig dich mal«, brummelt jemand rechts von mir. Ich reiße meinen Kopf herum und sehe einen zotteligen Obdachlosen, der auf seinem Schlafsack sitzt und einen Haufen Penny-Plastiktüten mit Klamotten sowie eine umgekippte Flasche Wein hütet.

»Halt die Klappe und geh nach Hause!«

»Ich bin zu Hause, du Arschloch«, raunzt er und kriecht wieder in den Schlafsack. Stimmt. Wo er recht hat …

Weil mein Fuß wehtut, kürze ich ab und schlurfe über den Wildpark Lindenthal nach Hause. Zwei schottische Hochlandrinder mit großen, weißen Hörnern haben sie gekauft, die Trulli und Lotta heißen laut Schild. Eines ist weiß und dick, das andere dunkel und dick. Typisch Köln: Die Brücken zerfallen zu Feinstaub, und die neue U-Bahnlinie wird 2028 fertig, aber für furzende Hochlandrinder mit Wikinger-Hörnern ist Geld da. Das helle Rind nimmt Notiz von mir, dreht seinen Kopf und schaut mich ebenso glubschäugig wie gelangweilt an.

»Habt ihr wenigstens einen Magnetsinn?«, frage ich das blonde Rind.

Weil ich keine Antwort erhalte, tippe ich auf den Kompass in meinem iPhone und schaue, wie die Tiere stehen. Sie stehen tatsächlich mehr oder weniger in einer Nord-Süd Achse.

»Respekt!«, sage ich und verabschiede mich. Fast hätte mein kleiner Sportausflug noch ein versöhnliches Ende gefunden, würde es nicht in diesem Augenblick wie aus Mörtelwannen anfangen zu schütten.

Als ich nach einer halben Stunde fluchend und nass bis aufs Knochenmark in die Küche unserer Wohnung hinke, wartet eine stolze und gutgelaunte Annabelle mit einem Handtuch und einer Apfelschorle auf mich.

»Danke für die Blumen!«

Ich huste ein »Gerne!«, reibe mir die Haare trocken und zünde mir eine Zigarette an.

»Du bist nicht entspannt, oder?«, fragt Annabelle vorsichtig.

»Entspannt!«, lache ich vermutlich ein wenig irr, »wie soll ich mich entspannen mit Hundescheiße in den Bäumen, einem zugegrützten Weiher, tratschenden Parfümtanten, Silberkopf-Flakhelfern, baufälligen Brücken, Penny-Pennern und Platzregen?«

Annabelle ist geschockt. »Das gibt's doch nicht, dass du mit so einer Scheißlaune vom Laufen kommst! Ich meine, der Stadtwald ist wunderschön!«

Ich trinke die Schorle aus und stelle das Glas neben die Spülmaschine. »Was soll ich sagen, ich hab mich bemüht!«

»Waren die Schuhe wenigstens gut?«

»Ja, aber die Enten sind in ihre eigene Scheiße geflüchtet wegen der Farbe.«

Stumm schauen wir auf den Fernseher, wo eine grinsende Puppenblondine mit holländischem Akzent darauf hinweist, dass es nur noch wenige Stunden sind, bis sich entscheidet, wer den Dancing Star 2012 bei *Let's Dance* holt. Zielstrebig greife ich die Fernbedienung.

MENÜ
PROGRAMME
SENDERLISTE
RTL
LÖSCHEN?
JA

»Hey! Das interessiert mich!«, interveniert Annabelle und bekommt ihre putzige Zornesfalte. Den gelöschten Sendeplatz von RTL hat PRO7 eingenommen, wo bei *Galileo* gerade ein Komet auf die Erde stürzt. Ein Sprecher sagt: »Und außerdem: Wie der US-Bunkerbauer vivos mit der Angst der Leute Geld verdient!«

»Machst du mir RTL wieder rein, bitte?«, fordert Annabelle, doch da bin ich schon mit dem Laptop auf's Klo geflüchtet.

»Hallo?«, höre ich Annabelle in der Küche toben, »mach mir RTL wieder rein!«

»Du musst den Sendersuchlauf starten!«, rufe ich durch die Tür, dann poppt Spiegel Online auf meinen Oberschenkeln auf mit dem Foto eines alten Wasserhahns, aus dem ein einziger Tropfen kommt und der Überschrift »Wird bald das Wasser knapp?«. Da werden wohl eher die Themen knapp, denke ich mir, gebe »Bunker« und »vivos« in die Google-Suchzeile und lasse laufen. Stoffwechsel mit Netzzugang, die einzig verbliebene Freiheit des geschundenen Mannes. Während ich pinkle, überfliege ich die Suchergebnisse.

›Im NVA-Bunker dem Weltuntergang trotzen‹ lautet das erste. *›Bunkerplätze für Weltuntergang ausreserviert‹* das zweite und *›Millionen Dollar Geschäft: wie der US-Bunkerbauer vivos mit der Angst der Leute Geld verdient.‹*

Ich schüttel ab und rutsche vorsichtig hoch auf der Brille. Ich klicke mich auf den zweiten Artikel und lese, dass man sich in Spanien Plätze in einem Atombunker reservieren konnte. Konnte. Ausverkauft seit September. Okay. Wir alle wissen, dass es den Spaniern noch schlechter geht als uns, aber soooo schlecht?

Klick.

Die *Augsburger Allgemeine* schreibt:

»Weltuntergang: 400 Euro für einen Platz im Bunker. Es ist eine findige Geschäftsidee: Wer den Weltuntergang am 21. Dezember 2012 nicht im Freien verbringen möchte, kann jetzt in Thüringen unter die Erde gehen. Bei eBay werden Schlafplätze in einem Bunker versteigert.«

Findige Geschäftsidee? Mir wird fast ein bisschen schlecht.

Klick.

Auf Seite zwei der Suchergebnisse geht es nicht minder dramatisch weiter. Im Forum *rund-ums-baby.de* fragt ein verzweifelter Familienvater, ob irgendjemand von freien Bunkerplätzen gehört habe. »Flik?«, denke ich laut und scrolle mich durch die anderen Posts. Die eine Hälfte der Kommentare macht sich lustig über den besorgten Bunker-Papa, die andere ist »voll bei ihm« und verteilt Links zu möglichen Alternativ-Unterkünften. Ein Link ist tot, der andere, ein alter Eisenbahnbunker bei Friedrichshafen, ist ebenfalls ausreserviert. Es ist unfassbar, aber offenbar gibt es neben Flik und Lala eine weitere, nicht zu unterschätzende Zahl an Leuten, die an den 21. 12. glauben und sich in irgendeiner Art und Weise schützen wollen. Lächerlich! Ich meine, was soll passieren in einem Land wie Deutschland, das außer Griechenland, Spanien, England, Norwegen, Dänemark, Österreich und der Schweiz keinen einzigen Feind mehr hat? Bis auf Pakistan, Ägypten und Somalia vielleicht …

»Simon?«, tönt es aus dem Bereich unserer Wohnung, der kein Klo ist.

»Ja?«

»Kommst du da mal wieder raus?«

»Ja!«

Ich komme immer noch nicht über den Begriff »findige Geschäftsidee« hinweg. Denn wenn irgendjemand eine findige Geschäftsidee hat, dann Scheiße noch mal ich, so dachte ich zumindest bisher. Ich klicke mich zu einem Artikel auf *scienceblogs.de*, wo ein User das fragt, was mir spätestens seit der achtmillionsten Endzeitreportage bei N24 auf der Seele brennt:

»Wenn alle wissen, dass der Weltuntergang Unsinn ist, warum reden dann alle drüber? Antwort: *weil man mit der Angst vor dem Weltuntergang wunderbar Geld verdienen kann.«*

Fassungslos über mich selbst klette ich meinen Blick auf die blanke Klotür. Kann es sein, dass ich aus irgendeinem Grund den derzeit aktuellsten Wirtschaftszweig ausgeblendet habe: die Angst vor dem Weltuntergang? Ist es möglich, dass ich der Einzige bin, der das derzeit wichtigste Thema einfach ignoriert hat, OHNE daran zu denken, dass man auch Geld damit machen könnte?

Ich tippe ›Weltuntergang‹ und ›Vorsorge‹, und tatsächlich: Ein Krisen-Shop nach dem anderen poppt auf. Irgendwie fühle ich mich, als würde ich nach einem Saufgelage einäugig und mit einem Höllenkater die Tür zur Küche aufdrücken, nur um überrascht festzustellen, dass alle längst frühstücken. Hektisch klopfe ich die Worte ›Bunker‹ und ›NRW‹ in meine Tastatur und erfahre von einem Bunker in der Eifel, der sogar schon eine eigene Seite hat. www.ausweichsitz-nrw.de lautet die Adresse.

›Der Ausweichsitz der Landesregierung NRW wurde in den 60er Jahren in der Nähe eines kleinen Dorfes in der Eifel gebaut. Fast 30 Jahre lang musste er ständig betriebsbereit gehalten werden. Noch jetzt ist er voll funktionsfähig.‹

Ich stöhne laut und drücke die Spülung.

»Was machst du denn da?«, ruft Annabelle.

»Atombunker!«, antworte ich wahrheitsgemäß und klicke mich über die Seite. Kein Wort vom Weltuntergang, kein Übernachtungsangebot, es gibt lediglich Führungen für Interessierte, die nächste ist morgen, Patienten der benachbarten Eifelhöhen-Klinik erhalten sogar einen Rabatt.

Ich klappe den Laptop zu und mein Hirn auf. Mann, bin ich bescheuert! Denk über Schütteljupp und Dotterblom nach, statt einfach mal 1 und 1 zusammenzuzählen. Alle wollen am 21. 12. in irgendwelche Bunker. In der Eifel gibt es einen Bunker. Ich hab kein Auto mehr, aber Phil, und in die Eifel muss er auch zur Reha. Der Bunker liegt laut Google Maps 56 Minuten von Köln entfernt. Und ich Idiot rufe das Hofbräuhaus in Las Vegas an!

Als ich aus dem Klo komme und Phil anrufen will, steht Annabelle bereits in einem umwerfenden Abendkleid im Türrahmen. Was mich so überrascht, dass ich ausnahmsweise mal was Nettes sage. »Du siehst ja fantastisch aus!«

»Und du bist noch nicht mal geduscht!«

»Warum sollte ich?«

»Simon, stell dich nicht so blöd. Unser Taxi kommt in zehn Minuten.«

»Und das fährt uns wohin?«

»Hallo?«

»Hallo!«

»Du hast eben den Trailer gesehen!«

Mir bleibt augenblicklich die Luft weg.

Lurchenkotze-Boarding auf Guantánamo. Meinen Pimmel in

heißes Pommesfett tunken. Als Merkel verkleidet in einer griechischen Taverna Euros verbrennen. Alles würde ich lieber machen, als ausgerechnet jetzt in dieses Taxi zu steigen. Warum? Wir haben doch eben den Trailer gesehen …

Let's Dance!

Es gibt nahezu nichts, was nicht in den MMC Studios aufgezeichnet wird: *Das Supertalent, Die Promi-Koch-Arena, Mein Mann kann* und eben ... *Let's Dance*. Ich hab die Sendung noch nie gesehen, Annabelle dafür jede Folge, und genau deswegen sitzen wir jetzt auch in einem tennisplatzgroßen Studio mit Parkett-Tanzfläche, direkt hinter dem noch unbesetzten Jurytisch. Ein guter Platz, wenn man unbedingt ins Bild will. Ein nicht ganz so guter Platz, wenn man gerade der besten Geschäftsidee überhaupt auf der Spur ist und erst keinen anrufen konnte, weil man mit der Freundin im Taxi saß, und dann, weil es ein Handyverbot im Studio gibt. Ich versuche mich an einer heimlichen SMS an Phil, werde aber binnen Sekunden von einem anabolikagetränkten Anzugträger mit Knopf im Ohr ermahnt, mein Handy sofort wieder wegzupacken.

»Unfassbar, vor was hat er Angst?«, frage ich Annabelle. »Dass ich ein Foto von seiner Preisboxerfresse ins Netz stelle?«

»Er macht nur seinen Job«, flüstert Annabelle und ergänzt: »Hab übrigens 'ne schöne Wohnung gefunden in Geisenheim!«

»Nee! Teuer?«

»So um die sechshundert Euro, glaube ich. Zeig ich dir, wenn wir zu Hause sind.«

»Unbedingt«, flüstere ich zurück, versuche zu lächeln wie ein professioneller Zuschauer und mich zu entspannen. Es wird eine Werbepause geben, in der ich aufs Klo kann und Phil anrufen.

Jetzt kommt aber erst mal die Jury, was alle so toll finden, dass geklatscht wird. Sie besteht aus einem Eisdielen-Kellner im weißen Sakko, einer Südafrikanerin, die allen Ernstes Motsi heißt, und einem gegelten Typen, dessen Namen ich Gott sei Dank nicht verstanden hab. Auch Maite Kelly ist in der Jury, warum, weiß kein Mensch.

»Die hat 2011 gewonnen!«

Okay, Annabelle hat's gewusst. Ich nicke nur und frage mich, was diese Maite wohl gewonnen haben könnte, weil, wenn ich sie so von hinten sehe, mit Tanzen kann es nichts zu tun haben. Ich schiele auf die Uhr. 20 Uhr 09. Eine Stunde kleben wir schon auf den harten Plastikstühlen der MMC Studios und die Sendung hat noch nicht mal angefangen. Der uns schon bekannte Warm-Upper, ein schlanker Kerl mit modischer Frisur, der hinter einem Stehmischpult Partymucke auflegt, weist mit Kirmesstimme noch einmal darauf hin, dass wir gleich live bei RTL zu sehen sind und dass es keine Pause gibt. Keine Pause?

»Warum denn keine Pause, was ist denn mit der Werbung«?, frage ich Annabelle.

»Vielleicht lassen sie ja keinen raus, weil's die Leute dann nicht rechtzeitig zurückschaffen und sonst die Plätze unbesetzt wären.«

»Macht Sinn«, nicke ich und denke mir, warum sollte ich denn auch mal einen winzigen Krümel Glück haben, da brummt es: »Noch zehn!« aus den Lautsprechern und »Noch fünf!«, und dann rasten plötzlich alle aus im Studio. Gleißend helle Feuerwerksfontänen schießen vom Boden zur Studiodecke, die Musik legt los, und fünf gold-schwarze Tanzpaare wirbeln so enthusiastisch aufs Parkett, als habe man ihnen eben noch ein Kilo Amphetamin zwischen die Synapsen gepumpt. Das Publikum klatscht und johlt wie wild, und auch ich werde zum Jubeln hochgezogen von Annabelle und schaue runter zu den Tanzpaaren und bin augenblicklich sprachlos vor lauter Nacktheit: Offenbar hat RTL die Tänzerinnen gezwungen, ihre kompletten Kostüme aus einer einzigen Innenschachtel Toffifee zu basteln! Dafür sehen die Männer aus wie kolumbianische Drogenkuriere. Was für ein Trubel! Trubel, den ich nutzen kann. Unauffällig ziehe ich mein Handy aus der Hose und klicke mich zu Phils Nummer. Ich komme bis

Hi Phil,

da gibt es einen gewaltigen Knall und das Toffifee-Drogengehopse endet mit eintausend Feuerwerksfontänen, und alle setzen sich. Na, vielen Dank auch, ihr Pyro-Affen, denke ich mir, und als ich mir einen mahnenden Blick des Security-Boxers fange, stecke ich das Handy wieder ein. Ich schaue kurz zu meiner freudestrahlenden Freundin. Freut mich ja, dass sie sich freut, aber ... dass es ausgerechnet Tanzen und Wein ist, was sie mag, statt *Two and a Half Men* und Bier ist natürlich auch wieder tragisch.

Wir klatschen noch immer, als der inzwischen unsichtbare Kirmes-Ansager lautstark verkündet, dass dies nicht irgendein Abend sei, sondern DER Abend des *Let's Dance*-Jahres, das phantastische Finale der erfolgreichsten Tanzshow des ganzen Universums, und dass wir jetzt mit einem donnernden Applaus die Moderatoren des heutigen Abends begrüßen sollen, die bezaubernde Sylvie van der Vaart und den einmaligen Daniel Hartwich. Mit einem Mal wird mir klar, dass ich nicht mittendrin bin, sondern dass das alles erst anfängt. Ich winke einem der Security-Leute, er macht eine winzige Jetzt-nicht-Bewegung und ignoriert mich danach.

»Guten Abend zu einem herrlichen Abend!«, sagt Daniel Hartwich, der einen schicken grauen Lederanzug unter seiner explodierten Frisur trägt, und das blonde Käsehäppchen im schulterfreien Bonbon-Kleid fiept: »Wunderschön!«

Ich schaue unauffällig auf meine Uhr. Es ist 20 Uhr 17. Zwanzig Uhr siebzehn! Wie lange geht das denn hier? Was, wenn Phil sein Handy ausmacht und ich ihn nicht mehr erreiche? Ich schaue nach vorne und sehe, wie Daniel Hartwich die Wertungsrichter vorstellt, die wir ja schon kennen. Nach acht Jahren ist er fertig und sagt allen, dass er sich auf einen tollen Abend an diesem Abend freut, und Sylvie van der Vaart haucht: »Wunderschön!«

»Findest du die gut?«, fragt mich Annabelle neugierig und blickt zu van der Vaart.

»Wunderschön!«, sage ich und lächle in Richtung Security-Knopfohrmann. Er lächelt kurz zurück und ignoriert mich dann wieder. Gut, denn wenn er mich ignoriert, kann ich auch simsen, denke ich mir, aber da gehen schon wieder Leuchtfontänen hoch und die stolzen Finalteilnehmer stolzieren stolz die funkelnde Show-Treppe herunter. Hartwich sagt irgendwas mit Abend an diesem Abend, was zur Hälfte im Klatschtrubel untergeht, aber es hat damit zu tun, dass beide Paare heute dreimal tanzen werden. Ob das nicht Wahnsinn sei, fragt Hartwich die Kamera. Wahnsinn, ja, denke ich mir, und Sylvie van der Vaart seufzt: »Wunderschön!«

Aus Mangel an größeren Explosionen und Leuchteffekten kann ich kurzzeitig darüber nachdenken, wie ich aus dem Studio komme, um Phil anzurufen. In Ohnmacht fallen? Zu schwul. Hustenanfall? Zu peinlich. Der Batman-Trick? Unverhältnismäßig, es würden zu viele Unschuldige sterben, und ich käme noch früher in den Knast.

Angespannt schaue ich hoch zu den Flachbildschirmen, wo ein martialischer Einspieler läuft, in dem irgendwelche Z-Promis sagen, dass es für das Paar da unten jetzt um Leben und Tod geht. Für mich auch, denke ich mir, interessiert nur keinen. Dann wechselt das Studiolicht, die Fontänen sprühen ihre Funken und eines der beiden Paare beginnt sich zu winden, als hätten sie einen Skorpion am Arsch. Sie, eine blonde Frau in den Dreißigern, zappelt wie ein sterbender Goldfisch, wobei ihr gelbes Paillettenkleid die Illusion des plötzlichen Fischtods noch verstärkt. Er, ein Dritte-Klasse-Johnny-Depp im schwarzen Glanzanzug, wirbelt, zuckt und dreht sich derart um Sinn und Verstand, dass einem schon beim Zuschauen schlecht wird.

Der Tanz ist zu Ende. Funken-Fontäne. Standing Ovations und gerade mal 20 Uhr 23. Kurzer Seitenblick zur Security. Auch er schaut mich an, er hat mich auf dem Kieker. Vielleicht ist das ja ein Ansatz! Daniel Hartwich bittet um das Urteil der Fachjury. Der Gel-Kopf gibt sieben, Maite neun, Motsi neun und der Eisdielenkellner sieben Punkte, also 37 zusammen, wie die bezaubernde Sylvie van der Vaart im Handumdrehen errechnet. »Zweiunddreißig«, verbessert Hartwich trocken, und Sylvie van der Vaart lächelt ein »Wunderschön!«

Es folgt ein relativ langes und ruhiges Gespräch ohne Pyrotechnik, in dem es um Träume geht, die wahr werden, und Anrufe, irgendwer soll nämlich irgendjemanden anrufen, damit die Träume auch wahr werden können, und dann kann ich erneut Blickkontakt zur Security herstellen und meinen Mittelfinger zeigen. Unauffällig kommt er zu mir.

»Was haben Sie denn für ein Problem?«

Ich deute auf Sylvie van der Vaart.

»Darf ich ihr gleich einen Heiratsantrag machen?«

»Wem?«

»Sylvie van der Vaart. Vor allen Kameras! Ich liebe sie nämlich!«

»Alles klar.«

Der Knopfohrmann geht, und ich konzentriere mich wieder auf die Show. Schade. Dachte, das wäre eine todsichere Nummer. Ein zweites Paar tanzt, ich frage Annabelle, wer von den beiden der Tanzlehrer ist und wer der Schüler.

»Siehst du das nicht?«, grinst Annabelle, die meine Unwissenheit ebenso erfreut wie mein plötzliches Interesse.

»Die Frau, oder?«

»Ach Schnuppes, die Frau ist fast rausgeflogen in der Vorrunde!«

Ich sage noch »Is wahr?«, da spüre ich einen eisenharten Griff an meinem linken Arm, der Anabolika-Ohrknopfmann sagt »Wir gehen jetzt mal raus« und ich lasse mich schulterzuckend abführen. Noch ehe Annabelle begreift, was passiert, ist mein Platz durch einen Security-Kollegen aufgefüllt und ich hinter der Tribüne.

»Du sagst hier gar nichts in die Kamera, damit das mal klar ist!«, faucht der Boxer im Anzug und führt mich durch das Gestänge der Tribüne aus dem Studio.

»Danke«, sage ich, »das war sehr professionell!«

»Wunderschön!«, höre ich die bezaubernde Sylvie van der Vaart noch, dann schließt sich die schwere, schwarze Studiotür hinter mir, und ich stehe alleine im riesigen Flur des MMC-Geländes, von denen die einzelnen Studios abgehen. Ich zünde mir eine Kippe an und wähle Phils Nummer. Er geht sofort ran.

»Du hast vielleicht Eier, mich noch anzurufen!«

»Ich –«

»Du bist echt der erbärmlichste Wichser, den ich kenne –«

»… wollte –«

»Ein Taxi musste ich mir nehmen und noch mal hundert Euro zahlen für ein Paar neue Krücken.«

»… dir vorschlagen, dass ich dich in die Eifel fahre morgen zur Reha. Als kleine Entschuldigung sozusagen.«

»Was?«

»Ich fahr dich zur Reha. Oder hast du schon jemanden?«

»Nee. Ich wollte mir ein Taxi nehmen.«

»Wie gesagt: Ich fahr dich!«

»Klar! Und dann sind wieder die Krücken weg, und ich häng mit 'ner Kette an der erstbesten Raststätten-Bank.«

»Bullshit. Ich fahr dich da morgen früh hin und fertig. Also halt in deinem Auto.«

»In MEINEM supertollen neuen Wahnsinns-Auto willst du Klumpfuß mich da hinfahren?«

»Mein Hilux ist in der Werkstatt.«

»Logisch. Is ja auch 'ne Japsenschüssel.«

»Phil. Du weißt, wie schwer es mir fällt, mich zu entschuldigen für die Sache mit deinem Knie. Lass es mich auf die Art machen.«

»Ich werd das Gefühl nicht los, dass du wieder irgend 'ne Nummer abziehst.«

»Unsinn. Was sollte ich denn für einen Vorteil davon haben, dich in die Eifel zu fahren?«

»Weiß nicht, dir wird schon was eingefallen sein.«

»Bitte!«

»Also gut, du Wurst. Zehn Uhr bei mir!«

»Klasse. Vielleicht eine Sache noch, kannst du mir Modafinil besorgen im Krankenhaus?«

»Wie heißt das?«

»Modafinil.«

»Und was soll das sein?«

»Ein Brainbooster!«

»Stimmt, den könntest du in der Tat gebrauchen. Ich hätte auch noch eine Sache, die mir am Herzen liegt.«

»Ja?«

»Fick dich!«

Aufgelegt.

Bei einer weiteren Zigarette überlege ich mir, was ich bis zum Ende der Show machen soll. Schließlich besorge ich mir ein Heineken und setze mich vor die Studiotür. Ein Typ, der aussieht wie Atze Schröder, kommt mir mit einer Wasserflasche entgegen und fragt mich, ob ich in Ordnung sei. Ich sage ihm, dass ich total in Ordnung sei, dass er aber aussehe wie Atze Schröder. Er sagt, das liege daran, dass er Atze Schröder sei, und dann fragt er mich noch mal, ob wirklich alles in Ordnung sei. Ich sage ja, ich würde nur auf das Ende von *Let's Dance* warten, und der Typ, der aussieht wie Atze Schröder, sagt, dass er da schon seit fünf Staffeln drauf warte, und verschwindet in einem Studio, auf dem *Comedy-Woche* steht, vermutlich so 'ne Art Doppelgänger-Show.

Eine Stunde später kommt eine vor Wut schäumende Dame in einem fantastischen Abendkleid aus der schwarzen Tür: Annabelle.

»Sag mal, was war das denn?«, schimpft sie.

Ich erkläre ihr ruhig, dass ich rausgeschmissen wurde, weil ich angeblich so aussehe wie ein Stalker von Sylvie van der Vaart, aber mittlerweile hätte sich das als Missverständnis aufgeklärt und wir bekämen als Ersatz jetzt Karten für *Das perfekte Dinner*.

»Karten für *Das perfekte Dinner*?«

»Absolut. Erste Reihe!«

Ich schlafe auf der Couch in dieser Nacht, weil Annabelle sagt, ich sei ihr fremd geworden. Vielleicht fühlt sie sich auch nur ein bisschen verarscht, denn als ich gegen drei Uhr eine Folge *Perfektes Dinner* im Netz anschaue, fällt mir auf, dass die Sendung zwar immer Vorspeise, Hauptgericht und Dessert hat, dafür aber definitiv kein Publikum.

Rollenspiele

Noch fünf Tage

Es ist nicht leicht, die Nerven zu behalten, wenn man mit einem gewissen Phil Konrad Auto fährt, vor allem, wenn man sich am Vorabend wegen einer Tanzshow mit seiner Freundin gestritten und dann die halbe Nacht am Rechner Bunker recherchiert hat.

Phil beömmelt sich noch immer wegen des *Let's Dance*-Finales, das er natürlich nur geschaut hat, um meine »aufgedunsene Hackfresse« live und in HD bei RTL zu sehen. Wenigstens diesen Gefallen hab ich ihm nicht getan.

»Echt? Rausgeschmissen, Simon?«

»Zum zehnten Mal: Ja, sie haben mich rausgeschmissen, deswegen war nur Annabelle zu sehen.«

»Du weißt sie nicht zu schätzen, Mann! Is 'ne coole Frau.«

»Weiß ich selbst. Hast du das Modafinil?«

»Sag ich dir, wenn du mir sagst, warum du so was brauchst.«

»Ich schreib ein Kochbuch.«

»Verarsch dich selber.«

»Im Ernst!«

Phil reicht mir eine verschraubbare Plastikdose so groß wie eine Espressotasse mit einem Aufkleber, auf dem MODAFINIL steht.

»Ist mir auch egal, ehrlich gesagt. Hier. Geht aufs Haus.«

Skeptisch drehe ich die Dose auf. »Das ist aber doch keine Originalverpackung! Und … hier: Da sind ja rote und grüne Pillen drin.«

»Ich hab die aus'm Krankenhaus, du Otto, nicht aus der Apotheke, da sieht das nun mal so aus. Jetzt sag doch endlich mal was zu meinem neuen Auto!«

»Wunderschön!«

»Nee, jetzt ma echt! Das mit der Fernsteuerung hab ich schon erzählt?«

»Dreimal!«

Ja, es ist sensationell, dass man die Türen mit einer App selbst dann auf- und zuschließen kann, wenn man seinen Arsch gerade in einen lauwarmen karibischen Whirlpool taucht und das Auto irgendwo in Köln steht.

Ich luge zum Navi. Noch 3,7 Kilometer bis zur Eifelhöhenklinik und zwölf Minuten Fahrzeit. Die Uhr in Phils Cockpit zeigt kurz vor elf, um zwölf beginnt die Bunkerführung. Langsam muss ich mir überlegen, wie genau ich Phil loswerde. Tasche raus, zur Rezeption begleiten und dann ab dafür oder einfach nur rausschmeißen? Ich überlege noch, da brüllt Phil plötzlich so laut »STTTTTOOOOPPPPPPP!!!!«, dass ich reflexartig eine actionfilmreife Vollbremsung hinlege. Es qualmt und quietscht, und binnen Sekunden stehen wir quer auf der B 477 und schauen uns an wie ein altes Ehepaar, bei dem es während der *Tagesschau* an der Tür geklingelt hat. »Was war das denn jetzt?«, schnaube ich, und Phil deutet mit großen Augen auf die Wiese hinter uns. »Lama-Farm!«

»Wie Lama-Farm?«

»Ich will zur Lama-Farm!«

Wütend knalle ich meine Hand gegen das Lenkrad. »Bist du bescheuert? Ich hab gedacht, da ist was auf der Straße!«

Phil blickt mich so entspannt an, als wäre ich der Wahnsinnige im Wagen.

»Jetzt fahr halt mal zurück. Ist nicht ganz so cool, schräg auf 'ner Bundesstraße zu stehen hinter 'nem Hügel.«

Ich lasse den Motor wieder an.

»Du willst nicht allen Ernstes zur Lama-Farm jetzt, oder?«

»Doch.«

»Und dort willst du genau was machen?«

»Ein Lama anspucken!«

Ich starre Phil an. Was immer er genommen hat, es war entweder zu viel oder das Falsche.

»Ist ein Kindheitstraum von mir und fertig. Also jetzt schau nicht so blöd und fahr mich da hin!«

»Alles klar ...«

Ich wende mit quietschenden Reifen und biege auf einen Feldweg, an dessen Ende sich ein fußballfeldgroßes Gatter befindet mit einem halben Dutzend bescheuerter Tiere, die aussehen wie eine Kreuzung aus verprügeltem Kamel und gelähmtem Riesenpudel. Phil steigt tatsächlich aus und humpelt mit seinen Krücken zum Lama-Gatter. Ich lege meinen Kopf in den Nacken und frage den lieben Gott, warum es nicht einmal ganz normal laufen kann, von wegen, dass man sich was vornimmt und dass das dann auch klappt. Der liebe Gott antwortet mir, das ließe sich zwar einrichten, sei dann am Ende des Tages ja aber auch ein bisschen langweilig. Derweil lockt Phil ein Lama mit einer Krankenhaus-Bifi.

»Sie essen keine Salami, Phil ...«

»Halt die Klappe, du verscheuchst es!«

Eine Stunde nur noch bis zur Bunkerführung und schon jetzt merke ich, wie sich meine Faust ballt und in den brandneuen bayerischen Dachhimmel will. Phil winkt mir, er steht direkt neben einem besonders dämlichen Lama.

»Komma Foddo machen für Facebook!«

»Ich hasse Facebook!«

»Komma raus!«

Stöhnend steige ich aus dem Wagen, nehme Phils Smartphone und filme, wie Phil das Schrumpfkamel bespuckt und sich halbtot lacht, als dieses empört wegtrabt.

»Ha ha … was für ein Otto! Wetten, der hat gedacht, er kriegt die Bifi?«

»Hat er vermutlich gedacht«, antworte ich genervt und überreiche Phils Handy. Ebenso zufrieden wie langsam quält Phil sich wieder auf den Beifahrersitz und betrachtet erfreut den Clip.

»Sensationell, man sieht die Spucke voll!«, freut er sich. Meinen Blick stumm auf den Navi-Bildschirm und die nunmehr wieder 3,7 km lange Reststrecke zur Klinik geheftet, biege ich auf die Bundesstraße und beschleunige auf 120, eine Geschwindigkeit, die ich leider nur eine Minute halten kann.

»STTTTTOOOOPPPPPPP!!!!«, schreit Phil mit einer solchen Inbrunst, dass ich wieder nicht anders kann, als reflexartig in die Eisen zu treten, und wieder stehen wir quer auf der Bundesstraße. Wutentbrannt starre ich Phil an. »WAAAASSSS IST ES DIESES MAL???«

»Wir müssen links!«, haucht Phil ungerührt und deutet auf eine Abzweigung.

»Wie, hier links? Was ist hier links? Zur Klinik geht's geradeaus!«

»Und zum Bunker geht's links. Führung ist um zwölf!«

Ich checke gar nichts mehr. Null Komma nix. »Was willst du denn im Bunker?« stottere ich, »also… in EINEM Bunker?«

»Mann, du hörst aber auch nie zu, oder? Wir basteln an 'nem TV-Format für RTL. Und wo ich schon mal hier bin…«

»Aber so ein Bunker hat Treppen und Leitern und … du kannst ja nicht mal richtig gehen!«

»Du, ich hab mir so viele Pillen reingeknattert, dass wir danach noch 'ne Runde Unterwasser-Rugby spielen könnten!«

»Super …«

»Du hast gesagt, du fährst mich!«

»Ja, zur Reha! Von Lama-Farmen und Atombunkern war nicht die Rede.«

»Stichwort Amerikanisches Roulette? Schleudertrauma? Splitterbruch? Knie im Arsch? Rollstuhl geklaut? Und vor allem: MEIN Auto?«

»Is ja gut. Wir fahren hin.«

Wir passieren das Ortsschild von Kall-Urft und biegen zunächst falsch ab. Phil behauptet, dass ich das absichtlich mache, weil mich der Bunker einen Scheiß interessiere und ich nach Hause wolle. Ich fahre zurück zur Bundesstraße, und nach einem knappen Kilometer taucht dann tatsächlich ein großes Hinweisschild auf mit der Aufschrift *Dokumentationsstätte Ausweichsitz NRW.*

»Da isses!«, ruft Phil, und ich lenke den Wagen auf einen holprigen Waldweg. Phil nutzt den Bodenbelag und beginnt, weil es so schön hoppelt, augenblicklich mit dem Waldweg-Bunkerlied.

»Ich sing das Waldweg-Bunkerliiiiiieddd. Das schönste Lied, das es so giiiiiiiibt!«

»Phil?«, unterbreche ich ihn.

»Ja, Schatz?«

»Halt die Fresse.«

»Okay!«

Irritiert drehe ich meinen Kopf zu Phil.

»Was ist die letzte Pille, die du genommen hast?«

»Wieso?«

»Nimm mehr davon!«

Nach einigen hundert Metern passieren wir eine Schranke und rollen vor einem trostlosen Siebzigerjahre-Einfamilienhaus mit

Doppelgarage auf den letzten freien Parkplatz. Wir sind nicht wirklich die Einzigen, und Phil ist ganz begeistert, dass so viele schräge Ottos davorstehen.

»Da siehste mal: Das ist DAS Thema zurzeit, das wird knallen, so ein Format.«

»Was denn für ein Format?«

»Wir sperren zehn D-Promis eine Woche lange in einen Bunker und schauen, was passiert.«

»Soll ich vielleicht ein paar Sachen aufnehmen für dich mit meinem Handy, weil ...« Scheinheilig blicke ich auf Phils Krücken.

»Coole Idee, klar!«

Phil und ich müssen in das Einfamilienhaus gehen, wo wir in einem improvisierten Büro einen Wisch unterschreiben, dass wir auf eigene Gefahr im Bunker sind und was weiß ich wo runterfallen könnten oder mit dem Kopf gegen Dinge laufen und kläglich verbluten. Nichts, was Phil abschrecken könnte, so scheint es, denn er unterschreibt, ohne zu zögern. Die Frau hinter dem Schreibtisch mustert dennoch skeptisch seine Krücken.

»Sie wissen, dass es viele Treppen gibt?«

»Deswegen hab ich ja meine Krücken dabei und nicht den Rollstuhl.«

»Er hat auch jede Menge Medikamente genommen«, ergänze ich und fange mir einen bösen Blick von Phil.

»Ich kann Treppen laufen und fertig, wie, ist doch egal!«

»Wir haben oft Leute von der Reha hier. Solange Sie unterschreiben und die Gruppe nicht aufhalten, ist es uns egal«, ist der Kommentar der Frau im Anorak. Die Besucher werden in drei Gruppen aufgeteilt, und wenige Minuten später stehen Phil und ich mit fünfzehn potentiellen Amokläufern in einer muffigen Doppelgarage und warten darauf, dass der Mann, der mit seinem gelben Anorak und quer gelegten grauen Haaren aussieht wie ein

Wissenschaftler in einem Ami-Spielfilm, irgendwas sagt, statt sich andauernd nur zu räuspern.

»Willkommen in der Welt des Kalten Krieges!«, beginnt er dann doch, »stellen Sie sich vor, wir haben Oktober 1967, der Warschauer Pakt hat soeben mit einem Atomangriff gedroht, deshalb sind Sie, die leitenden Beamten der Landesregierung NRW heimlich in diesen Atombunker gebracht worden, den Ausweichsitz der Landesregierung. Ihre Aufgabe ist es nun, aus dem Bunker heraus das Land weiterzuregieren.«

»Wie? Mit diesen Ottos?«, fragt Phil ein klein wenig zu laut und erntet argwöhnische Blicke.

»Folgen Sie mir!« Der Wissenschaftler öffnet eine Stahltür, Phil wirft mir einen bedeutungsschweren Blick zu, und dann geht es mit der kompletten Gruppe über eine steile Treppe nach oben. Phil gibt sich alle Mühe, den Anschluss nicht zu verlieren, hat aber offenbar doch größere Probleme, als er zugeben mag. »Seit wann gehen Bunker nach oben?«, ist das Einzige, was er zu schnaufen imstande ist.

»Weil er in den Hang gebaut wurde?«, rate ich, doch Phil hört es gar nicht. Wir passieren zwei dicke Stahltüren und stehen vor einem kleinen Raum mit Dusche, Klo und Klappen für kontaminierte Kleidung. Ich ziehe mein iPhone aus der Tasche und filme den Eingang. Jetzt recken auch die mehrheitlich männlichen Teilzeit-Apokalyptiker um uns herum ihre Hälse und packen ihre Kameras aus.

»Die Strahlenschutzanzüge auch filmen!«, krächzt Phil.

»Yap!«, sage ich und filme die Strahlenschutzanzüge.

»Für alle, die nach einem Atomschlag in den Bunker wollten, war hier erst mal Schluss«, erklärt der Mann im gelben Anorak, und zum ersten Mal sehe ich auch sein Namensschild. Dr. Versch steht darauf, und wenn ich mir die Website richtig angeschaut habe, dann ist das der Besitzer der Anlage.

»Zuerst musste man seine verstrahlte Kleidung in diese Klappe werfen, und wenn man der Meinung war, dass man gründlich genug geduscht hatte, dann durfte man zum Arzt nebenan, und der hat einen auf Reststrahlung untersucht. Wenn der Geigerzähler ausschlug, hieß es noch mal duschen und noch mal messen. War man dann immer noch verstrahlt, durfte man wieder gehen!«

»Und in welchen Klamotten?«, fragt der wieder zu Luft gekommene Phil naseweis.

»In der Winterkollektion von H&M!«, antworte ich und bekomme einen Mittelfinger gezeigt.

Ich komme mir vor wie in einer Zeitmaschine: Mit jedem Meter, den wir uns ins Innere des Bunkers vorarbeiten, reisen wir zurück in die Zeit des Kalten Krieges, und mit jedem Schritt mischt sich mehr neblige Beklommenheit in die Atemluft. Seltsam, denke ich mir, dass ich von dieser Angst als Kind nicht wirklich was mitbekommen habe. Da standen sich jahrzehntelang zwei bis auf die Zähne hochgerüstete Supermächte gegenüber mit dem Finger am roten Knopf, um die komplette Erde zu pulverisieren, und ich hab mit einem Ed von Schleck in der Hand *Kimba, der weiße Löwe* angeguckt. Wir folgen Herrn Versch in einen mittelgroßen Raum mit großen Karten an der Wand, und Phil nutzt dankbar den einzigen Stuhl im Raum, um sich zu setzen. Ich stelle mich zu ihm und betrachte einen der eierschalenfarbenen, alten Wählscheiben-Apparate, die die Deutsche Bundespost auch dann noch verkauft hat, als Michael Douglas in *Wallstreet* schon mit einem schnurlosen Telefon am Strand joggte. Um mich zu vergewissern, dass wir nicht mehr in den achtziger Jahren stecken, ziehe ich mein iPhone aus der Tasche und spüre augenblicklich Phils Krückenspitze in meiner Seite. »Du glaubst nicht allen Ernstes, dass du hier Empfang hast, oder?«

»Weiß ich selber, ich wollte was ausrechnen.«

Ein kleiner, schnauzbärtiger Mann im Jägerlook macht »Pssst!«, und wir schauen zu unserem Gelbjacken-Guide, der sich vor einer der Karten aufgebaut hat und erklärt, dass der Bunker ursprünglich für zweihundert Beamte gebaut wurde, die maximal dreißig Tage lang hier arbeiten konnten. Na also. Das ist doch schon mal eine Info.

»Warum nur dreißig Tage?«, will jemand wissen.

»Weil man damals davon ausging, dass nach dieser Zeit nur noch so wenig Radioaktivität vorhanden wäre, dass man wieder nach draußen konnte. Heute wissen wir natürlich, dass das Unsinn ist.« Während Versch erzählt, rechne ich schon mal, denn die Info mit der Belegung ist neu. Wenn also, sagen wir, 200 Bunker-Flüchtlinge je 1 000 Euro dafür abdrücken, dass sie den Weltuntergang hier überleben dürfen, dann wären das mal eben 200 000 Euro, geteilt durch zwei, und dann würden ja auch noch Kosten für Lebensmittel, Personal und Werbung abgehen. Emsig bohrt sich mein Zeigefinger ins Glas meines Smartphones. Es kommen nur 75 000 Euro raus – ich bin enttäuscht. Was, wenn ich den Preis auf 2000 Euro erhöhe? Das wären dann 150 000 Euro Umsatz. Was ist mit Steuer? Muss man überhaupt Steuer zahlen für Geld, mit dem man Steuern bezahlt? Ein knarzendes Geräusch reißt mich aus meinen Berechnungen.

»Verehrte Kollegen!«, höre ich Phil, der sich vor ein altes Durchsagegerät gesetzt hat, durch die Lautsprecher, »soeben haben sich hundert weitere Ottos im Bunker eingefunden. Bitte empfangen Sie sie recht herzlich. Ende der Durchsage!«

»Beamte!«, verbessert Versch schmunzelnd und erklärt, dass man das nun im kompletten Bunker gehört habe und der Bunker im Ausnahmefall bis zu dreihundert Personen aufnehmen könne, obwohl es nur hundert Betten gebe.

Sofort rattert es wieder in meinem Kopf. 300 mal 2000 Euro, ach was … 300 mal 2500 Euro, das sind: 750 000 Euro! Und warum sollte Versch die Hälfte verdienen, wenn ich die ganze Arbeit habe? Ich werde ihm zwanzig Prozent bieten. Bleiben 600 000 für mich, das ist mehr als eine halbe Million! Ich bin begeistert.

»Aber wie geht das denn, wenn es nur Betten für hundert Mann gibt?«, fragt eine blässliche junge Frau in einem Bundeswehranorak.

»Ganz einfach«, erklärt Versch, »wenn Sie nur acht Stunden schlafen, ist das Bett ja zwei mal acht Stunden frei, oder?«

»Ah«, sagt die blasse Frau, und auch ich verstehe. Geschickt! Wir gehen ein Referat weiter, denn, so erinnert Versch, wir sind ja jetzt Beamte und müssen die Flüchtlingsströme nach einem Atomschlag koordinieren.

600 000 Euro! Am liebsten würde ich sofort loslegen und alles besprechen mit Versch. Phil zupft an meiner Jacke. »Atomschlag, Simon! Mitmachen!«

»Klar! Gerne. Wo?«

Der Atomschlag ist in unserem Planspiel eine taktische Atombombe auf Essen bei Windrichtung Süd. Als Versch erklärt, dass Düsseldorf nicht mehr zu evakuieren sei wegen der ungünstigen Abtriebsrichtung des Fallouts bekommt Phil einen Lachanfall und ruft mehrfach: »Diese Ottos!« Nachdem wieder Ruhe eingekehrt ist, werden wir angehalten zu überlegen, wie wir die Leute aus Köln rauskriegen, wo wir eine Stunde mehr Zeit haben. Schnell wird klar, dass wir alle eine etwas naive Vorstellung davon haben, wie eine Großstadt innerhalb von zwei Stunden zu evakuieren sei. Die Antwort lautet: gar nicht. Mit viel Glück und einem reibungslosen Ablauf schaffen es vielleicht 200 000 aus der Stadt. Die restlichen 800 000 werden ihrem Schicksal überlassen. »Et hät noch immer joot jejange!«, scherzt jemand, einige lachen, Versch nicht. »Die Menschen verändern sich, wenn's um Leben und Tod geht. Rechnen Sie mit dem Schlimmsten: Anarchie und Chaos!«

»Ich dachte immer, die Menschen helfen sich«, sagt eine Besucherin enttäuscht.

»Ja«, bestätigt Versch bitter, »im Film.«

Nachdem wir also Düsseldorf aufgegeben haben und zumindest die linke Rheinseite von Köln gerettet, besichtigen wir schweigend die riesigen Netzersatz-Diesel-Generatoren und erschaudern wenig später, als Versch im Not-Sendestudio des WDR Edith Piafs »Je ne regrette rien« von einem alten BASF-Tonband abspielt. Phil ist aufs Klo verschwunden, ich nutze die Gelegenheit, Versch zu fragen, ob er im Anschluss an die Tour eventuell mal ein paar Minuten für mich hat. »Sprechen Sie mich einfach an in der Kaffeepause!«, antwortet er mir freundlich, aber so richtig Zeit mich zu freuen hab ich nicht, denn schon steht Phil wieder neben mir: »Lass abhauen, Simon, mir ist langweilig!«

»WAS?«

»Ich hab alles gesehen. Cooler Bunker, aber man kann hier nicht drehen. Is 'ne Studio-Sache.«

»Aber ICH finde es jetzt interessant!«

»Dann komm doch nächste Woche wieder, ich muss jetzt in die Reha!«

Zähneknirschend folge ich Phil die Wendeltreppe nach oben, wo ich meine Jacke unauffällig auf ein altes Fass lege. Wir passieren die Entgiftungsstation und steigen wieder hinunter zur Doppelgarage und dem Parkplatz. Als Phil sich endlich auf den Beifahrersitz gewuchtet hat, stöhne ich auf und haue mir mit der Hand an die Stirn.

»Was ist denn?«

»Jacke vergessen!«

Ich rase die Treppen zum Bunker hoch und an der Entgiftungsstation vorbei. Dann die Wendeltreppe runter, immer den Stimmen nach und dem Kaffeegeruch. Unten angekommen sehe ich, dass die drei Bunker-Gruppen bereits bei Keks und Kaffee sitzen, und auch Versch entdecke ich: Er sitzt mit zwei weiteren Gelbjacken an einem der Tische. Eilig schenke ich mir einen Kaffee ein und frage, ob ich mich dazusetzen darf. Ich darf, auch wenn sich die Begeisterung in Grenzen hält.

»Hab meinen Kumpel zum Auto bringen müssen«, beginne ich und nehme einen Schluck Kaffee, »war ihm dann doch zu anstrengend.«

»So so«, sagt der Bunkerbesitzer nicht ohne Desinteresse.

»Sie haben da ja wirklich einen Eins-A-Bunker«, beginne ich, weiter komme ich nicht.

»Sparen Sie sich die Zeit«, sagt Versch und nimmt sich einen Spritzgebäck-Keks, »wir vermieten den Bunker nicht. Das war doch Ihre Frage, oder?«

Gelächter am Tisch. »Fragen denn so viele?«, will ich wissen. Der jüngere Guide grinst: »Also, Sie waren der Vierte heute und ... das nur bei mir. Sag, Papa, wie viele waren es bei dir heute?«

»So um die zehn.«

»Bei mir auch!«, ergänzt ein schmächtiger junger Mann mit kantigem Gesicht und Stoppelglatze, der ebenfalls zum Bunkerteam zu gehören scheint.

»Sie schätzen mich völlig falsch ein«, erwidere ich, »ich bin keiner von den Maya-Kalender-Schissern, ich bin Geschäftsmann!«

»Das sagen sie alle«, seufzt Versch, und alle am Tisch grinsen wissend.

»Wenn so viele danach fragen«, wende ich ein, »warum lassen Sie sich so ein Geschäft entgehen? 300 mal 2500 Euro für ein paar Tage, da kommt doch was zusammen.«

Die drei tauschen Blicke aus, und offenbar werde ich als diskussionswürdig genug eingestuft. »Der Bunker ist nicht das Problem«, erklärt Versch, »das Problem sind die Menschen.«

»Verstehe ich nicht.«

»Es gab in den Sechzigern mal einen Belegungsversuch in einem Dortmunder Bunker, der war ungefähr so groß wie dieser hier. Die Leute haben freiwillig mitgemacht, sie konnten jederzeit gehen, und am Ende hätte es doch fast Mord und Totschlag gegeben. Man kriegt so viele Leute nicht in den Griff. Schon bei den Übungen früher gab es Probleme, und das waren Beamte, die kein Problem hatten mit Hierarchien und Befehlen. Jetzt stellen Sie sich mal ein paar hundert panische Verrückte vor auf vierhundert Quadratmetern! Also WENN am 21. 12. irgendwo die Welt untergeht, dann auf jeden Fall hier.«

»Und draußen nicht?«

»Sagen wir mal so: Wenn zu viele das Gleiche glauben, kann es schon brenzlig werden. Und zurzeit glauben ziemlich viele Menschen ziemlich viel Unsinn.«

»An den Weltuntergang zum Beispiel?«

»Zum Beispiel.«

»Aber die Welt geht nicht unter!«

»Natürlich nicht. Aber wenn nur ein kleiner Teil der Leute glaubt, dass es einen Magnetsturm gibt, eine Polumkehr, einen Eurocrash oder einen Meteoriteneinschlag, dann kriegen auch Sie Probleme!«

»Warum das denn?«

»Ganz einfach, weil schon immer wenige Leute genügt haben, um die Mehrheit ins Chaos zu stürzen.«

»So wie Jürgen Trittin ein ganzes Land ins Chaos gestürzt hat mit seinem Pfandsystem? Das Präsidium den 1. FC Köln? Und Wulf Schmiese das ZDF-*Morgenmagazin*?«

»Ungefähr so«, lacht Versch, wird dann aber wieder ernst. »Die Sache ist ja eigentlich altbekannt: Wenn nur ein kleiner Teil der Leute morgen sein ganzes Geld von der Bank abhebt, kriegen auch Sie keines mehr. Wenn nur ein kleiner Teil der Leute glaubt, er bräuchte statt einer Kiste Mineralwasser zehn Kisten, dann werden Sie auch keines mehr kriegen, das Gleiche gilt für Benzin, Medikamente, Kekse …«

Erschrocken stelle ich meine Tasse ab. »Wie? Für Kekse auch?« Ich sehe mich schon vor einem leeren Keksregal stehen im Supermarkt mit einem achselzuckenden Angestellten daneben.

»Absolut!«

»Und das heißt?«

»Das heißt, dass es die Menschen theoretisch auch selbst hinkriegen, dass die Welt untergeht. Einfach nur, indem sie daran glauben.«

»Also auch ohne Magnetsturm, Eurocrash, Erdbeben und Kometeneinschläge? Sie meinen so eine Art ›Self-Fulfilling-Weltuntergang?‹«

»Ist nur eine Theorie, aber könnte doch sein, wenn so viele Angst haben jetzt«, bestätigt Versch »Und bemerken Sie schon, dass die Leute mehr Angst haben?«, frage ich.

»Nun … es fragen natürlich mehr nach den Bunkerplätzen, aber natürlich kann man die Angst der Leute schlecht messen. Haben Sie denn Angst?«

»Natürlich nicht!«, entgegne ich »ich will Ihnen nur ein Geschäft vorschlagen. Ich hab nämlich vor Jahren schon mit einer Website-Idee –«

»Vielen Dank, aber wie gesagt – wir konzentrieren uns auf die Führungen, da wissen wir, was wir haben.«

»Und einhundertfünfzigtausend Euro interessieren Sie nicht?«

»Wir haben selbst schon rumgerechnet und sind auf mehr gekommen. Es interessiert uns nicht, nein, aber danke.«

»Verstehe.« Enttäuscht stehe ich auf. »Schade. Wirklich sehr schade. Und … ich kann Sie nicht irgendwie überreden?«

»Selbst wenn Sie's täten – wir haben den 16. 12.! Wo wollen Sie denn jetzt in einer Woche Futter für so viele Angsthasen herbekommen? Frühstück, Mittag, Abend. Und für … wie lange?«

»Äh … da hab ich mir ehrlich gesagt noch keine Gedanken gemacht. Wir haben bei uns in Sülz einen ganz guten Partyservice, da könnte man –«

»Partyservice? Bei einer Woche und dreihundert Mann wären es sechstausenddreihundert Essen. Woher so schnell zweihundert Feldbetten kriegen, Schlafsäcke, Ärzte, Seife, Wasser, Diesel für die Heizung?«

»Stimmt«, sage ich, und mit einem Mal fühle ich mich nicht mehr wie ein wagemutiger Vorreiter mit tollkühnen Ideen, sondern wie ein naiver Depp. Dass mir Versch nun väterlich auf die Schulter klopft, macht es nicht besser.

»Von daher würde ich vorschlagen, dass Sie sich später in Köln eine Extra-Packung Kekse kaufen und wir jetzt mit der Tour weitermachen. Fröhlichen Weltuntergang wünsche ich!«

»Wünsche ich Ihnen auch!«, sage ich und wir schütteln Hände.

»Was machen SIE denn eigentlich am 21. 12.?«

»Urlaub. Wir sind auf Fuerteventura. Sie finden allein raus?«

»Ich glaub schon!«

Niedergeschlagen bahne ich mir den Weg zurück zum Parkplatz. Was für eine Enttäuschung: Da habe ich einen top-notch-Atombunker mit allem Drum und Dran und einen 1A-Weltuntergang noch dazu, aber bringen tut es mir einen Scheiß. Als ich auf Phils Auto zugehe, überlege ich mir, was ich ihm erzähle. Beim Einsteigen sehe ich recht schnell, dass ich gar nichts erzählen muss, weil er sich komplett weggeschossen hat.

»Ich hab ein paar Pillen genommen, Simon«, sagt er leise, fast wie ein Geständnis.

»Warum das denn?«, frage ich verdutzt.

»Weiß auch nicht. Aus Langweile? Oder weil ich so viele habe? Vielleicht auch aus Angst, weil du nicht mehr wiedergekommen bist.«

»Aber jetzt bin ich ja wieder da.«

»Gut. Fahren wir jetzt in den Puff, Simon?«

»Ja, Phil«, antworte ich, »wir fahren jetzt in jedem Fall erst mal schön in den Puff!«

Während wir vom Bunkerparkplatz rollen, erreichen mich weitere, mühevoll geformte Worte von der Beifahrerseite.

»Even ... tuell kann ... ich aber nur einmal ..., wenn ... wenn du das dem Mädchen schon mal ... sagst ... dem Mädchen?«

»Das sag ich ihr gerne, Phil.«

Phils Puff heißt Eifelhöhenklinik und sieht aus, als hätte ein zugekokster Architekt einen Betonwürfel in die Landschaft gerotzt. Langsam rollen wir in den komplett zugeparkten Wendehammer vor dem Haupteingang. Ich halte an einer gelben Linie und ziehe den trägen Phil vorsichtig aus dem Beifahrersitz.

»Willste schon mal reingehen vielleicht?«, schlage ich vor.

»Nee, ich ... warte hier auf der Bank, bis ... du ein schönes Mädchen für mich ausgesucht hast ...«, nuschelt Phil mit glasigem Blick.

»Alles klar«, sage ich und helfe Phil beim Hinsetzen auf die grüne Metallgitterbank. »Irgendwelche Präferenzen, Phil? Haarfarbe? Brüste?«

»Blond ... mit Monster ... titten, also, nur wenn es geht ...«

»Das geht bestimmt, Phil, ich meine ... guck dir das doch mal an, ist ja ein riesiger Schuppen.«

Mühsam lächelnd dreht Phil sich um. »Stimmt. Riesen ... schuppen ist ... das!«

Natürlich ist es irgendwie bewegend, wie Phil auf seiner Bank immer kleiner wird im Rückspiegel seines X3, aber letztlich steht ja außer Frage, dass er gut aufgehoben ist in der Klinik bei all den netten Schwestern und Ärztinnen und dass er das Auto ohnehin nicht fahren kann momentan. Phils Freisprechanlage tutet.

»Eifelhöhenklinik, guten Tag?«

»Ja, hallo, ich wollte Ihnen nur Bescheid geben, dass vor Ihrer Tür ein verwirrter junger Mann sitzt, bis oben voll mit Medikamenten, er sagt Sachen wie, ein Otto hätte sein Auto geklaut – ist das vielleicht ein Patient von Ihnen?«

Sekundenschlaf

Als die Klinik außer Sichtweite ist, nehme ich eine von Phils grünen Modafinil-Tabletten und freue mich geradezu auf den kommenden Brainboost. Ob ich klarer werde? Schneller und präziser oder einfach nur wacher?

Minuten später bin ich auf der Autobahn Richtung Köln, und meine Vorfreude auf die Wirkung der Pillen weicht dem Ärger über die verpatzte Bunker-Gelegenheit. Irgendwie weiß ich natürlich, dass Versch recht hat: In fünf Tagen kriegt man so was nie und nimmer organisiert. Dafür spukt mir die Sache mit der Angst der anderen noch immer im Kopf herum. Wie viel mehr Menschen könnten wie viel mehr kaufen, ohne dass der Nachschub ausbleibt? Wie viel mehr Bier? Wie viel mehr Benzin? Wie viel mehr Kekse? Ab welchem Prozentsatz Angst bricht unser sorgsam eingetaktetes Just-in-time-System zusammen? Bei sieben Prozent Angst? Bei zehn? Oder erst bei dreißig Prozent? Wie viele Menschen müssten sich in irgendeiner Weise anders verhalten, dass es eine Auswirkung auf die öffentliche Ordnung hätte? Wie viele Talkshow-Opfer à la Flik und Lala gibt es, die ein solches Chaos auslösen könnten, weil sie Benzin für Generatoren horten oder weil sie dem GEZ-Spitzel eine Ladung CS-Gas ins Gesicht pumpen aus Versehen? Gibt es womöglich sogar Krisen-Schläfer, die sich in dieser Sekunde noch kaputtlachen, dann aber Muffensausen kriegen und schlussendlich doch zum plündernden Mob gehören, der die Edekas, REWEs und Shells dieser Stadt stürmt?

Und wie kommt Versch überhaupt darauf, dass man Angst nicht messen könne? Ist er nicht selbst Wissenschaftler? Ich bin sicher, man kann sie messen. Weil – wenn man die Angst von einer Person messen kann (und das kann man, das hab ich mal bei *Galileo* gesehen), dann kann man doch sicher auch die Angst von allen anderen messen. Natürlich nicht über den Puls oder den Hautwiderstand, dann müsste man ja von ganz Köln gleichzeitig den Puls messen, aber man könnte doch einfach beobachten, wie sich das Verhalten der Menschen ändert, und dann diese Daten zusammenfügen, so wie es Seismologen seit Jahrzehnten machen. Man könnte ja zum Beispiel die Einschaltquoten von diesen unsäglichen Weltuntergangs-Dokus checken oder den Lagerbestand von Stromerzeugern. Man könnte bei der Sparkasse fragen, ob die Leute mehr Bargeld abgehoben haben in letzter Zeit, man könnte sogar ganz einfach die Autos an den Tankstellen zählen. Und die Tiere sollte man im Auge behalten, denn wenn die Angst haben, dann machen sie komische Sachen wie schief stehen oder auf Berge rennen, und dann bekommen auch die Menschen Angst. Die Magnetrinder im Stadtwald zum Beispiel, die sollte man ganz besonders im Auge behalten, dass die noch richtig in ihrer Nord-Süd-Achse stehen.

Wenn ich also all diese Faktoren zusammennehme und mir eine Formel bastle, dann kann ich die Angst sehr wohl messen, insbesondere die Veränderung der Angst, und dann hätte ich so etwas wie ein Apokalypsen-Messgerät, ein Mayameter hätte ich, und die Leute würden … – ein grässlich lautes Hupen reißt mich aus meinen Gedanken, und ein rotes Auto schießt in Lichtgeschwindigkeit rechts an mir vorbei. Hektisch schaue ich auf den Tacho. 40 km / h steht dort. Ich fahre vierzig? Ich fahre vierzig! Auf der linken Spur der Autobahn! Panisch blicke ich in den Rückspiegel, trete das Gaspedal durch. Jetzt donnert ein LKW an mir vorbei, die Hupe lauter als von einem Kreuzfahrtschiff.

»Jaha!«, rufe ich und zeige dem Fahrer den Mittelfinger, »ich hab's mitbekommen!«

Das nennt man dann wohl Sekundenschlaf.

WAS? BITTE? SIND? DAS? DENN? FÜR? SCHEISSPILLEN?

Immer noch mit rasendem Puls beschleunige ich den Wagen und ordne mich wieder rechts ein. Immerhin. Jetzt bin ich wach. Damit ich es auch bleibe, fahre ich das Fenster nach unten. Die kalte Winterluft scheuert mir eine. Tut trotzdem gut. Schön kalt! Und Radio an am besten auch noch. Auf volle Lautstärke am allerbesten, ja volle Lautstärke, das de Beste!

Statt wummernden Hiphop höre ich einen faden Nachrichtensprecher, der erzählt, dass die Bande, die zu den Olympischen Spielen nicht existierende Ferienwohnungen vermietet hat, heute vor Gericht freigesprochen wurde in London. Leute! Das ist ja fast noch besser als die Info, dass zwei Drittel aller Rinder weltweit in einer Nord-Süd-Achse stehen. Langweilt jemand anderen! Ich schalte das Radio aus und fahr das Fenster wieder hoch. Welche Zyklopen stellen denn da die Nachrichten zusammen?

Ich gehe vom Gas. Halte die Luft an. Schaue in den Dachhimmel. GENIALE ZYKLOPEN stellen die Nachrichten zusammen! Es wurden NICHT EXISTIERENDE FERIENWOHNUNGEN vermietet und die Bande ist FREIGESPROCHEN worden?! Hastig scrolle ich mich bis zu Ditters' Nummer auf meinem Handy. Wenn er jetzt DIE Idee auch scheiße findet, dann übernehme ich sein Outing höchstpersönlich.

Grauzone

Ditters ist sauer wegen meiner Aufzug-Ritzerei. In einem braunen Karohemd läuft er in seinem schwulen Plastikbüro auf und ab, fuhrwerkt mit seiner Hobbit-Brille in der Luft herum und beschimpft mich. »Nur für den Fall, dass du es immer noch nicht checkst, Simon: So was geht nicht!«

»Aber es hätte jeder gemeint sein können mit schwuler Brillenhobbit.«

»NICHT mit einem Pfeil auf unser Kanzleischild!«

»Stimmt. Das grenzt es in der Tat ein wenig ein.«

Verärgert setzt Ditters sich auf seine Plastiktischkante, die ihn ohne Probleme hält, und mustert mich. Ob er was merkt von den Brainbooster-Tabletten? Ob ich irgendwie anders bin? Ich denke nicht, denn wenn ICH nichts merke, wie soll ER was merken. Ein bisschen aufmerksamer bin ich vielleicht, vielleicht aber auch nicht. In jedem Fall bin ich nicht irgendwie drauf oder so was, und hätte ich nichts genommen, es wäre vermutlich das Gleiche.

»Ist alles in Ordnung mit dir, Simon? Du bist so … anders!«

Also doch! So unschuldig wie möglich schaue ich zu ihm hoch. »Ich bin anders? Wie bin ich denn anders?«

»Ich weiß nich, irgendwie anders halt, ist auch egal, kommen wir mal zu Jamie Oliver.«

»Ich bin wegen was anderem hier eigentlich.«

»Können wir ja gleich machen. Also, ich hab mich mal mit einem Kollegen besprochen. Wenn du selbst ein Kochbuch schreiben würdest, dann bräuchten wir nicht die Buchhandlung verklagen, sondern könnten wettbewerbsrechtlich direkt gegen Oliver vorgehen, denn er wäre dann ja dein direkter Mitbewerber.«

»Klingt schlüssig. Und ich klage dann auf …?«

»… Unterlassung der Verbreitung des Buches. Streitwert wären dann auch keine sieben Euro, sondern –«

»Sondern?«

»Eine halbe Million.«

»Wo ist der Haken?«

»Wir brauchen ein veröffentlichtes Kochbuch von dir.«

Warum wollen denn plötzlich alle ein Kochbuch von mir? Parisi, Ditters …

»Kriegst du das hin, Simon?«

»Natürlich nicht!«

»Schade. Denn ohne Kochbuch bist du kein Mitbewerber. Und wenn du kein Mitbewerber bist, können wir nicht klagen. Außer gegen die Mayersche.«

»In dem Fall sollten wir das hintenanstellen, weil ich hier nämlich eine Geschichte habe, wo uns jede Sekunde tausend Euro unter der Sacknaht vorbeirauschen und sodann am Arsch verpuffen!«

Leidend massiert sich Ditters die Schläfen mit den Fingern. »Simon?«

»Ich dachte, ich drücke es so aus, dass du es dir bildhafter vorstellen kannst.«

»Ich hätte auch ohne Sacknaht verstanden, dass die Zeit drängt. Wie geht denn die Idee? Obwohl, lass mich kurz nachdenken, ob ich sie wirklich –«

»Ich will Bunkerplätze vermieten für den Weltuntergang am 21. 12.«

Ditters setzt sich hinter seinen Plastikaltar und schiebt einen Packen Dokumente zur Seite.

»Bunkerplätze, die es gar nicht gibt«, ergänze ich und erzähle von der ›Angst der Anderen‹ und dem Bunker in der Eifel, den die Betreiber nicht vermieten wollen, und der Radiomeldung mit den Olympia-Ferienwohnungen.

»Du kannst nichts vermieten, was es nicht gibt.«

»Haben die in London doch auch gemacht! Mann! Du gibst schon wieder auf, Lars!«

»Gar nicht. Gib mir –«

»Nein. Weil du's nicht begreifst. Ich spreche von einer Webseite, die Bunkerplätze anbietet in einem riesigen Gemeinschaftsbunker, ABER mit allem erdenklichen Luxus. Man hat sein eigenes Zimmer, es gibt 'ne Bar und ein Kino, Ärzte, Kekse, CurryKing und was weiß ich was. Wenn irgendwas passiert, also zum Beispiel am 21. 12., dann kann man sich vorher das Recht kaufen, eines dieser Zimmer zu nutzen für eine Woche oder so und sich selbst und seine Familie –«

»Während man in Wirklichkeit …«, unterbricht Ditters.

»… nur Mitglied in einem Club ist, der sich für Bunker interessiert, also zum Beispiel. Und jetzt kommst du: Geht das rechtlich?«

»Kommt auf die Formulierung und die Webseite an. Letztlich ist das die gute alte Abofalle. Grauzone, würde ich mal sagen. Sehr grau allerdings. Fast schon schwarz.«

»Damit kann ich leben. Also wenn ich's richtig formuliere und verkaufe, dann könnte man mich nicht belangen?«

»Es könnte klappen, ja.«

»Gut. Ich brauche also nur noch eine Website, die ordentlich Angst macht, oder?«

»Angst vor was?«

Der Grad der bräsigen Begriffsstutzigkeit meines Anwalts ist wirklich beängstigend. »Dem Weltuntergang?! Mal ferngesehen seit der Wende?«

»Äh … nein, aber Brieftauben haben mir das Wichtigste übermittelt. Lass uns mal sachlich bleiben für eine Sekunde. Dein nicht existierender Bunker soll also vor dem nicht stattfindenden Weltuntergang schützen.«

»Richtig! Sehr gut!«

»Eine Frage: Wann willst du das denn machen? Das ist ja schon in ein paar Tagen!«

»Deswegen drängt ja die Zeit.«

»Und ich soll –«

»… schauen, ob das rechtlich in Ordnung geht, genau. Entschuldigung, dass ich dich dauernd unterbrechen muss, aber du bist sehr, sehr langsam, gerade zu schneckenhaft.«

Ditters steht auf, schiebt seinen Stuhl schnecklings unter den Tisch und schaut in Zeitlupe aus dem Fenster über die Stadt.

»Ich sag dir jetzt mal was, Simon.«

»Ich bitte darum.«

»Ich hab keine Lust mehr, dir zu helfen.«

Ich schlucke. »Wegen dem schwulen Brillenhobbit im Aufzug, oder was?«

»Unter anderem, ja. Die Kombination aus null Respekt und unbezahlten Freundschaftsdiensten macht keinen Sinn mehr.«

Ich springe auf und piekse Ditters in seine Holzfällerbrust. »Dann sag ICH dir jetzt mal, was für MICH keinen Sinn mehr macht. Dass du den Frust an deinen Mandanten auslässt, nur weil du dein Comingout nicht auf die Kette kriegst. Du bist schwul, ja und? Und ich schau lieber das *Morgenmagazin* aus Köln als das aus Berlin. Oh, oh oh … ob ich's meinen Eltern sagen soll? Oder drehen die dann durch und heulen ›O mein Gott, unser einziger Sohn schaut lieber das *Morgenmagazin* aus Köln als das aus Berlin, was haben wir nur falsch gemacht?‹ Sie heulen nicht, Brillenhobbit, sie wüssten nicht mal, was sie dazu sagen sollten, weil es ihnen nämlich scheißegal ist, welches *Morgenma-*

gazin ich schaue, solange ich gesund bin, bei Verstand und ein Dach über dem Kopf hab. DU BIST SCHWUL. UND ICH SCHAUE LIEBER DAS *MORGENMAGAZIN* AUS KÖLN. AUS. ENDE DER GESCHICHTE! Der einzige Unterschied zwischen uns ist, dass es für Leute, die lieber das *Morgenmagazin* aus Köln schauen, keine speziellen Kneipen oder Clubs gibt. Schade eigentlich, weil ich wäre jeden verdammten Morgen da. Also komm endlich damit zurecht!«

Als ich mich wieder setze, sehe ich drei Kollegen von Ditters, die mit ratloser Miene durch die Glastrennwand schauen. Und dann sagt Ditters etwas, was nicht die Bohne mit meiner genialen Webseite zu tun hat, er sagt: »Geh nach Hause, Simon!«

Erschrocken schaue ich auf.

»Verpiss dich. Ich will dich nie wieder sehen!«

Weil es so überhaupt nicht schwul klingt und eher so, als würde er es ganz genauso meinen, stehe ich auf und gehe zur Tür.

»Eine Sache noch, Simon: Hier weiß jeder, dass ich schwul bin. Es war ein Scherz.«

Stumm fahre ich nach unten. Ich kritzle nichts in den Aufzug. Stattdessen nehme ich eine weitere Tablette.

Als ich wieder ins Auto steigen will, bleibt es trotz hektischer Schlüsseldrückerei verschlossen. Dann poppt eine Nachricht von Phil auf meinem Handybildschirm auf.

Fernverriegelt mit meinem Schwanz. Hahahahaha! Du Otto!

Weltklasse-Aktion. Ja, haben mich denn jetzt plötzlich alle auf dem Kieker? Angespannt untersuche ich den schwarzen Plastikfunkschlüssel, und tatsächlich – am hinteren Teil kann ich einen echten Schlüssel herausziehen, die Tür entriegeln und mich auf den Fahrersitz setzen. Für einen kurzen Augenblick fühle ich mich auf der Siegerstraße, dann sehe ich, dass es im Wagen außer dem Start-Knopf gar kein Schloss mehr gibt. Ich drücke den Knopf, nichts passiert. Ich halte den Funkschlüssel vor den Knopf. Nichts. Ich stecke den Funkschlüssel in seine Halterung neben dem Lenkrad und drücke noch einmal. Gar nichts.

Ich muss an Wut-Technik Nummer sieben denken: »Würde ich mich auch so aufregen, wenn ich nur noch eine Woche zu leben hätte?«, dann donnert auch schon meine Hand gegen das Lenkrad und ich brülle meinen Frust in die Konsole: »Drecks-Bayern-Finanzamt-Stasi-Griechenland-Funk-Taliban-Wichs-Otto!« Dann atme ich durch und schreibe folgende Nachricht an Phil:

Bringe Krücken und Gepäck morgen. Also knips die Kiste auf!

Ich starre nach draußen auf die Straße, während ich auf Antwort warte. Ein Geldtransporter rauscht viel zu schnell vorbei. Direkt vor mir verstaut ein bärtiger, runder Mann im grauen Pullover Säcke von Zwiebeln und Kartoffeln im Kofferraum seines japanischen Vans. Als er sieht, dass ich ihn beobachte, schaut er weg. Seltsam. Mein Handy vibriert.

Krücken, Gepäck UND einen Kühlschrank mit Müllermilch!

Einen Kühlschrank? Ich soll Phil einen Kühlschrank kaufen? Was haben sie ihm denn jetzt gespritzt? Zockozepam? Was für ein berechnender Sack! Aber … was will ich machen? Ich brauch das Auto!

Okay!

Sekunden darauf habe ich Phils Antwort auf meinem Bildschirm.

Hast was vergessen!

Natürlich. War ja klar. Wenn's nur das ist.

Ja, Phil. Wir fahren in den Puff.

KLICK! Mühelos springt der Motor an.

Peters Underground Systems

Karts, die aussehen wie rasende Riesenlaufschuhe, heulen an einer Plexiglasscheibe vorbei und verschwinden hinter fahrlässig geschichteten Reifenstapeln. Ich sitze im geschmacklosen Bistrobereich einer Indoor-Kartbahn in Köln-Ossendorf, rauche Kette und warte auf die Reaktion von Manni, der mir mit einer lächerlichen Kopfhaube und Helm in der Hand gegenübersitzt, weil er Kartfahren trainiert für *Schlag den Raab.*

»Safeplace.de?«, wiederholt er nach gefühlten acht Jahren.

»Wäre doch ein guter Name, oder? Safeplace – Peters Underground Systems. Also für den Bunker und die Seite. Die muss offiziell aussehen und vertrauenswürdig und alles schnell erklären.«

»Alles?«

»Dass man, was immer auch passiert, bei mir sicher ist!«

Manni legt seinen Helm auf einen Nachbarstuhl. »Was passiert denn?«

»Weltuntergang!«

»Ja, aber warum?«

»Ist doch egal. Magnetsturm, Polsprung, Eurocrash, Atomkatastrophe, Erdbeben, Kometeneinschlag, Aliens, die unsere Luft absaugen … wir brauchen alle Ängste! Jeder Angsthase ist tausend Euro wert! Vor was immer die Idioten da draußen also Angst haben, auf unserer Seite wird es stehen.«

Kopfschüttelnd lehnt Manni sich zurück. »Hab ich das richtig verstanden: Den Bunker gibt es gar nicht, oder?«

Ich atme durch und zerdrücke die Red-Bull-Dose zu einer kleinen Blechmurmel.

»Natürlich gibt es den Bunker nicht. Wenn es ihn gäbe, müsste man das ja wirklich organisieren. Und nur wenn es den Bunker nicht gibt, können wir hunderttausend Bunkerplätze vermieten, zumindest theoretisch.«

»Und was zeigst du dann auf der Webseite?«

»Zunächst mal einen Film von meinem Bunker. Die Eingangstür vom Original-Bunker hab ich schon und ein bisschen Technik wie Filter und Atemschutzanzüge. Den Rest drehe ich dir an einem Abend weg.«

»Und ›der Rest‹ wäre?«

»Das Innere des Bunkers. Muss alles gemütlich aussehen. Cozy, safe und heimelig. Heimeliger Stahlbeton sozusagen.«

»Das glaubst du doch alles selber nicht, oder?«

»Sagt jemand, der ernsthaft glaubt, dass er gegen den Raab gewinnt!«

Es ist eine seltsame Hilflosigkeit in Mannis Blick, die Hilflosigkeit des geistig Unterlegenen. »Okay. Man sieht diesen Clip, und dann kann man sich einen Schlafplatz mieten für den Weltuntergang.«

»Keinen Schlafplatz, ein richtiges Bunker-Hotel ist das. Und klar: Man denkt, dass man sich da einmietet. Soll man sogar denken. In Wirklichkeit wird man nur zwei Jahre Mitglied bei safeplace.de, der … sagen wir Interessensgemeinschaft von paranoiden Feierabend-Apokalyptikern. Abofalle. Kleingedrucktes. Mach ich mit Ditters, wenn er sich wieder beruhigt hat.«

»Aber du bringst andere Leute um ihr Geld und lieferst nichts.«

»Falsch. Ich bringe Idioten um ihr Geld, die es nicht besser verdient haben. Und zeitgleich, sozusagen als Service an der Allgemeinheit, ziehe ich ihnen Geld ab, mit denen sie ehrlichen Leuten die CurryKings wegkaufen würden in ihrer ganzen erbärmlichen Angst.«

Mannis Augen werden mangaesk groß in dieser Sekunde. »Verarscht du mich?«

»Es ist mein voller Ernst. Schau mal ins Netz, es gibt gar keine Bunkerplätze mehr. Und in der Eifel fragen jeden Tag dreißig Leute nach einem Bunkerplatz. Also: kriegst du die Seite hin bis morgen und den Clip? Ist doch mal was anderes als dieser Wollstrickquatsch für Paula, oder?«

»Schon. Das Problem ist nur, in ein paar Tagen ist *Schlag den Raab*, und ich bin einer von fünf Kandidaten. Der Jackpot liegt bei drei Millionen, und ich muss noch echt viel trainieren. Das kann ich nicht schleifen lassen für so 'ne wirre Bunker-Seite. Mal abgesehen davon, dass du vor laufender Kamera gesagt hast, dass ich den Raab niemals schlage und dass mir die Beine wegknicken, wenn ich mich erschrecke.« Ich ziehe mir eine weitere Gauloise aus der Packung. Jetzt fängt der Sportschlumpf auch noch an mit dieser Kiste. »Also, aus welchem Grund bitte sollte ich das für dich machen, Simon?«

»Vielleicht weil ich dir die Spiele für die Show verrate, wenn du mir hilfst?«

Tssssss ... macht die Gauloise, und ein Schleier letaler Liberté durchströmt meine Lungen.

Manni schüttelt amüsiert den Kopf. »Du kennst nie im Leben die Spiele, die kommen.«

»Ich nicht, aber ein Kumpel von mir. Er arbeitet bei der Produktionsfirma, die die Sendung macht, wenn du weißt, worauf ich hinauswill. Mehr kann ich nicht sagen.«

»Und warum sollte der die Spiele verraten?«

»Aus Rache. Raab hat ihn nicht eingeladen zum Geburtstag.«

»Warum ist das denn so schlimm?«

»Er ist der Geschäftsführer.«

»Verstehe.«

Ich hab Manni noch nie an seinen Nägeln kauen sehen, jetzt tut er es. »Und … wann würde ich die Spiele kriegen?«

»Wann würde ich die Webseite kriegen?«

Ein wenig überfordert starrt Manni auf meine Packung Kippen. Ich biete ihm eine an, und dankbar greift er zu.

»Hab eigentlich aufgehört …«

»Hören wir nicht alle ständig auf?«

»Aber ich muss –«

»Einen Scheiß, Manni. Wir müssen alle einen Scheiß. Nur du entscheidest. Du willst, oder du willst nicht.«

»Sagt wer?«

»Dr. Parisi.«

»Klingt einleuchtend.«

Zögerlich zündet sich Manni die Zigarette an und sagt endlich das, was ich hören will: »Wie stellst du dir denn diesen Videoclip genau vor?«

»Wie gesagt – paar Bilder hab ich schon aus dem Bunker: Türen, Generatoren, Luftfilter und so. Die wunderschönen Zimmer im Bunker, die netten Ärzte, das tolle Essen und die Cocktailbar bekommst du noch, die kann ich heute Abend drehen. Dramatische Musik drüber, noch dramatischere Schrifteinblendungen, dann ein Magnetsturm oder ein Komet oder eine Riesenwelle und dann so was wie: HANDELN SIE JETZT! KOMMEN SIE ZU SAFEPLACE!«

»Ein Magnetsturm?«

Und wieder starrt Manni mich ratlos an; dass er gerade raucht, hat er vermutlich vergessen.

»Kurze Zwischenfrage, Simon: Kannst du mir sagen, wo ihr wohnt?«

»Sülzburgstraße. Wieso? Fährst du den Film vorbei?«

»Deine Freundin?«

»Annabelle Kaspar.«

»Und wie viele Finger siehst du?«

»Deinen Mittelfinger. Ich meine das ernst, Manni!«

»Und das ist exakt das, was mir Sorgen macht.«

»Also – machst du's? *Safeplace.de* gegen die Raab-Spiele?«

Stöhnend lässt Manni den Kopf in den Nacken fallen, kratzt sich am Hals. »Na ja ... also wenn du da wirklich vor der Sendung rankommst an die geheimen Infos ...«

»Ich komm da wirklich ran. Und wenn du vorher üben kannst beziehungsweise die Fragen kennst, dann hat der Raab keine Chance und du bist ...«

»Drei Millionen Euro reicher!«

»Eineinhalb Millionen. Fifty-fifty müssten wir schon machen.«

Kopfschüttelnd steht Manni auf und beobachtet die vorbeiröhrenden Karts. Eine gute Minute vergeht, dann dreht er sich um und drückt seine Zigarette aus.

»Ja, aber das ist ein Scheiß-Deal, weil ich helf dir ja schon mit der Bunker-Seite.«

»Dann zwei für dich und eine für mich. Und wir machen einen kurzen Vertrag, dass ich das Geld nur dann kriege, wenn du auch gewinnst.«

»Okay, Simon. Ich würde sagen, dann haben wir einen Deal! Aber – wenn wir so wenig Zeit haben, dann musst du mich improvisieren lassen.«

»Weil?«

»Weil ich dir keinen Hollywood-Streifen hinlegen kann in zwei Tagen. Ich hab 'ne GoPro, 'ne Nikon und ein semiprofessionelles Schnittprogramm, das war's auch schon.«

Hochzufrieden springe ich auf. »Hört sich tipptopp an für mich. Komm, ich fahr uns in die City, damit wir loslegen können!«

»Moment mal, ich hab aber noch 'ne Stunde Bahnzeit!«

Ich nehme Manni den Helm aus der Hand und lege ihn auf den Bistrotresen. »Manni?«

»Ja?«

»Kartfahren kommt nicht dran.«

Jeden Tag ein bisschen besser

Das Pullmann ist ideal für meine Zwecke: heller Steinboden, flauschige Sitzmöbel und gedämpfte warme Farben sind genau das, was ich brauche, damit's in meinem Fake-Bunker schön kuschelig aussieht. Dass ich filme, stört niemanden, im Gegenteil: An der Hotelbar lächelt eine der Barkeeperinnen sogar werbewirksam in mein Handy – unbezahlbar! Ich bestelle ein Mineralwasser, spüle eine weitere von Phils Wach-Pillen damit herunter und überlege, wie ich möglichst umsonst in eines der Zimmer komme. Es ist leichter als gedacht, und womöglich hätte ich gar nicht unbedingt einen Onkel aus Monte Carlo erfinden müssen, denn »natürlich dürfen Sie sich ein Zimmer ansehen, Herr Konrad!«

In einem Glaslift mit Blick auf den fahl leuchtenden Dom geht es nach oben. Gut, dass sie nur den Dom anstrahlen, denke ich mir, der Rest ist nun wirklich zu hässlich für extra Beleuchtung. Die Fahrt kommt mir lange vor, zu lange, und für einen Augenblick stelle ich mir vor, wie der Lift immer weiterfährt und nach dem neunten Stock einfach aus seiner Schiene fällt und nach unten auf die Straße kracht. Als ich mir im achten Stock nicht mehr nur vorstelle, dass der Lift rausfällt, sondern sicher bin, dass er es tut, steige ich aus und gehe die übrigen Stockwerke zu Fuß. Um mich abzulenken, rufe ich Manni an und frage ihn, wie weit er ist mit dem Schneiden meines Bunker-Materials.

»Bin am Basteln. Schickst du gleich wieder was Neues?«
»Ich film jetzt 'n Zimmer, lad ich dir hoch.«
»Alles klar, schick rüber, sobald du was hast! Sonst alles klar?«
»Klar ist alles klar, warum?«
»Du klingst so gedämpft irgendwie.«
»Teppich, Manni, hier ist überall Teppich!«

Als ich Zimmer 1221 betrete und die weiße Schlüsselkarte in den Stromschlitz schiebe, wird mir ein wenig schummrig. Ob's an der schieren Höhe des Zimmers liegt oder an der Tatsache, dass der Dom plötzlich ein Gerüst hat, wo eben noch keines war, liegt zu vermuten fern meiner derzeitigen Möglichkeiten. Vorsichtig taste ich mich an der Zimmerwand entlang, und während ich mein Handy aus der Hosentasche ziehe, halte ich mich an einer Vitrine mit einer boshaften weißen Blume fest, deren vermutlich giftiger weißer Blütenkopf nur danach zu trachten scheint, sich einen Teil von mir zu schnappen.

Ist das jetzt der Brainboost? Wenn er es ist, dann ist er nicht sehr angenehm. Ob ich mich kurz hinlegen soll? Nein! »Erst die Aufnahmen, dann kurz hinlegen …«, nuschle ich der Blüte zu, die inzwischen Form und Größe eines Grammophonlautsprechers angenommen hat, dann wage ich mich einen Schritt von der Wand weg und starre auf den Dom. Das Gerüst ist wieder weg. Ich lache und ziehe die Vorhänge zu. Was für ein dummer Fehler das wäre, wenn man im Bunker-Clip den Dom von oben sähe mit seinen … drei Gerüsten? Als die Vorhänge zu sind, geht es mir kurz besser, vermutlich war es doch die Höhe. Ich schalte die Lichter ein und filme das komplette Zimmer ab inklusive Bad, Nespresso-Maschine und Minibar, dann schicke ich die Clips zu Manni. Hab allerdings die Saugkraft des Bettes unterschätzt. Fühl mich wie drei Meter unter Wasser plötzlich. Underwater Brainboost! Ich tauche zum Flauschbett, lösche das Licht und hoffe, dass sie an der Rezeption gerade von einer Busladung

Messe-Asiaten überrannt werden. Muss schlafen nur ganz kurz. Mach meine Gedanken klein, damit sie mit ins Bett schlüpfen können. Es klingelt was. In Zeitlupe greife ich nach dem Hörer.

»Ja, bitte?«

»Gefällt Ihnen das Zimmer, Herr Konrad?«

Ob mir das Zimmer gefällt, fragen sie. Aber eigentlich fragen sie was anderes, sie formulieren es nur so, dass es sich ziemt. Schwer stolpern die Silben aus mir heraus. »Ich … hab mir noch den Wellnessbereich angeschaut und bin eben erst …«

»Natürlich. Schauen Sie sich ruhig alles in Ruhe an.«

»Ich … danke Ihnen!«

Mit letzter Kraft hieve ich den zehn Tonnen schweren Telefonhörer zurück auf die Basisstation, und dann versinkt mein Kopf im Kissen wie ein Pflasterstein in einem warmen Vanille-Pudding. Muss an Eddie the Eagle denken, den schlechtesten Skispringer aller Zeiten, und will mich so hinlegen, wie er geflogen ist, aus Respekt vor seiner Leistung. Drehen klappt. Ziiiiiieeeh, Simon, zieehhhhh. Auf dem blanken Boden lande ich vom Schlafzimmer. Blitzblanker Dielenboden, so blank wie ein frischgeschrubbtes Schiffsdeck. Sooooooo blank, dass ich höchstpersönlich mit der Zunge das komplette Deck langschlecken könnte, ohne mir auch nur den winzigsten Spreißel zu fangen. Ja, Leute, DAS ist ein verdammt noch mal blankes Schiffsdeck, oder? Oh, oh … schwere See … Schwerste See. Ja, leck mich am Arsch, wie schwer die See plötzlich ist! Alles wankt und schaukelt, rüttelt und schüttelt …

»Hallo? Herr Konrad?«

Ich zucke zusammen und versuche meinen Kopf aus dem Kissen zu drehen, doch irgendeine magische Kraft drückt ihn weiter hinein. Träum ich noch, oder ist da wer? Oder ist's einer von diesen Träumen, bei denen man denkt, dass man aufwacht, aber genau das träumt, nämlich dass man aufwacht, aber eigentlich schläft man noch und kann die Traumwesen um einen herum nach Belieben beeinflussen.

»Herr Konrad? Ist Ihnen schlecht geworden?«

»Hinfort!«, befehle ich, um zu sehen, wie die Wesen reagieren.

»Was hat er gesagt?«, sagt eine Frau.

»Er hat ›Hinfort!‹ gesagt«, antwortet ein Mann.

Mühsam öffne ich eines meiner bleischweren Seemannslider und sehe einen ebenso riesenhaften wie milchgesichtigen Mann in einer lächerlichen Uniform vor mir. Er hat Augenbrauen so groß wie Handfeger. Daneben steht eine sehr kleine Asiatin, ebenfalls in Uniform, mit Augen so klein wie Augen von kleinen Asiatinnen. Beide starren mich an. Und ich sie. Das, denke ich mir, ist ja wohl nix.

»Bringt mir andere Fabelwesen …«, befehle ich, »die Asiatin kann bleiben, aber der Handfeger ist zu hässlich!«

»Herr Konrad, wenn Sie nicht aufstehen, müssen Sie das Zimmer buchen.«

Der Handfeger spricht wie ein *Tagesschau*-Sprecher. Fehlt nur der Gong. Ich sage: »Gonnng …«

»Okay. Wir rufen den Sicherheitsdienst. Ich glaub auch, der hat was genommen!«, höre ich den Mann in den Nachrichten sagen und öffne vorsichtig das andere Auge.

»Warten Sie«, piepst die Asiatin, »er wacht auf!«

So langsam dämmert mir, dass der Handfeger-Riese nicht der Kapitän auf meinem Schiff ist, sondern eventuell auch ein ganz besonders kräftiger Mitarbeiter des Pullman-Hotels. Mein Traum zerbricht wie eine achtlos fallengelassene Eiswaffel.

»Also, was ist jetzt?«, fragt er mich und verschränkt die Arme.

»Es …«, beginne ich, setze mich auf die Bettkante und sammle hektisch ein paar der Gedankenscherben auf. Ich lächle und dann zeige ich Phils Tablettenpackung. Noch immer wirbeln mir die Worte im Kopf umher wie Pinienkerne in einem billigen Mixer.

»Es ist mir wirklich sehr peinlich, aber ich bin Narko … leptiker. Und ich vertrage das neue …«

Das Zimmermädchen und der Handfeger betrachten die Pillenpackung.

»… vertrag das neue …«

Sie geben sie mir kleinlaut zurück. »Sie vertragen das neue Medikament nicht?«

»Ja. Es tut mir leid.«

»Sollen wir einen Arzt rufen?«

»Nein … geht gleich wieder, danke«, sage ich, stehe auf und knalle zwei Meter weiter mit voller Wucht gegen den Spiegel, der sich als Tür verkleidet hat. Weicher Teppich. Sehe alles von der Seite, wie wenn man bei Markus Lanz vor dem Fernseher einpennt.

»Ihr müsst mal eure verdammten Zimmer rumdrehen, bei den Preisen!«

»Sind Sie sicher, dass wir keinen Arzt rufen sollen?«, fragt das Zimmermädchen und beugt sich zusammen mit dem Handfeger hinunter zu mir.

»Dr. Parisi!«, brumme ich.

»Wir sollen Dr. Parisi anrufen? Ist das Ihr Hausarzt?«

Ich rudere mit den Armen und mach eine Schildkröte nach mit dem Kopf, damit man mich auch ernst nimmt: »Nein! Auf keinen Fall anrufen! Weil – er hat doch die Zeit!«

Ich öffne meinen Mund, um Luft zu kriegen, und reiße die Augen auf. Dann versuche ich mich so weit zu strecken, dass ich bis an die Decke komme, doch die Decke ist in Wirklichkeit die Wand und die Wand der Boden. Schließlich helfen mir die beiden auf, und als ich eine halbe Minute lang ohne fremde Hilfe stehen kann, da darf ich gehen.

»Sind Sie sicher, dass wir Herrn Parisi nicht anrufen sollen?«, ruft mir der hässliche Handfeger noch hinterher. Ich drehe mich um, schließe ein Auge und fixiere seinen Kopf zwischen Daumen und Zeigefinger. Dann zerquetsche ich ihn. Hat zu oft gefragt.

Nicht ohne alle paar Meter gegen die Wand zu dötzen, eimere ich in die Hoteltiefgarage. Laufe gegen Dinge plötzlich, gar nicht gut. Krache endlich in den Sitz. Starte den Motor. Viel krieg ich nicht mehr mit. Was ist hier denn los? Man weiß es nicht. Dieses Modafinal macht einen fertig. Wie zum Teufel führen die Amis Kriege mit dem Scheiß? Ach so, sie haben ja jeden verloren bisher. Bis auf den Zweiten Weltkrieg, aber da gab's ja noch kein Modafinil. Muss Phil anrufen, brauch was anderes. Muss weiterfilmen, Clips an Manni schicken, ich will nicht in den Knast. Was brauch ich noch für Bilder? Was wollen die Leute sehen? Dass es was zu mampfen gibt im Bunker. Unendlich viel zu mampfen. Brauch ein Bunker-Warenlager!

Ich fahre. Wahnsinn. Aber fahr ich wirklich? Nein, ich fahre noch nicht. Jetzt fahr ich! Schön fahr ich … Auf dem Kölner Ring fahr ich. Handy klingelt. Ich geh ran und sag was. Hab ich was gesagt? Menschen hetzen, Rücklichter flirren. Aufdringliche Schallfetzen quetschen sich nassforsch durch die Lüftung. Irre Leuchtreklamen prügeln mir die Netzhaut taub. Frag mich, ob ich überhaupt noch da bin oder nur ein Fehler in der Matrix, eine Hülle ohne Inhalt, ein Bratenschlauch ohne Braten. Fahr rechts ran schließlich, um zu telefonieren. Giftnotrufzentrale Köln. Hab die Nummer noch, weil vor 'ner Weile angerufen, nachdem ich einen Schluck Alt getrunken hab in Düsseldorf.

»Giftnotruf Köln, Sawitzki?«, fiept es aus Phils Fernsprecheinrichtung.

O weh, was für ein Stimmchen, das Mäuschen! Seh es schon

gebückt am Hörer sitzen mit Hornbrille und ein Stück Käse krümeln.

»Ich glaub, ich bin tot.«

»Was sagen Sie?«

»Ich sagte, ich glaube, ich bin tot.«

Langsames Grauschwesterkrümelchen, Pause zu lang, denkt nach vermutlich. Hupende Autos mit Plastikgrimassen quetschen sich vorbei, dass es ein arger Graus ist.

»Zuerst mal: Sie können gar nicht tot sein!«

»Woher wollen Sie das wissen?«

»Weil Sie unsere Nummer gewählt haben.«

»Ja, aber direkt DANACH hätte ich sterben können!«

»Sie sind nicht tot, weil Sie SPRECHEN ja mit mir.«

»Gut, aber woher wollen Sie wissen, dass ich es bin?«

»Okay … WO sind Sie, WAS haben Sie genommen und WIE geht es Ihnen?«

»Wie's mir geht? Sie sind ja lustig. Ich bin TOT!«

»Sind Sie nicht!«

»Und wie tot ich bin. Mausetot sogar. Ohne Puls. Leerer Blick. Körper kalt. Augen schepps. Arsch platt. Tot!«

»Ich lege jetzt auf.«

»Das dürfen Sie gar nicht!«

»Was soll passieren? Sie sind ja schon tot!«

Aufgelegt!

Klarer Fall von Fiepmauskrümeltrotz. Werd sie verklagen wegen unterlassener Hilfeleistung. Ein türkischer *Express*-Verkäufer klopft an mein Fenster, wedelt mit der neuesten Ausgabe und plärrt durch die Scheibe: »Angela Merkel schwanger!«

Ich hupe ihn weg, schreie »Knöpfe runter!« und drück den Startknopf. Das Fußvolk hupt Applaus. Werd in den Sitz gedrückt und fahr. Schön fahr ich. Schnell fahr ich. Nehm noch eine Pille zur Sicherheit. Hinten scheppert was. Scheppert immerzu. Leck mich am Arsch, was scheppert denn da? Sind's Dosen? Hab ich geheiratet? Vermutlich einfach nur hängen geblieben in der Pullman-Tiefgarage. Muss Phil anrufen! Da! Ein REWE! Ich parke und lass die Fenster runter. Herrlich pralle Winterluft schwappt rein, so prall und frisch wie eine nackte, dralle Frau, die mit nassen Haaren aus einem schwedischen See kommt. Könnte sie umarmen, so prall und frisch, wie sie ist!

Bin im Supermarkt plötzlich. Neonlichter wie Rasierklingen. Sprachfetzen wie Streubomben. Blicke wie fabrikneue Dartpfeile. Geht mir doch nicht besser. Muss die Dinge ignorieren. Und ich brauch einen von diesen Autoscootern zum Schieben.

»Wie bitte?«, fragt die Kassiererin in ihrer winzigen Kassiererinnen-Nussschale und drückt mir einen Plastikchip in die Hand.

»Ihr habt gar keine Autoscooter? Da stehen fünfzig!«

Die Worte wollen wieder, wunderbar, doch ein Artikel macht meinen Stabreim kaputt. Egal, man erwartet es nicht von mir.

»Sie meinen Einkaufswagen.«

»Nein, Autoscooter!«

Die letzten Bilder für safeplace. Nur noch zwei, drei Schwenks, und das Ding ist geritzt. Am Feine-Welt-Regal reiße ich die Preisschilder ab und schwenke es mit dem Telefon ab. Im Clip wird das Regal zu meinem Bunker-Vorratslager. An der Gefriertruhe nehme ich zwei Packungen Pommes raus und friere meine Wangen ein. Tut gut. Werde das CurryKing-Regal filmen. Doch da zerfetzt es mir fast das Herz, die Luft bleibt sonstwo stecken, und mein Magen knüddelt sich zu einem Apfelkern. Es gibt nämlich keinen CurryKing mehr.

ES! GIBT! KEINEN! CURRYKING! MEHR!

Weggehortet, eingeheimst und rausgeplündert! Ich haste durch die Gänge. Erwische eine Angestellte am Feine-Welt-Regal. Sie sieht aus wie ein Napfmulch.

»Napfmulch?«, quäke ich laut und zupfe an ihrer Weste. »Ist es am Leben?«

Als es sich umdreht, erschreckt es sich. Ich aber auch, denn das Napfmulch trägt eine rote Kassenbrille und hat einen schwarzen Zahn.

»Ja?«

»Ich dachte, Sie lieben Lebensmittel.«

»Edeka liebt Lebensmittel. Wir sind REWE.

»Und was machen SIE?«

»Wir machen jeden Tag alles ein bisschen besser.«

Ich lache überlegen. »So wie das Rinderfilet bei dreizehn Grad lagern und den Weißwein neben die heißen Grillhähnchen stellen?«

»Tun wir das?«

»Er beobachtete es jüngst.«

»Oh …«

Behutsam fasse ich das Mulch am Ärmel. »Es soll mitkommen.«

Wortlos lässt sich das Mulch in Richtung Kühlregal ziehen, wo wir gefühlte fünf Minuten die gewaltige Lücke zwischen Erbsenglück und Kohl-König schauen. Ich gehe in die Knie und poche mit meinem Zeigefinger aufs blanke Metall des Regals.

Tock. Tock. Tock.

»Jeden Tag ein bisschen besser, was?«

Tock. Tock. Tock.

»Na ja, da hat uns wohl jemand leergekauft«, antwortet das Napfbrillenmulch.

Ich setze mich auf den Boden, den Rücken gegen das herrlich kühle Kühlregal gelehnt.

Tock. Tock. Tock.

»'ne Ahnung, wer's gewesen sein könnte?«

Tock. Tock. Tock.

Jetzt ist es eingeschüchtert. Muss es gestreichelt werden? Mausgleich glubscht es runter zu mir, dann nuschelt es: »Kunden?«

Tock. Tock. Tock.

»Es soll schärfer nachdenken. Wer hat es weggekauft? Kunden? Oder die Anderen?«

»Welche Anderen?«

»Die Anderen, die uns die Dinge weghorten!«

»Ich glaube eher, es waren Kunden.«

Mühsam stehe ich auf und durchbohre das Mulch mit einem kinskiesken Frageblick.

»Und jetzt? Was schlägt es vor?«

»Morgen früh …«, stottert das Lurchkittelmulch, »… kommt die nächste Lieferung, da ist sicher auch Curry … CurryKing dabei.«

Ich deute auf mich. »Und was soll ich JETZT essen?«

Hilflos lugt der Mulch durch seine viel zu große Brille. »Vielleicht … was anderes?«

»WAS? ANDERES?«

Es dampft und brodelt in mir. Ich hab mich nicht verhört, oder? Dieser stöpselige Grieslurch mit der Kinderbrille, dieser bräsige Schwarzzahn-Troll, der jeden Tag alles ein bisschen schlechter macht, dieses Mini-Job-Opfer mit dem Antrieb eines tiefgefrorenen Schlemmerfilets … dieses Etwas sagt ZU MIR, SIMON PETERS, DEM BEZWINGER DER HANDFEGER UND VERMESSER DER ANGST, dieses Etwas sagt, ich solle WAS ANDERES ALS CURRYKING essen? Es flüchtet durch einen schiefen, bunten Gang in seine kleine, feine Welt. Keine einzige meiner Olivendosen-Bomben trifft. Für eine kurze Weile stehe ich so, dann merke ich: Grieslurch hat recht. Er muss was anderes essen!

Ich lade mehrere Packungen Erbsenglück und Kohl-König in den Wagen. Am Tiefkühlregal nehme ich den kompletten Bestand Schlemmerfilet Bordelaise raus sowie fünf Steinofenpizzas mit Extra Steinofen und eine Großpackung Neapolitaner-Schnitten. Außerdem Zündlichter und Teehölzer, Klopapier, das man ohne Dosenöffner aufbekommt, und einen Sixpack Kölsch kaufe ich auch. Und noch einen. Und noch einen, denn wie stünde ich denn da, wenn mir die Anderen auch noch das ganze schöne Bier weggekauft hätten in ihrem blinden Wahn? Ganz besonders blöd stünde ich da. »ABER …!«, sage ich laut und gebe der verschreckten Kassiererin ihre Autoscooter-Münze zurück, »ich werde jeden Einzelnen drankriegen! Sie werden saftig blechen für ihre unfassbare Blödheit! Und zwar an mich!«

»Bestimmt!«, sagt die Kassiererin und: »Schönen Abend noch!«

Ich bin froh, sie auf meiner Seite zu haben.

Ich beschließe, dass es angesichts der Lage besser wäre, Phils Auto noch vollzutanken, bevor ich nach Hause fahre. Eine unfassbar weise Entscheidung, denn als ich mich einer rotgold glühenden Shell-Tankstelle nähere, da sehe ich, dass das, was ich bereits ahne, viel zu früh schon Gestalt annimmt: gewaltige Autoschlangen vor den Zapfsäulen! An einer Zapfsäule, und das ist nicht gelogen, drängen sich bis zu zwei Autos hintereinander, und das, obwohl der Benzinpreis stark nach unten gegangen ist in den letzten Stunden: ein sicheres Zeichen dafür, dass die ersten völlig grundlos durchdrehen. Und das fünf Tage vor dem 21. Was passiert denn erst morgen? Oder übermorgen?

Zweiter Gang. Erster Gang. So langsam wie nur irgend möglich pirsche ich mich an die kürzeste Schlange heran und komme hinter einer hinterlistigen Corvette zum Stehen, welche flach geduckt und bereit zum Angriff an Säule 3 lauert. Sobald sie wegzischt, kralle ich mir den Zapfhahn und fülle das Auto bis zum Rand mit Benzin. Drinnen entdecke ich noch einen einzigen Reservekanister und fülle auch ihn bis zum Rand mit Benzin. Der Tankschrat mustert mich kauzig. Klar, er rafft es auch langsam. Was will er sagen? Nichts natürlich, einen Teufel wird er tun, die Panik anzuheizen. Wartet schön auf das Ende seiner Schicht und dann ab dafür.

Das Benzin schießt in meinen Kanister, aber jetzt nur darauf aufzupassen, dass es nicht überläuft, wäre ein Fehler. Immer schön den Blick gehoben und geschaut, was um einen herum passiert, das wär's ja noch, wenn ich so rasch noch an Benzin gekommen wäre und dann eins übergebraten bekäme. Der Kanister ist voll, schnell rein zum Zahlen! Nichts sagen, lieber das Auto im Auge behalten und mein Toyota-Geld. € 98,98 macht es zunächst. Dann sehe ich, dass sie hier noch CurryKing haben. Ich kaufe alle sieben Packungen und eine Dose Pfefferspray, wie Flik es hatte.

»Die ist nur legal zur Tierabwehr«, informiert mich der Shell-Schrat beim Scannen. Dann passt's ja, denke ich mir, wenn irgendwelche Schweine bei uns einbrechen. Sag ich natürlich nicht, sondern steck's einfach in die Tüte zu den CurryKings und kann zurückfedern mit meiner Beute auf der blauen Wolle, die sich als Asphalt getarnt hat, zurück zu Phils bayerischem Raketenwagen. Mit vollem Tank und quietschenden Reifen schieße ich aus der Tankstelle und rase nach Hause zu Annabelle. Kann's kaum erwarten, mein prächtiges Weib zu herzen!

Der Wagen ist schneller zu Hause als ich, er muss mich überholt haben, unbemerkt. Als er, wie von Dotterblumen bewacht, durch die enge Garageneinfahrt gleitet, steh ich noch Meter hinter ihm. Dann ist eine der Dotterblumen kurz unaufmerksam, und er kracht gegen die Stirnseite meiner Garage, dass es nur so rummst. Auf einer Fläche so groß wie die Windschutzscheibe fallen die Steine heraus, und weil die Vorderlichter noch gehen, kann ich die drei Birken im Garten des Hauses gegenüber sehen.

Zitternd klicke ich mich zu Phils Nummer. Die Freisprecheinrichtung geht noch.

»PHIL! WAS ZUM TEUFEL WAR DAS FÜR EINE SCHEISSE IN DIESER PILLENDOSE?«

»Meine kompletten Reste, wieso? Du bist doch nicht etwa Auto gefahren damit, oder?«

Die Giraffen-Puff-Situation

Eiskaltes Wasser klatscht mir ins Gesicht, in den Nacken, auf die Brust und auf den Rücken. Ob ich jemals wieder normal werde? Ob Annabelle was merkt?

Als ich glaube, dass eines meiner Beine bereits blau anläuft, drehe ich das kalte Wasser ab, trockne mich ab und schaue in den Spiegel. Geht eigentlich. Nach dem letzten Absturz mit Manni sah ich schlimmer aus.

Ich ziehe mir ein blaues T-Shirt an und meine fassbrausegelbe Trainingsjacke, dann atme ich noch einmal tief durch, nehme die Einkaufstüten und gehe zu Annabelle in die Küche. Fühl mich so, als käm ich mit sechzehn nach Hause zu den Eltern und müsste verheimlichen, dass ich rohrvoll bin.

Annabelle sitzt mit pinker Jogginghose und weißem Wollpulli in der Küche und isst ein Brot mit Käse drauf. Als sie mich und meine Einkaufstüten sieht, stellt sie die Kaubewegungen ein.

»Hallo«, sage ich und überprüfe sofort, wie es klang. Klang normal. Nur – wenn's normal klang, was schaut die Frau so komisch?

Ich ignoriere den Blick und beginne pfeifend damit, die CurryKings in den Kühlschrank zu packen. »Unfassbarer Tag!«, sage ich schließlich, »die Anderen haben echt schon Schiss. Gab CurryKing nur noch an der Tanke.«

Ich schließe den Kühlschrank und lächle Annabelle an. Sie

wiederum lächelt nicht, vielmehr klebt ihr ratloser Blick in meiner unmittelbaren Leibesmitte.

»Was?«, frage ich ratlos.

»Du hast nix an. Also untenrum!«

Erschrocken biege ich meinen Kopf nach untenrum. Annabelle hat recht. Ich bin nackt. Hab glatt zwei Hosen vergessen: die Unterhose und Überhose. Mein Schwanz ist entspannt wenigstens. Gut, dass Phil nicht auch noch eine Viagra in die Dose gepackt hat. »Gleich wieder da!«, krächze ich und schlackere baumelnd zum Kleiderschrank.

Als ich mit Hose wieder in die Küche komme, fliegt auf unserem Küchenfernseher gerade eine Mikrowelle in die Luft. »Nicht nachmachen« steht daneben, und dann lachen sich Wigald Boning und Bernhard Hoëcker tot, weil die komplette Küche rot ist.

»Wieder da!«, lächle ich, doch Annabelle fixiert den Fernseher mit der Eiseskälte einer *Spiegel-TV-Magazin*-Moderatorin. »Was war da in der Mikrowelle drin?«, versuche ich mich an meinem Zweitgespräch.

»Weinflasche!«, antwortet Annabelle in einem Tonfall, als würde sie ihren Ex-Freund in einer Shopping-Mall treffen.

»Alles in Ordnung?«, frage ich, während ich mir eines der CurryKings wieder aus dem Kühlschrank nehme und in die Mikrowelle stecke. Drei Minuten, achthundert Watt.

»Nein!«, sagt sie, »weil –«

»Ich hatte auch einen Scheiß-Tag!«, unterbreche ich sie, »Phil hat mich gezwungen, zu 'ner Lama-Farm zu fahren und in 'nen Atombunker, und jetzt soll ich auch noch 'nen Kühlschrank kaufen und Milch für ihn!«

»Ich weiß. Er hat alles gepostet.«

Verdutzt schließe ich den Kühlschrank und drehe mich zu Annabelle. »Echt?«

»Ja. Und dass du ihm sein Auto geklaut hast samt Gepäck und Krücken und ihn vor der Klinik hast sitzenlassen in der Kälte!«

»Was für ein undankbarer Wichser!«, schimpfe ich, klappe meinen Rechner auf und tatsächlich: Auf Phils Facebook-Seite ist quasi unser ganzer Vormittag inklusive Lama, Atombunker und Eifelhöhenklinik dokumentiert. Weiter unten angehängt sind insgesamt drei Fotos von der Parkplatz-Bank der Klinik zu sehen mit Kommentaren wie »Ausgesetzt bei 3 Grad!«, »Ob er noch mal kommt?« und »Bestimmt schlägt er mich wieder, falls er zurückkommt!« Auf dem letzten Klinik-Foto sieht man, wie Phil auf einer Trage von zwei Ärzten in die Klinik gerollt wird, darunter aufgebrachte Kommentare von sogenannten Freunden. »War immer ein Arschloch und wird immer eins bleiben!«, schreibt zum Beispiel Henning. Der letzte Kommentar ist dann wieder von Phil: »Leute, er will's wiedergutmachen. Wir fahren in den Puff!«

»Och nee …!«, stöhne ich laut und schaue zu Annabelle, die nun wieder einen Kindersoldaten-Bericht bei *Spiegel-TV* anmoderieren könnte: »Das glaubst du nicht wirklich, oder?«, frage ich vorsichtig.

»Sollte ich nicht?«

»Natürlich nicht. Der Typ ist komplett auf Droge, Schatz, Morphium, Hydrotrampolin, und einen kompletten Meth-Igel hat der gegessen!«

»Warum fährst du denn sein Auto statt deines?«

»Weil … er mir seines geliehen hat, bis das Dach von meinem Hilux fertig ist. Du kennst doch Phil! Der macht sich einen Spaß draus, dass ich jetzt dastehe wie der Gewinner von *Deutschland sucht den Superotto*!«

Bing! Mein CurryKing ist fertig. Gott sei Dank. Ich nehme es aus der Mikrowelle und hole mir einen Löffel.

»Und warum willst du in den Puff?«

Okay. Daher weht der Wind. Ich lege den CurryKing zur Seite, um Annabelles Hand zu greifen, doch sie zieht sie weg.

»ICH will überhaupt nicht in den Puff, Annabelle, PHIL redet dauernd davon!«

»Und bezahlt ihr die Nutten dann mit dem Geld aus meiner Nichtraucher-Giraffe?«

Auch das noch. Jetzt wird's kniffelig. Oder nahezu unmöglich. Aus Respekt vor meiner Freundin lasse ich den CurryKing stehen und setze mich neben Annabelle an den Tisch.

»Das … tut mir leid. Ich hab … ich hab's mir leihen müssen, und dann hab ich vergessen es zurückzulegen. Wie viel war es denn?«

»Genau so viel, wie ich in einem Monat durch's Aufhören gespart hab!«

»Mit was hast du denn aufgehört?«, frage ich nach, was ein verdammter Fehler ist, denn nun blickt mich Annabelle so verächtlich an, wie ich es in fünf Jahren noch nicht erlebt habe. Zum ersten Mal überhaupt sehe ich, dass sich neben den beiden lustigen Zornesfalten, die aussehen wie das Dach einer Open-Air-Cocktailbar für Ameisen, zwei Adern abzeichen an ihrem Hals.

»Mit was ich aufgehört habe, fragst du mich?«, japst sie. »Mit dem Rauchen hab ich aufgehört, du Idiot!«

Im Film würde ich jetzt sagen, dass ich ohne Anwalt gar nichts mehr sage. Bin aber nicht im Film, und selbst wenn ich im Film wäre – hab ja gar keinen Anwalt mehr. Und wieder greift meine Hand ins Leere.

»Lass!«, sagt Annabelle und rutscht von mir weg auf ihrem Stuhl.

»Jetzt mal chilly-billy, Schatz. Sag mir einfach, wie viel fehlt, und ich geb's dir in der Sekunde zurück.«

Und wieder die falsche Taktik, denn jetzt springt Annabelle auf. »Chilly-billy? Das sagst DU MIR? Du kriegst einen Monat lang nicht mit, dass ich nicht mehr rauche, meine Zulassung zum Weinstudium geht dir auch am Arsch vorbei, du klaust mir Geld für den Puff aus meiner Nichtraucher-Giraffe und sagst mir: ›Wie viel war es denn‹ und ›chilly-billy‹!?!«

»Dein Studium geht mir nicht am Arsch vorbei!«

»Du hast ja noch nicht mal gefragt, wann es anfängt!«

»Na ja … wann soll es anfangen, Feechen? Zum Semesterbeginn wird's anfangen. Und das Geld hab ich nur geliehen, weil meine EC-Karte nicht ging. Außerdem war die Giraffe einverstanden.«

»Die Giraffe war einverstanden?«

»Absolut. Also, erst dachte ich, sie hat 'n Hals, aber dann hab ich mir gedacht, hey, is 'ne Giraffe, die haben immer einen Hals!«

Bisher hat Humor bei Annabelle immer gezogen. Na ja … bisher. Mitterweile sind es auch drei Adern an ihrem Hals, ich kann es aber nicht so gut sehen, weil sie hin- und herläuft.

»Hast du eine ungefähre Idee, wie sich das anhört, was du so daherblubberst?«

»Wie hört es sich an?«, frage ich unsicher.

»Nach unfassbar saudummem Blablabla-Quirl-Müll-Unsinn-Rausgerede-Scheiß!« Wütend knallt Annabelle ihre Zeitschrift auf den Tisch und verschwindet im Flur. Ich folge ihr.

»Wo willst du denn hin?«, frage ich.

»Ich muss hier raus oder mir platzt der Kopf. Du tickst doch nicht mehr richtig!«

Und dann verschwindet sie in ihrem Zimmer, mit einem lauten Rumms knallt die Tür zu. Es ist einer der Momente, die in Wirklichkeit nur zwei Sekunden dauern, einem aber wie ein komplettes Jahr vorkommen. Frühling, Sommer, Herbst und Winter, und schon weht ein steifer Wind und es schneit auf die Kacke, die da am Dampfen ist, aber irgendwie schneit es nicht genug, zu dicht ist der Dampf, weil es soviel Kacke ist. Ich klopfe an die Tür.

»Nein!«

Ich klopfe noch einmal an die Tür.

»Nein, verdammt!«

Ich öffne die Tür. Annabelle kniet vor ihrer großen bunten Tasche, die sie sich in Valencia gekauft hat, und packt entschlossen ihre Sachen. Hab ich oft gesehen im Fernsehen, dass Frauen entschlossen ihre Sachen packen, wenn sie sauer sind, und fand es immer unrealistisch. Jetzt packt meine Frau entschlossen ihre Sachen, und es sieht sehr realistisch aus.

»Liebe? Frieden?«, frage ich leise.

»Nein, Simon. Auszug. Ende!«

»Und was ist mit mir?«, frage ich, was eine gute Frage zu sein scheint, denn sie unterbricht Annabelles Packorgie, doch als sie mich anstarrt mit ihrem Frozen-Yoghurt-Gesicht, da ahne ich, dass die Frage doch wieder scheiße war.

»Was MIT DIR ist, fragst du mich allen Ernstes?«

»Vergiss es, ich … also, es tut mir leid! Bitte bleib da!«, flehe ich.

»Nenn mir einen Grund, warum ich bleiben sollte.«

»Ich?«

»Du brauchst mich nicht. Du würdest es nicht mal merken, wenn ich weg wäre.«

»Stimmt doch gar nicht!«

»Oh doch!«

»Dann geh wenigstens erst morgen!«

»Wie bitte?«

»Das ist aus dem Wutseminar, das du mir geschenkt hast. Wir könnten einen Termin machen, und dann streiten wir morgen weiter, sagen wir um sechzehn Uhr?«

»Und dann?«

»Ist alles halb so schlimm!«

»Du spinnst doch!«

»Hast DU mir geschenkt!«

Stumm schaue ich zu, wie Annabelle ihre große Reisetasche aus ihrem Zimmer rollt. Hab nie gesehen, dass sie Rollen hat, die Tasche. Als Annabelle an der Tür nach ihrer Winterjacke greift, schauen wir uns noch einmal kurz in die Augen.

»Ruf mich an, wenn du clean bist.«

»Hallo? Ich bin doch kein Junkie!«, japse ich Annabelle noch ins Treppenhaus hinterher und »Du kannst jetzt nicht gehen, nicht jetzt!«

Annabelle macht halt und schaut noch einmal nach oben. »Warum nicht jetzt?«

»Weil die Lage außer Kontrolle gerät. Ich hab's gerade selbst gesehen. Die Anderen horten schon!«

»Mach's gut, Simon«, antwortet Annabelle, dreht sich um, und dann geht, wie immer seit 2006 ein kleines bisschen zu früh, das Licht im Treppenhaus aus. Ich schalte es wieder ein und lausche den immer leiser werdenden Schrittgeräuschen bis zur Haustür. Klack fällt sie ins Schloss, dann ist es still um mich.

»Scheiße!« sage ich, schleppe mich ins Bad und schaue in den Spiegel. Ich seh doch nicht aus wie ein Junkie! Gut, die Augen sind was rot und groß, die Haare gekämmt wie Hitler, und meine Unterlippe zuckt alle paar Sekunden. Ich sehe aus wie ein Junkie! Nie wieder in meinem ganzen Leben werde ich auch nur eine einzige Pille schlucken!

Ich entnazifiziere meine Haare und gehe zurück in Annabelles Zimmer. Was, wenn wirklich etwas passiert am 21. 12., also wenn es irgendwie brenzlig wird, weil die Lebensmittel knapp werden oder der Strom ausfällt? Es wäre die Ironie des Schicksals, dass dann ausgerechnet ich, der Macher der safeplace-Seite, ohne Freundin im Dunklen hocke. Halt. Schon wieder Gedankenfehler. Es wäre die Ironie des Schicksals, dass ausgerechnet sie, die Freundin des Machers von safeplace, ohne Freund und Essen im Dunklen hockt.

Wo ist sie denn jetzt hin überhaupt? Fragen das nicht immer alle im Film, wenn Frauen packen? »Wo willst du denn jetzt hin?« Ich versuche, mich zu erinnern, was die Frauen im Film in so einem Augenblick immer gesagt haben. »Zu meiner Mutter!«, in älteren Filmen. »Ich mach meine Yoga-Ausbildung auf den Kanaren!«, in romantischen deutschen Filmen. Und »Fick dich!« in Filmen amerikanischer Prägung. Und in echt? Wo ist sie hin? Zu ihrer komischen Freundin Ulla? Ins Hotel? Oder zurück in ihre alte WG? Ich hab nicht gefragt. Mal wieder nicht.

Nach einer halben Stunde schlurfe ich wieder in die Küche und mache mir ein Bier auf. Dann wähle ich Annabelles Handynummer.

Mailbox.

Ich spreche nichts drauf, es wäre ohnehin alles albern und wer weiß, wie ich klinge nach Phils Pillen. Aber wissen, wo sie ist, muss ich schon. Deswegen wähle ich die alte WG-Nummer von Annabelle. Mein Herz schafft drei Schläge pro Tut. Dann eine Männerstimme: »Ja?«

»Ist Annabelle bei euch?«

»Bist du Simon?«

»Ja!«

Aufgelegt!

Das heißt, sie ist in ihrer Gustavstraßen-WG. Aber... wem zum Teufel gehörte diese rauhe Männerstimme? Einem Kanuschnitzer? Als Annabelle dort weggezogen ist, haben da nur Mädels gewohnt. Ich rufe wieder an. »Ja?«

»Wer bist du?«

»Der Typ, der dir ausrichten soll, nie wieder hier anzurufen!«, sagt der Kanuschnitzer.

»Hat Annabelle das gesagt?«

Aufgelegt. Ha, denke ich mir, jetzt hat er sich verraten, der Depp. Denn nur wenn Annabelle da ist, kann er von ihr auch was ausrichten. Sie wohnt jetzt also bei einem Kanuschnitzer. Ist das beruhigend? Nein.

Um mich kurz abzulenken, stehe ich auf, schnappe mir meinen Laptop und schaue nach, ob wer geschrieben hat. Manni hat geschrieben. Er fragt, ob er ein paar Fotos von uns mit in den Clip basteln soll, das wäre emotionaler, und wann er die Liste mit den Spielen für *Schlag den Raab* bekommt. Sorgen hat der Kerl! Ich schreibe ihm, dass er die Liste JETZT bekommt und erstelle ein Word-Dokument, indem ich die Spiele der letzten Raab-Sendung von der Pro7-Webseite abschreibe und durcheinanderwürfle. Tsssst … macht mein Mailprogramm, und für den Hauch einer Sekunde bin ich zufrieden: Hätte ich das auch aus dem Kopf.

Dann lese ich die Mail von Facebook, in der man mich netterweise darüber informiert, dass man sein Profil auch ohne Freunde nutzen kann. Verdutzt klicke ich auf »Status«, und tatsächlich, dort steht: Freunde (0).

Dürfen die das überhaupt: mir meine Freunde wegnehmen? Ich klicke mich durch die 567-seitigen AGBs. Die dürfen eigentlich alles und wenn ich ein Foto von meinem Arsch posten würde, er würde ihnen gehören. Trotzig zünde ich mir eine Zigarette an und ziehe so fest daran, dass sich die Glut im Bildschirm spiegelt. Dann melde ich mich bei Facebook ab, trinke einen Haselnussschnaps und tippe eine Nachricht an meine ehemals beste Freundin ins Handy. Sie lautet im exakten Wortlaut:

Hilfe!

Falsche Ente

Der BioGourmet Club, in dem ich gerade so richtig nutzlos zwischen gut einhundert geladenen Gästen herumstehe, feiert irgendwas, mehr habe ich noch nicht rausbekommen. Muss die ganze Zeit an Annabelle denken, wie sie vor ihrer bunten Tasche gekniet hat und ihre Sachen reingehauen.

Wenn irgendjemand auf der ganzen Welt mir jetzt helfen kann, dann ist es Paula. Sie hat mir früher immer geholfen in Liebesdingen, und vielleicht, trotz des ganzen nachhaltigen Veggie-Wahns, gibt es noch so etwas wie eine Restfreundschaft, wenn ich sie denn einfordere.

Da in diesem wichtigen Augenblick aber alle mit Paula sprechen wollen, bleibt mir nichts anderes, als mich mit einem Bier auf die Fensterbank zu setzen und die Häppchen futternde Dinkel-Bourgeoisie zu beobachten. Neben mir unterhalten sich zwei hippe Typen der Generation Bickenberg über nachhaltige Investments, mit denen man sicher durch die Krise kommt. Ich schnappe die Worte »Euro-Scheine« und »In jedem Fall auf X-Scheine achten« auf.

»Was ist denn mit den X-Scheinen?«, frage ich irritiert.

»Ganz einfach, die sind in Deutschland gedruckt!«, grinst der junge Mann direkt neben mir.

»Ja und?«, sage ich.

»Es gehen Gerüchte, dass das die Einzigen sind, die ihren Wert behalten, wenn es mal richtig knallt.«

»Ach …!«, sage ich, ziehe einen der Toyota-Fünfziger aus meinem Umschlag und suche nach der Seriennummer.

»Und was ist Y?«

»Griechenland!«, sagt der junge Mann, und dann bepissen sich beide vor Lachen. Ich nutze den Moment: »Hab von 'ner Seite gehört, wo man jetzt noch Bunkerplätze bekommen soll«, sage ich beiläufig, »Safeplace.de oder so.«

»Ja ja, Spinner gibt's halt auch!«

»Arschloch!«

Ich stehe auf, gehe zum Büfett und schnappe mir einen Teller. Die beiden X-Schein-Opfer starren mir immer noch nach, da bin ich mir sicher. Als ich in ein Entenstück piekse, erfahre ich von einem der Köche, dass das knusprige Entenstück gar nicht aus Ente ist, sondern Veggie-Meat aus Weizenprotein. Ich frage, warum man den schönen Weizen kaputtmacht, aus dem man doch sicher auch wertvollen Sprit herstellen könnte, nur um nutzlose Kunstententeilchen zu formen, und stehe schon wieder alleine. Was zum Teufel ist los mit den Leuten? Und Paula immer am Quatschen. Was quatscht die nur? Nette Sachen, offenbar, denn sie ist umringt von Menschen. Was hat sie denn überhaupt mit dieser veganen Veedelsküche zu tun?

»Paula?«

Paula nickt mir kurz zu, es ist einer dieser Bin-gleich-für-dich-da-Nicker, die man von überforderten Bäckereiangestellten kennt, wenn man hinter einer Horde mehläugiger Blumenkohlfrisur-Omas mal eben eine Laugenstange ordern will. Ich leere mein Bier, und da Paula noch immer belagert wird, hole ich mir mein Zweitbier am Lammsbräu-Probierstand. Der bärtige Bio-Bierexperte fragt mich, wie es geschmeckt hat, und ich antworte, dass ich da jetzt ehrlich gesagt gar nicht so drauf geachtet hätte, weil mich meine Freundin verlassen hat und in ein paar Tagen sowieso alle durchdrehen, und da sei es dann ja wohl wirklich egal, ob ich Pils oder Pisse trinke. Der Bierexperte sagt »Schade« und wendet sich ab. Und so was arbeitet im Service!

»... imon?«, tönt es aus der Mitte des Raums. Ich schaue mich um und entdecke Paula, die an einem langen Tisch sitzt und mir winkt, vermutlich, weil der Platz gegenüber von ihr frei ist. Endlich! Dankbar gehe ich zu ihr rüber und quetsche mich zwischen die geladenen Gäste.

»Das ist Simon aus meinem Büro, er hat mit Bio eigentlich gar nix am Hut, ist aber trotzdem hier, und ganz ehrlich, Simon, das freut mich! Was war denn das mit Phil?«

Ich weiß nicht, ob ich's schon erwähnt habe: Ich hasse Facebook!

»Alles Unsinn!«, winke ich ab und sage Paula, dass sie das hier alles ganz toll gemacht haben. Sie glaubt mir nicht.

»Verarscht du mich, Simon?«

Ich scheine ja wirklich einen ganz besonders tollen Ruf zu haben.

»Äh ... nein?«

Ich beuge mich zu Paula und flüstere, »... ich muss dich sprechen, weil ich ein Riesenproblem habe.«

Paula flüstert zurück, das mit dem Riesenproblem wisse sie schon seit Monaten, und auf die halbe Stunde komme es jetzt bestimmt auch nicht mehr an, außerdem sei der Abend und dieser Tisch hier ziemlich wichtig. Ich heuchle Verständnis, nehme einen Schluck Dinkel-Yoga-Zisch und versuche mich zu entspannen. Was auch immer mir Phil ins weiße Döschen gekippt hat und ich dann in mich, jetzt vermischt es sich endlich auf eine angenehme Weise mit dem Dinkel-Zisch, und langsam tauche ich in einen chilligen Brei aus elektronischer Musik und Gutmenschengebrabbel: Blabla ... Verantwortung für das Klima ... Laberlaber ... sandgestrahlte Hosen boykottieren ... Schwafelschwurbel ... ein eigener Garten ist schon was wert ... nuschelwuschel ...

»Simon?«

»Ja?«

»Schläfst du?«

Scheiße. Hat das Zeug eigentlich auch so was wie eine Halbwertzeit?

»Kann ich mir nicht vorstellen! Gehen wir eine rauchen?«

»Jetzt nicht.«

Enttäuscht nehme ich mir ein paar Nüsse aus einer Holzschale und denke an Annabelle. Warum hat sie mich eigentlich nicht gewarnt und so was gesagt wie: »Das geht so nicht und wenn du so weitermachst, dann verlasse ich dich!«? Sie hätte mich ruhig mal schütteln können und sagen, was los ist, statt einfach abzuhauen zu diesem Kanuschnitzer. Und jetzt? Jetzt hocke ich hier ohne einen einzigen Freund auf einem fair gehandelten Öko-Stuhl mit Dinkel-Zisch und weiß ums Verrecken nicht, was eigentlich abgeht.

»Essen Sie denn noch Fleisch?«, fragt mich völlig überraschend der Mann neben mir, ein etwas aufgeschwemmter Mittfünfziger mit Vierzigtagebart und Schiebermütze. Eine gute Gelegenheit!

Ich richte mich auf. »Also ich finde ja, man sollte nicht pauschal von Fleisch sprechen, sondern von … sagen wir … Leben pro Essen«, antworte ich, und schon habe ich Paulas Aufmerksamkeit.

»Das ist ja interessant, wie meinen Sie das?«, fragt der bärtige Mützenmann und beißt in ein Stück Sellerie mit Dip.

»Na ja!«, antworte ich, »ich finde halt, dass jedes Leben gleich viel Wert ist. Oder?«

»Absolut!«, nickt Paula skeptisch, und zwei andere Gäste drehen sich in meine Richtung.

Ich fahre fort: »Die Frage ist doch nicht das Fleisch, sondern das Tier und wie viele Tiere ihr Leben lassen mussten für ein Essen. Bei einem Steak doch wohl weniger als bei einem Shrimpscocktail, oder? Und wenn ich mich nicht irre, dann essen viele, die ein Steak angewidert ablehnen würden, schon mal einen Shrimpscocktail auf einer Vernissage oder so, sind ja keine richtigen Tiere und –«

»Was willst du uns damit sagen, Simon?«, unterbricht mich eine sichtlich nervöse Paula, nur um dann doch prophylaktisch abzuwinken: »Obwohl – lass es. Ich will's gar nicht wissen!«

»Also, Paula, wenn du drauf bestehst, gerne. Wenn ich mir ein schönes Steak grille, von so einem riesigen Rind, dann käme ich, jetzt nur mal so geschätzt, auf ein Hundertstel Leben pro Essen. Wenn jetzt aber ein selbsternannter Fleischfeind einen Shrimpscocktail isst, käme der auf mindestens hundert Leben pro Essen. Das Tausendfache!«

»Interessante Theorie!«, sagt der Mützenmann, »aber worauf wollen Sie hinaus?«

»Ganz einfach: Vegetarier sind Massenmörder!«

Stille am Tisch. Ein junger Typ mit orangem Schal schaut mich an und klickt sein Telefon in den Aufnahmemodus.

»Darf ich fragen, was Sie beruflich machen?«

»Ich bin Chefredakteur bei der *Wurst & Durst*, dem Magazin für Lebensfreude. Wollen Sie … eine Karte?«

Paula steht auf. »Okay, Simon. Wir gehen eine rauchen.«

So schnell wie Paula mich durch die Gäste zieht, habe ich es noch nicht einmal am letzten Karneval zum Ausgang geschafft, und da musste ich sogar kotzen. Die Tür schwingt auf, Paula sagt: »Soooo …!«, zündet sich eine *American Spirit* an und bläst den Rauch hektisch in den klaren Sternenhimmel.

»Arschloch, Arschloch, Arschloch!«

Okay, sie ist wirklich, wirklich sauer, aber hätte ich sie anders vor die Tür bekommen?

»So einen Bullshit hab ich ja noch nie gehört!« Paula schüttelt sich.

»Da kennst du meine Tofu-Theorie nicht!«

»Wie geht die?«

»Tofu ist schwules Fleisch.«

»Die ist tatsächlich noch dümmer. Das war der Pressetisch, du Vollhorst! Abgesehen davon essen Vegetarier keinen Fisch! Nur so als Bildungsnachhilfe.«

»Ich kenne aber einen, der kein Fleisch isst, dafür aber Fisch.«

»Der ist dann aber kein Vegetarier, der isst einfach nur kein Fleisch.«

»Ich esse keine Früchte und hasse Gemüse, was bin ich denn dann?«

»Falsch ernährt.«

Für einen kurzen Augenblick schweigen wir, bis mir einfällt, dass ich ja was von Paula will und nicht andersherum.

»Annabelle hat mich verlassen.«

»Was? Wann?«

»Gerade eben!«

Ratsuchend schaue ich Paula an, doch kann so recht keinen Rat entdecken.

»Ja, was willst du denn jetzt von mir hören?«, fragt sie schließlich und schnippt ihre offenbar nicht so nachhaltige Zigarette weg.

»Was du denkst, natürlich!«

»Was ich denke?«, japst Paula und zündet sich direkt eine neue Zigarette an.

»Ja, bitte. Es ist wichtig!«

»Ich hab mich immer gefragt, wie sie das so lange bei dir aushält.«

»Echt?«

»Ja. Also ich halte es nicht mehr aus.«

»Wie?«

»Du musst dir echt ein neues Büro suchen. Es geht nicht mehr. Ich hab ja schon Angst, wenn du reinkommst.«

Das war nicht exakt das, was ich hören wollte. »Aber ich bin doch euer Simon! Der Spaßpräsident! Allein im letzten Jahr hab ich fünf Spaßtage organisiert für euch …«

»Mit Sachen, die vor allem dir Spaß gemacht haben und die exakt dann zu Ende waren, als du keinen Spaß mehr hattest! Jetzt bist du –«

»Es ist ja nicht nur Annabelle weg, Paula. Flik ist sauer, Phil hasst mich. Mein Anwalt hat mich rausgeschmissen. Jetzt kommst du noch und … eben haben diese hirngebleachten Netzwerk-Mongos von Facebook mir geschrieben, dass ich mein Profil auch nutzen kann, wenn ich keine Freunde mehr habe.«

»Du hast keine Freunde mehr bei Facebook?« Paula grinst.

»Also da steht jedenfalls: ›Freunde null‹.«

»Tut mir leid«, lacht Paula, »aber das finde ich jetzt ziemlich komisch!«

Ich zucke schwach mit den Schultern. »Ja, ich halt nicht!«

»Was willst du von mir, Simon?«

»Einen Paula-Plan. Wie ich Annabelle zurückhaben kann und meine Freunde. Was mach ich falsch? Paula, bitte. Ich brauch Hilfe!«

»Schau mal unter www.psychotherapiesuche.de!«

»Hilfe von DIR! Was soll ich machen?«

»Also gut. Wie du willst. Vielleicht wäre es ja ein Anfang, wenn du dich mal fragst, wie es den anderen so geht.«

»Warum sollte ich mich so etwas fragen?«

»Damit die anderen nicht den Eindruck haben, sie wären dir scheißegal?«

»Haben sie das?«

»Na ja … seit einem halben Jahr arbeite ich an der Eröffnung von diesem Kochclub hier. Hast du mich mal irgendwas gefragt dazu?«

»Na ja … er war ja noch nicht offen!«

Paula schüttelt sich und zieht ihre Kapuze hoch. »Da! Du machst es schon wieder!«

»Was mache ich wieder?«

»Versteckst dich hinter 'ner Mauer aus Witzen, und ab und zu schleuderst du mal einen Gag rüber mit deiner Kalauerkanone. Mensch, Simon, schieß doch mal ein Loch in die Wand, und wer immer dann da drüben steht: Sag einfach mal was Nettes!«

»Ich hab eines in die Garage gefahren!«

»Und? Was Nettes gesagt danach?«

»Nein. Phil zur Sau gemacht.«

»Siehste.«

»Ich kann's einfach nicht, Paula! Bitte«, flehe ich, »ich brauch einen Tipp, so wie früher. Weißt du noch, in der Sauna, wo du mir geholfen hast mit Marcia?«

»Oh ja! Wo du dich an der Saunadecke versteckt hast.«

»Das war aber nur im Film!«

»Stimmt.«

»Bitte, Paula. WAS? SOLL? ICH? MACHEN?«

»Klare Worte?«

»Ich bitte darum.«

»Es ist eigentlich ganz einfach. Du bist ein Arschloch! Und keiner ist gern mit einem Arschloch zusammen.«

»Das war's?«

»Ja. Arschloch und fertig.«

Ich schlucke. Das war ja einfach. Aber auch deutlich. Also sogar ziemlich deutlich.

»Und … ich meine … also, ›Arschloch‹, gibt's da vielleicht was von Ratiopharm?«

»Simon, du machst es wieder!«

»Stimmt«, nuschle ich und schaue zu Boden, »das war der verzweifelte Versuch, die harte Wahrheit ein wenig abzumildern.«

»Hat nicht geklappt.«

»Ich … bin aber kein Arschloch, Paula.«

»Komisch, hat keiner mitbekommen die letzte Zeit!«

»Aber – was soll ich denn machen?«

»Beweis es. Mach mal was für die anderen. Für deine Freunde. Und für Annabelle. Und nicht für dich! Und … vielleicht wäre es ganz gut, wenn es keine Tortenschlacht ist.«

Ich nicke, und für einen kurzen Augenblick stehen wir einfach nur so da, schauen durch die großflächigen Scheiben und lauschen dem nachhaltigen Geschnatter der Soja-Society.

»Mal was für die anderen?«

»Ja. Ich denke, du hast's kapiert und … ich muss wieder rein. Was ist mit dir?«

Energisch schüttle ich mit dem Kopf. »Danke, nein, ich habe irgendwie das Gefühl, dass ich gehen muss …«

»Versteh ich. Tut mir leid, wegen dem Arschloch, aber … du hast mich gefragt!«

Paula breitet die Arme aus, wir umarmen uns, und ich drücke mein Gesicht ganz tief in ihre blaue Kapuze.

»Danke, Paula! Und von wegen was Nettes und so: Sag doch dem armseligen Zapf-Clown an seinem Papp-Bierstand, dass sein Bier nicht nach Pisse geschmeckt hat, sondern echt gut!«

»Ich sehe schon«, grinst Paula, »du bist auf dem richtigen Weg.«

»Okay! Und es heißt ›Tut mir leid wegen DES Arschlochs‹, nicht ›wegen DEM Arschloch‹!«

Auf dem Heimweg hallen Paulas Worte in meinem Kopf wie die Durchsagen eines betrunkenen Stadionsprechers. Ein feiner Nieselregen sprüht seine Verachtung auf mich herab. Da haben wir's: sogar das Wetter hasst mich.

Bin ich wirklich so ein emotionsloses Monster? Eine soziale Blend-Schockgranate, der man besser nicht zu nahe kommt? Ein emotionaler Nichtschwimmer, der einzig und allein an sich denkt ohne die geringste Sorge für seine, gut, zugegeben, null Freunde? Nein. Ich bin kein Arschloch und ich weiß es auch. Und ich werde es auch beweisen, sobald ich meinen Arsch aus dem griechischen Finanzsumpf gezogen habe und die Sache mit der Bunker-Webseite läuft. Mein Handy vibriert. Es ist eine neue Nachricht.

Arschloch! Deine geheimen Spiele sind alle aus der letzten Sendung. Und ich Idiot schick dir noch den Bunker-Clip. Mach deinen Scheiß alleine, bin raus. Manni

Immer blasser wird die Nachricht hinter den winzigen Regentröpfchen auf dem Bildschirm. Ein Stadtbus mit einer überdimensionalen 30 C donnert grollend vorbei und schafft es gerade noch bei Gelb über die Kreuzung.

Ob Sie wollen oder nicht

Noch drei Tage

Jetzt, wo mich offenbar sogar Manni für ein degeneriertes Stück sozialen Sondermüll hält, wäre es eventuell an der Zeit, dafür zu sorgen, dass mich wenigstens jemand im Knast besucht, nachdem mich das Finanzamt Köln-Nord dort eingelocht hat.

Stattdessen mache ich mir einen von Annabelles Weinen auf und das, obwohl ich Wein gar nicht mag und vor Müdigkeit nicht mal mehr das Glas halten kann. Schätze, ich will Annabelle einfach ein wenig näher sein, indem ich ihren Wein trinke mit dem gelben Punkt hinten drauf, was heißen soll, dass sogar ich ihn trinken darf, weil er nicht gelagert wird oder so. Das Seltsame ist: Dieser Wein, ein 2006er Kanonkop aus Südafrika schmeckt sogar.

Im Fernsehen läuft eine steinalte Folge *Two and a Half Men* mit Charlie Sheen, bei der ständig alle lachen, nur ich nicht.

Jetzt also auch noch Manni. Und alles nur wegen der Kohle. Vielleicht sollte ich nicht nur offen und ehrlich meine private Insolvenz erklären, sondern meinen sozialen Bankrott gleich noch dazu. Ich müsste lediglich erklären, dass ich viel zu lange über meine Verhältnisse gezetert und beleidigt habe, und vielleicht würde man mir ja dann einen Teil der Freunde lassen, sagen wir so fünfzig Prozent, und ich könnte mit weniger Freunden neu anfangen, mit Annabelle und Paula zum Beispiel. Dann würde ich zwar mit schmaler Geldbörse, aber erhobenen Hauptes zum am wenigsten schlechten Bäcker in unserem Viertel gehen, der bräsigen Angestellten in die Augen schauen und sagen: »Nur zwei Brötchen vom Vortag bitte, denn ich hab wenig Geld zurzeit, aber ein Brötchen ist für meine Freundin Annabelle, und das backe ich mit ein bisschen Wasser auf, und dann schmeckt es wie von heute!«

Und während sich die Fernsehzuschauer über einen offenbar unfassbar lustigen Gag von Charlie Sheen kaputtlachen, rolle ich mich in Annabelles Fernsehdecke ein wie Evil La Boum in seinem Körbchen, winsele »Ach Feechen ...« und weine durch bis zum nächsten Werbeblock.

Als ich schließlich aufstehe, um ein Glas Wasser zu trinken, sehe ich, dass es nicht der nächste Werbeblock war, sondern der überüberübernächste – zum ersten Mal seit mich Jessica in der sechsten Klasse nicht geküsst hat, weil ich eine Zahnspange trug, bin ich kläglich winselnd eingeschlafen.

Ich gehe zum Fenster und schaue über die friedlich vor sich hinschlummernde Stadt. Ein Anblick, der mich nachdenklich stimmt. Was soll das blöde Gerenne um das liebe Geld? Verliert man nicht mehr, als man gewinnt?

Ich suche mein Portemonnaie und ziehe die Visitenkarte des McDonald's-Restaurantleiters heraus. Ein Rudolf de Santo inklusive Mailadresse und gleich zwei Rufnummern. Was soll denn das heimliche Getue um diese eine blöde Getränkefrage? Entweder sie machen's oder sie machen's nicht.

Beruhigend untermalt das Tuten den Blick über das nächtliche Köln. Dann die Mailbox. Ich spreche Herrn de Santo meine komplette Bestellrevolution auf Band und wünsche noch einen schönen Tag. Hätte ich das auch aus dem Kopf.

Ich nehme all meinen Mut zusammen und klicke auf den Film in Mannis Mailanhang. Sie wurde abgeschickt zu einer Zeit, in der ich noch Hoffnung hatte, dass sich alles regelt: gestern, um 23 Uhr 02.

Der Film startet mit einer seitlichen Einstellung auf unsere Bürouhr, die fünf vor zwölf zeigt, darüber hat Manni fett-chorale Endzeit-Musik gepackt. Nahaufnahme der Eisentür des Eifeler Atombunkers, wie sie sich geheimnisvoll öffnet, dann Schnitt auf die Hotel-Rezeption. Den Pullman-Schriftzug hat Manni durch Safeplace™ ersetzt. Bemerkenswert, wie naiv unser Gehirn ist: Was immer man im Film hinter eine Tür schneidet, es ist in jedem Fall dahinter. Es folgen meine dank Phils Pillen leicht verwaschenen Handy-Aufnahmen vom Hotelzimmer, die sich abwechseln mit den eher technisch-kühlen Bildern aus dem Atombunker, darüber die ganze Zeit wehklagende Weltuntergangs-Mucke. Auf die großen Luftfilter folgt das kuschelige Hotelbett (gut gemogelt), auf die Dieselgeneratoren die freundlichen Barkeeper, und dann meine ich die Waschmaschinen im Waschsalon neben unserem Büro zu erkennen. Scheiße, denke ich mir, Manni hat sich da wirklich reingehängt und ich …

Ich zünde mir eine weitere Zigarette an, schenke mir ein Glas Wein nach und lese die bildschirmfüllenden Schrifteinblendungen auf Schwarz:

VIELE HABEN ES PROPHEZEIT

DIE MAYAS. DIE BIBEL. PROPHETEN UND LALA

IMMER SCHNELLER
ÜBERSCHLAGEN SICH DIE EREIGNISSE

DIE UNS IN DIE SICHERE KATASTROPHE FÜHREN

Die Musik wird dramatischer, nur einzelne Wörter sind zu lesen, die immer schneller eingeblendet werden.

TERRORISMUS
EUROKRISE
RTL
ANARCHIE
PLANET X
SONNNENSTÜRME

Das Wort ›Sonnenstürme‹ wird überblendet mit einem brennenden Papier-Planeten. Die Musik steuert auf ihren dramatischen Höhepunkt zu.

WIR KÖNNEN ES NICHT VORAUSSAGEN.
ABER WIR KÖNNEN UNS VORBEREITEN.
AUF WAS AUCH IMMER KOMMEN MAG.

Leise und still wird die Musik und dann kommen die Fotos meiner Freunde. Flik und Daniela sind zu sehen, wie sie stolz den Wurm zeigen, und ich weiß nicht warum, aber irgendwie berührt es mich. Dann Manni, wie er am Biertisch der Kamera zuprostet, das war erst vor ein paar Wochen, und jetzt wirkt es wie aus einer vergangenen Zeit. Paula und Evil La Boum auf der Wiese am Aachener Weiher, meine Eltern und schließlich auch Annabelle und ich. Eng umschlungen sind wir und frisch verliebt und zur gleichen Zeit auf eine schaurige Art und Weise bedroht. Dann ein Paukenschlag und Schnitt auf unsere Bürouhr, die jetzt Mitternacht zeigt, dann wird das Bild schwarz, und als der Clip endet, sitze ich eine ganze Weile einfach nur so da und horche in mich hinein.

Drinnen, ganz tief drinnen in mir, formt sich ein sonderbarer Wunsch: Ich wünsche mir nämlich, dass es diesen Bunker wirklich gibt. Für Annabelle und meine Freunde. Für meine Eltern und mich. Denn wenn am 21. 12. wirklich etwas passiert, dann hätte ich sie gerettet, ich, das egozentrische Arschloch. Gäbe es einen größeren Beweis dafür, dass ich eben doch ein lieber Kerl bin? Für einige wenige Sekunden bin ich begeistert, dann setzt sich die Realität zu mir vor den Rechner. Sie trägt einen grauen Anzug und lacht mich aus. Das Problem ist nämlich, dass ich weder einen Bunker noch Freunde habe. Und meine Freundin darf ich erst wieder anrufen, wenn ich clean bin, und dann ist da ja noch die winzige Kleinigkeit mit den Steuerschulden und dem Knast.

Geduckt wie ein zerschredderter Waldschrat, schleiche ich zum Kühlschrank, um den Wein wegzustellen – mag keinen Alkohol mehr und unberechenbare Pillen, ein gutes Zeichen, dass ich noch nicht abhängig bin. Werd schlafen gehen und mit ein klein bisschen Glück nicht mehr aufwachen morgen, denke ich mir noch, da halte ich inne. Was stand da auf der Flasche? Ich schleiche zurück zum Kühlschrank, öffne die Tür und drehe das Etikett zu mir: *›Gekauft im Kölner Weinkeller‹* steht da in Annabelles Schrift neben dem gelben Punkt auf einem kleinen, weißen Aufkleber. Ich muss kurz schmunzeln, weil es immer das Schlimmste für Annabelle war, wenn sie einen Wein toll fand und dann nicht mehr wusste, wo sie ihn herhatte. Diesen jedenfalls hat sie aus dem *Kölner Weinkeller*, in den sie mich oft mitgeschleppt hat, und einmal, da haben wir uns sogar überlegt, wie es wäre, wenn man sich hier mal mit Freunden eine Nacht lang einschließen lassen würde. »Das wäre ein Traum!«, hat Annabelle gelacht, und ich hab gesagt, das käme ganz darauf an, ob sie irgendwo auch Bier versteckt haben. Ich stelle den Wein weg und hake die Hände hinter meinem Kopf ineinander wie bei einer gymnastischen Übung. Und ganz genauso bleib ich erst mal stehen: mitten im Raum mit beiden Händen am Kopf. Der Kölner Weinkeller! Fünfzehn Meter tief unter der Erde! Mitten in der Stadt und doch versteckt. Schwere Eisentüren. Kein Handyempfang …

Und dann lächle ich, denn mit einen Mal weiß ich, wie ich ihnen allen auf einen Schlag zeigen kann, dass ich kein Arschloch bin. ›Wir können es nicht voraussagen, aber wir können uns vorbereiten.‹ Auf was auch immer am 21. kommen mag.

Ich werde meinen Freunden das Leben retten. Ob sie wollen oder nicht.

Teutonengejammer

Parisi hatte recht: Wenn man schon unter Zeitdruck ist, muss man wenigstens bei klarem Verstand sein, ausgeruht und gelassen statt auf Haselnussschnaps und Hydrotrampolin. Und ich BIN unter Zeitdruck: Gerade mal dreieinhalb Tage habe ich noch.

Aufgeregt tippe ich ›Überman‹ bei Google ein. *Meinten Sie ›Uberman‹?* Ja, ihr arschgebleachten kalifornischen Besserwisser mit euren pissfarbenen Nichtraucher-Frisuren, vermutlich meinte ich das. Dann halt ›Uberman‹! Hastig klicke ich auf »Uberman«, schaue mir die Ergebnisse durch und entscheide mich für einen Wikipedia-Artikel.

> Polyphasischer Schlaf ist ein Schlafmuster, bei dem der Schlafbedarf auf bis zu sechs Schläfe pro Tag verteilt wird. Im Gegensatz dazu wird die Schlafverteilung auf einen Nacht- und einen Mittagsschlaf als biphasischer Schlaf bezeichnet und monophasischer Schlaf heißt die Form mit nur einem Schlaf am Tag. Zuweilen wird polyphasischer Schlaf auch als künstlich umgestellter Schlafrhythmus des Erwachsenen aufgeführt, wodurch ein Auskommen mit verhältnismäßig wenig Schlaf möglich sein soll.

Das werde ich müssen, wenn ich den Weinkeller bis zum Vorabend des 21. 12. als Schutzraum umrüsten und unter meine Kontrolle bringen will. Neugierig lese ich weiter.

> In den letzten Jahren erlebte das polyphasische Schlafen (auch Uberman Sleeping Schedule genannt) eine Renaissance. Es gibt Menschen, die dieses Schlafmuster angeblich mehrere Jahre eingehalten haben. Zu den berühmtesten polyphasischen Schläfern zählen Thomas Alva Edison und Leonardo da Vinci.

Leonardo da Vinci? Macht der nicht Gläser und Vasen und so ein Zeugs? Ich google den Namen, doch statt hübscher Gläser sehe ich nichts als dilletantisches Ölgeschmiere. Unfassbar. Ich melde Google drei besonders miese Bilder als »unangemessen«, unter anderem eine »Mona Lisa«, und hoffe, dass sie sie alsbald aus dem Netz entfernen, dann ärgere ich mich darüber, dass ich das gerade gemacht habe, wo ich doch eh schon so wenig Zeit habe, und widme mich wieder dem Überman-Artikel.

An den Artikel angehängt ist eine Art Schlafkuchen, der die Technik ganz gut erklärt. Mit einem Kugelschreiber kritzele ich den Kuchen nach.

Zwei Stunden Schlaf am Tag! Das ist verdammt wenig. Auf der anderen Seite gewinne ich dadurch natürlich jeden Tag sechs Stunden, und die werde ich brauchen bis zum Abend des 20. 12., denn wenn am 21. 12. das Chaos ausbricht, sollte man ja VORHER in Sicherheit sein.

Je länger ich über die mir verbleibende Zeit nachdenke, desto klarer wird mir, dass die Frage nicht lautet, OB ich mir so etwas wie den Überman Sleeping Schedule antun will, sondern WIE ich es mache. Mit einem Blick auf die Uhr rechne ich mir die verbleibenden Stunden bis zum Abend des 20. aus. Was auch immer die Punkte auf meiner noch zu erstellenden Vorbereitungsliste sein werden: Mit dem Überman Sleeping Schedule bleiben mir ab jetzt siebzig Stunden Zeit, ohne Überman fünfundvierzig. Die Zahlen sind die Antwort, ich habe keine Wahl.

Eine kleine Weile scrolle ich mich noch hektisch über diverse

Normaler Schlaf (monophasisch)

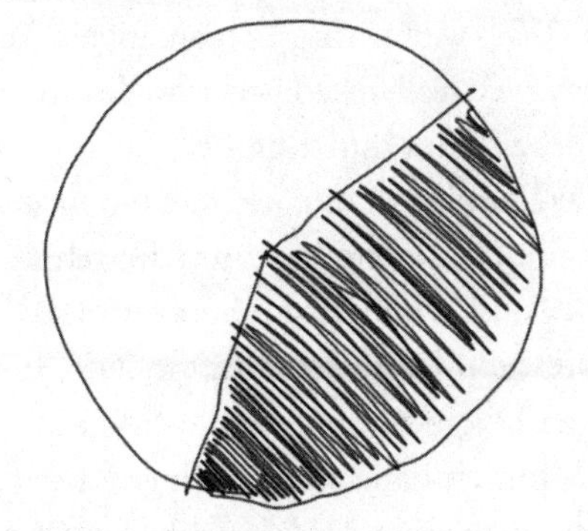

■ schlafend
□ wach

6–7 Stunden
(1× Schlafphase)

Überman (polyphasisch)

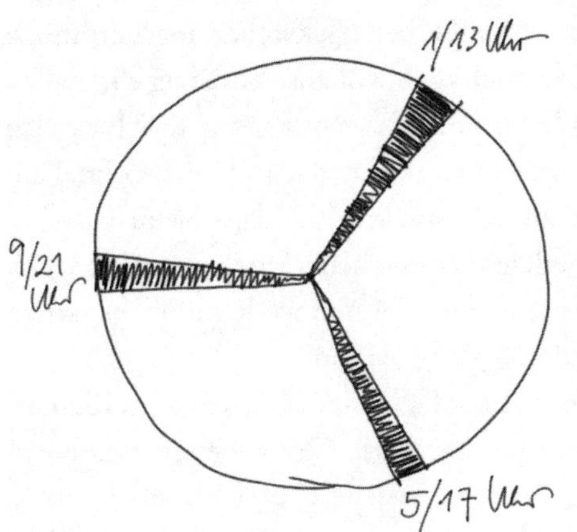

■ schlafend
□ wach
2 Stunden
6 × 20 min.
(alle 4 Stunden)

Überman-Seiten, beschließe aber dann, dass selbst das schon unnötig Zeit frisst und ich das Wesentliche ja schon weiß: Ich schlafe AB SOFORT sechs Mal am Tag für jeweils zwanzig Minuten. Aber wann genau? Was, wenn ich gleich anfange? Gleich schlafen, das hieße, dass mein erstes Nickerchen schon in ein paar Minuten stattfinden würde, also um fünf Uhr. Von da an gerechnet, müsste ich jeweils vier Stunden draufpacken, dann wäre das nächste Nickerchen um neun Uhr, ein weiteres um dreizehn Uhr, dann wieder siebzehn Uhr und schließlich einundzwanzig Uhr und ein Uhr. Sechs Nickerchen. Dafür jede Menge Zeit dazwischen, um die notwendigen Dinge zu tun.

Da ich noch ein paar Minuten habe bis zu meiner Überman-Premiere, berechne ich die verbleibenden Wachblöcke bis zum Vorabend des Weltuntergangs. Es sind genau 21. Ich habe also 21 mal gut vier Stunden, um zu tun, was zu tun ist. Ich bin beruhigt, denn das klingt irgendwie nach mehr Zeit als ›noch drei Tage‹.

Erst als ich ins Schlafzimmer gehe, schießen mir neue Fragen durch den Kopf. Wenn ich tagsüber Nickerchen machen muss: Wo schlafe ich denn, wenn ich nicht zuhause bin? Ziehe ich mich jedes Mal aus vor dem Schlafen, also sechsmal am Tag? Putze ich mir jedes Mal die Zähne? Davor und danach? Also zwölfmal am Tag? Wie ist das mit dem Frühstück? Nach dem Neun-Uhr-Nickerchen oder nach jedem Nickerchen? Ich kann unmöglich sechsmal frühstücken am Tag, soviel Nutella kann ich gar nicht ranschaffen!

Mit all diesen Fragen im Kopf lege ich mich ins Bett. In Klamotten, wie ich bemerke, als ich liege. Doch besser ausziehen? 21 mal Ausziehen und Anziehen à jeweils drei Minuten sind ja über eine ganze Stunde! Also: nicht ausziehen! In der festen Überzeugung, der am schlechtesten vorbereitete Überman der Schlafgeschichte zu sein, stelle ich den Timer meines iPhones auf zwanzig Minuten und programmiere einen zufälligen Rammstein-Song vom Lala-Bestrahl-Album als Aufwecklied, denn wenn ich bei Rammstein nicht aufwache, dann ist eh alles zu spät. Ich knipse die Deckenlampen aus, ziehe Annabelles Fernsehkuscheldecke bis zur Nase und ruckle mich in meine Eddie-the-Eagle-Schlafposition.

Ich liege und liege, aber trotz Bier und Wein überwiegt die schiere Masse meiner Gedanken, von denen sich jeweils einer für ein paar Sekunden nassforsch nach vorne drängt: Wen soll ich überhaupt mitnehmen in den Keller? Nur die, die definitiv denken, dass ich ein Arsch bin, oder auch die, von denen ich es noch nicht genau weiß? Wie kriege ich die Leute überhaupt in den Weinkeller so kurz vor Weihnachten? Eignet sich der Keller überhaupt? Was, wenn gar nichts passiert am 21. 12. und ich dastehe wie ein Vollidiot? Sollte ich nicht vielleicht doch vorher Beweise sammeln, dass die Aktion nicht nur auf einem Gefühl basiert, sondern auf messbaren Fakten? Sollte ich vielleicht doch versuchen, die Angst der Anderen zu vermessen? Was ist mit meiner Steuerzahlung? Oder ist die gar nicht mehr wichtig, wenn sowieso alles den Bach runtergeht?

Blinzelnd schaue ich auf die Uhr. Achtzehn Minuten Schlaf hab ich noch. Unfassbar, was man in zwei Minuten alles denken kann.

Ich lege mich auf den Rücken und versuche an etwas Großes und Positives zu denken, statt mir mit vielen kleinen Fragen das Einschlafen zu erschweren. Dann stelle ich mir den Moment vor, in dem meine Freunde im Weinkeller realisieren, dass sie sicher sind bei mir. Wie wird es sein? Werden sie weinen, mich umarmen?

Wie wird es mit Annabelle sein, wenn ihr Traum in Erfüllung geht, über Nacht im Keller zu bleiben, und dann noch mit mir und ihren Freunden? Wieder so, wie ganz am Anfang, als ich frech bei ihrer WG geschellt hab, obwohl wir uns bis dahin nur von der Procter & Gamble-Verbraucherberatung kannten?

»Ich möchte nicht aufgenommen werden zu Schulungszwecken und ein Bier mit dir trinken«, habe ich in die Sprechanlage gestammelt, aber dann ging der Türsummer. Zitternd vor Nervosität bin ich die hölzerne Treppe hochgeknarzt, und da stand dann dieser strahlende Engel in der Tür mit dem wilden blonden Lockenkopf und dem bunten Streifenpulli und fragte, was ich denn jetzt schon wieder hätte, und als ich ihr leidend meine in der Pringles-Dose festgeklemmte Hand präsentierte und sie einen Lachanfall bekam, da wusste ich schon, dass ich nicht mehr gehen würde an diesem Abend.

Traurige Synthesizer schaben an meinem Halbschlaf, dann setzen Klavier und Schlagzeug ein und der ach so bedeutungsschwere Gesang setzt ein. Der Zufallsgenerator in meinem Handy ist ein böswilliger, schadenfroher Zahlentroll. Eine einzige Ballade kenne ich von Rammstein, und ausgerechnet mit der werde ich geweckt.

Ohne dich kann ich nicht sein
Ohne dich
Mit dir bin ich auch allein
Ohne dich
Ohne dich zähl ich die Stunden ohne dich
Mit dir stehen die Sekunden
Lohnen nicht

Langsam öffne ich meine brennenden Augen und drücke den Song weg. Verdammtes Teutonengejammer. Beim nächsten Nickerchen lass ich mich von den Höhnern wecken mit ›Viva Colonia‹!

Die Vermessung der Angst

Noch 21 Blöcke

Ich befinde mich im ersten Drittel von Wachblock minus 21, das heißt, dass ich noch 21 Wachblöcke à vier Stunden Zeit habe, um alles vorzubereiten. Werd keine Tage mehr zählen und Stunden, das sind schließlich die Einheiten der Anderen, und zu denen gehöre ich ja schon mal nicht.

Die exakte Vermessung der Angst, so habe ich entschieden, ist ein sehr wichtiger Teil meines Plans. Sie ist die Garantie, nicht als Idiot dazustehen am Ende. Nun gibt es natürlich leichteres, als nach so einem Tag und so einer Nacht an einer Formel zu brüten, die nicht weniger leisten soll, als den Verlauf des 21. 12. vorauszusagen, aber es ist nicht unmöglich, zumindest für mich nicht, gerade weil ich kein Wissenschaftler bin. Gäbe man irgendeiner Universität der Welt den Auftrag, die Angst zu messen, sie kämen nach sieben Jahren mit einem tausendseitigen Werk zurück, dessen Fazit lautet, dass die »Angst der Anderen« zu ungenau definiert ist, und überhaupt bräuchte man noch einmal siebzehn Millionen Euro Fördergelder für die Errichtung einer Schreck-Station. Dabei wäre die Definition so einfach: »Angst« ist alles, was einen saublöde Sachen machen lässt. Und »die Anderen« sind alle außer mir selbst. Basta. Ende der Definition.

Nach reiflicher Überlegung entscheide ich mich für fünf Indikatoren, mit denen ich die steigende Angst nachweisen will. Jetzt kann man natürlich sagen, dass diese beliebig ausgewählt sind und daher von sehr eingeschränkter Aussagekraft. Ja, sie sind beliebig ausgewählt. Na und? Ich halte dem entgegen, dass ich ja nur die Zunahme der Angst vermessen will und nicht die Angst an sich. Wenn ich die durchschnittliche Geschwindigkeit auf der Autobahn messen wollte, dann wär mir ja auch egal, wer im Auto sitzt.

Die einzelnen Indikatoren sind:
1. Anzahl der Autos, die rückwärts am REWE parken (fünf Stellplätze)
2. Lagerbestand des beliebtesten Stromerzeugers bei Amazon
3. Abweichung der Magnetrinder im Park von der Nord-Süd-Achse (Tierverhalten)
4. Sekundenzahl Augenkontakt bei Frage nach in Deutschland gedruckten X-Euroscheinen (z. B.: Sparkasse Köln-Bonn)
5. Anzahl der im REWE verfügbaren CurryKing-Packungen

Wie man sieht, machen mir die einzelnen Faktoren keine Probleme. Mein Problem ist die Formel an sich, d. h. die mathematisch korrekte Anordnung der einzelnen Indikatoren. In der Hoffnung weiterzukommen unterteile ich die Indikatoren in solche, bei denen die Angst steigt, wenn die Zahl niedriger ist, und andersherum. Also:

1. Rückwärts parken. Je mehr Leute rückwärts parken, desto mehr Angst haben sie, sie möchten ja im Fall der Fälle schnell wegfahren. Hier haben wir einen positiven Angstwert, der oben auf die Formel gehört.
2. Lagerbestand Stromerzeuger. Je weniger Stromerzeuger zur Verfügung stehen, desto größer die Sorge der Leute. Negativer Angstwert.

3. Abweichung der beiden Magnetrinder von der Nord-Süd-Achse in Grad. Hier besteht die Problematik, dass es sich um zwei Magnetrinder handelt, ich muss also den Schnitt ermitteln. Dennoch: Je größer die Abweichung, desto mehr Angst haben die Tiere, was wiederum Menschen beobachten, die ebenfalls Angst bekommen.
4. Sekundenzahl Augenkontakt bei Frage nach in Deutschland gedruckten Euroscheinen: Je schneller die Dame am Schalter abbricht, desto wahrscheinlicher ist es, dass am Gerücht etwas dran ist. (→ Negativer Angstwert)
5. Anzahl der CurryKings im REWE. Dito: je weniger, desto schlimmer. (Angstwert negativ, wie Augensekunden)

Es ergibt sich also folgende, erste allgemeine Formel zur Vermessung der Angst:

$$\frac{\left\{\begin{matrix}\text{Anzahl Pkw}\\ \text{rückwärts} \times 2\end{matrix}\right\} + \frac{\{\text{Abweichung Rind I} + \text{Abweichung Rind II}\}}{2}}{\{\text{Anzahl Curryking} + \text{Anzahl Stromerzeuger} + \text{Augensekunden}\}}$$

Bleibt die Frage, wie ich die Maßeinheit des Ergebnisses nenne? Vielleicht ›Peters‹, weil es gut klingt und viel besser als ›Mayas‹? Oder DADA, wie ›Die Angst Der Anderen‹.
Ich entscheide mich für DADA. 3,8 DADAs auf der nach oben offenen Peters-Skala. Ein sympathischer Gedanke ist das mit der Peters-Skala, und ehrlich gesagt auch gar nicht anmaßend, denn immerhin habe ich die Formel zur Vermessung der Angst ja auch erfunden, während alle Unis dieser Welt jämmerlich versagt haben. Siebzehn Millionen an Fördergeldern, ja ticken die noch ganz richtig?

So, jetzt hab ich aber echt genug geforscht für heute. Wenn ich nämlich Phils Auto bis zum Weltuntergang noch benutzen will, dann sollte ich vor Ende des Wachblocks 21 vielleicht seiner bescheidenen Bitte nachkommen und seine Sachen besorgen.

Zwickau

Ganz sicher bin ich mir nicht, weil ich ihn ja nur im weißen Kittel kenne, aber so aufgeregt wie er mit seinen blondierten Resthaaren und der weißen Architektenbrille durch die Großmarkt-Regalschlucht flattert, da kann es eigentlich nur er sein.

»Doktor Parisi?«, rufe ich, und als das hagere Männlein verschreckt in meine Richtung blickt, da weiß ich, dass ich richtig getippt habe. Nicht nur ich bin am Montag um kurz nach acht schon im Großmarkt, auch mein Hausarzt ist es. Als ich mich ihm nähere, packt Parisi mehrere, riesige Dosen mit Eintopf auf den Wagen und tut so, als stünde ich gar nicht neben ihm.

Ich tippe ihn an. »Herr Parisi! Erkennen Sie ihn nicht?«

Erschrocken dreht sich Parisi zu mir, er hat ein dickes Pflaster auf der Stirn und ein geschwollenes Auge.

»Wen?«

»Na ihn. Also mich. Was ist denn mit Ihnen passiert?«

»Entschuldigen Sie, aber jetzt müssen Sie mir kurz helfen, bitte.«

»Sie haben ein dickes Auge und ein Pflaster!«

»Ich meinte eigentlich, Sie müssten mir mit Ihnen helfen!«

Jetzt bin ich ratlos. »Also er mit ihm?«, frage ich. Parisi mustert mich kurz, dann huscht ein Lächeln über sein Gesicht und er beschreibt in Stirnhöhe einen kleinen Kringel mit dem Finger. »Ah! Ich kenn ihn doch. Er ist ein Patient, oder?«

»Richtig! Sie haben ihm doch von diesem Überman erzählt, und den macht er jetzt! Schauen Sie, ich hab sogar Reißnägel!«

Ich präsentiere einen 500er-Pack Reißnägel, und mit einem Mal ist Parisi regelrecht erleichtert, offenbar ist der Groschen gefallen. »JETZT hab ich ihn. Den Überman. Natürlich. Der Autorenkollege! Er muss mich entschuldigen, aber außerhalb meiner Praxis, da bin ich sozusagen patientenblind.«

»Und was ist mit Ihnen passiert?«

»Bin überfallen worden vor der Praxis! Aber das passiert mir nicht noch mal – hier!« Parisi deutet auf einen Elektroschocker in seinem Wagen, und erst jetzt betrachte ich mir seine Einkäufe genauer: »Der Wagen ist bis zum Umkippen gefüllt mit Konserven, Getränken, Klopapier, Keksen und, wie bei Flik, einem Stromerzeuger. Und eben einem Elektroschocker.«

»Kaufen Sie für den Weltuntergang ein?«

»Was denn für einen Weltuntergang?«

»Jetzt kommen Sie. Der Weltuntergang, von dem alle reden.«

»Tut mir leid, das ist mir entgangen, ich schaue aber auch kein Fernsehen.«

»Aber Sie kaufen ein dafür!«

»Unsinn. Ich fahre in mein Ferienhaus nach Holland, weil ich meinen Ratgeber fertig schreiben muss.«

»Ich dachte, Sie müssen einen Scheiß?«

Zwei strenge Falten ziehen sich quer über Parisis Stirn. »Woher hat er den Titel?«

»Den hat er mir doch selbst gesagt!«

»Wer?«

»Sie!«

Parisi denkt nach, wir schweigen für eine Weile. Ich schaue noch einmal in seinen Wagen.

»Gibt's denn in Holland nichts zu essen?«

»Es ist ein sehr einsames Häuschen ohne Strom, aber das ist dann ja genau das Richtige zum Schreiben.«

»Und Sie rüsten sich auch ganz sicher nicht für den Weltuntergang?«

Parisi räuspert sich, kommt ein wenig näher und wechselt in seinen unsäglichen Doktor-Tonfall. »Also im März bin ich wieder in meiner Praxis, und wenn er mag, dann kann er ruhig einen Termin ausmachen und über seine Ängste sprechen.«

Irritiert starre ich Parisi an. »Die Anderen haben doch die Angst. Er nicht! Er wird sie nur messen.«

»Wer misst die Angst?«

»Er! Also ich! Und er … hat überhaupt keine Angst.«

»Na ja … immerhin hat er mit dem Weltuntergang angefangen.«

»Weil Ihr Wagen voll ist mit Zeugs dafür. Sie sind auch ein Anderer!«

»Also – jetzt soll er mal durchatmen und mir zuhören. Kann er das?«

Ein wenig ratlos schaue ich auf Parisis Stromgenerator. »Das weiß er nicht …«

Vertrauensvoll legt Parisi seine Hand auf meine Schulter. »Bitte – er soll sich keine Sorgen machen und versuchen, nicht überall Gespenster zu sehen.«

»Er sieht auch kein Gespenst! Kein einziges! SIE machen sich doch Sorgen, das sieht man doch schon an Ihrem Großeinkauf! Sie sind ein Anderer!«

»Das ist jetzt aber wirklich albern von ihm!«

»Von IHNEN ist es albern, weil Sie all den normalen Menschen ihr Essen wegkaufen, und dann gibt's erst mal wirklich Unordnung oder kennen Sie die Theorie noch gar nicht?«

»Was denn für eine Theorie?«

»Sie wissen ganz genau, was ich meine!«

»Ich denke, dass es besser ist …«, nuschelt Parisi ein wenig krampfig, drückt ächzend sein ganzes bisschen Gewicht gegen den schweren Wagen und rollt in Richtung der Kassen. »… ihm eine schöne Zeit zu wünschen. Und ein frohes Fest!«

Parisi verschwindet hinter einem der gigantischen Regale und lässt mich alleine stehen. Unfassbar: Jetzt dreht auch noch mein eigener Arzt durch.

Grund genug für mich, noch einen Zahn zuzulegen bei den Vorbereitungen. Stumpf starre ich auf meinen prall gefüllten Einkaufswagen, dann fällt's mir wieder ein: »Kühlschrank für Phil!«, sage ich laut und schiebe meinen Wagen in die Abteilung, wo die weißen Geräte stehen. Kurz darauf ziehe ich den letzten blauen Mini-Kühlschrank von einer Palette. Das Kühlregal mit der Müllermilch finde ich eine Etage tiefer. Trübe ins quietschbunte Becherallerlei schauend überlege ich, welche Sorten Phil mag und wie viele Milchbecher in den blauen Kühlschrank passen. Ich reiße die Verpackung auf und teste es. Es sind acht.

An der Kasse weigere ich mich, einen Zehneuro-Y-Schein anzunehmen, und bekomme erst nach längerer Diskussion einen X-Schein. Gut, denke ich mir, dass die Anderen noch nicht alles wissen, und haste zum Parkplatz.

Zu spät. Der BMW ist bereits wieder fernschwanzverriegelt. Genervt stelle ich meine Einkäufe neben den Kofferraum und rufe Phil an.

»Phil, was soll der Scheiß? Ich steh doch schon vor der Metro mit deinem Kühlschrank!«

»Ich weiß, wo du stehst, du Otto, der Wagen hat GPS. Aber hast du wirklich einen kleinen Kühlschrank?«

»Ja klar, eben gekauft.«

»Beweis es mir. Dann schließ ich auf!«

»Ich hab keine Zeit für so einen Scheiß, ich muss was vorbereiten!«

»Was denn?«

»Eine Riesenüberraschung. Also mach das Auto auf!«

»Riesenüberraschung klingt gut, aber vorher beweis mir, dass du die Sachen hast!«

Aufgelegt.

Was soll ich machen? Wütend knipse ich ein Foto von Phils Kühlschrank und der Müllermilch und sende es in die Eifel. Als nach zwei Minuten nichts passiert, rufe ich wieder an.

»Okay, was war falsch an dem Foto?«

»Woher weiß ich denn, dass das nicht irgendein Scheiß-Google-Foto von einem Kühlschrank ist?«

»Weil nicht mal Google Fotos von Kühlschränken mit Müllermilch auf Parkplätzen hat!«

»Da wäre ich mir nicht so sicher. Also lass dir was einfallen, damit ich sehen kann, dass der Kühlschrank bei dir ist!«

»Mann!«

Ich lege auf, trete gegen die Felge und knalle den Kühlschrank fluchend aufs Autodach, dass der Lack nur so wegspritzt.

»Vollspack-Nazi-Erpresser-Arschloch!«

Dann kaufe ich ein Kölner *Express,* steige auf's Dach und setze mich im Schneidersitz neben den Kühlschrank. Ein Typ im Anzug kommt mit einem kompletten Wagen voller Wasserflaschen vorbei. Ich bitte ihn, ein Foto von mir zu machen.

»Ist das ein Gag oder so?«, fragt er mich.

»Ja«, sage ich, »so was in der Richtung. Sie sind nicht zufällig Banker, oder?«

»Doch!«

»Was sagen Sie zu den X-Scheinen? Sammeln oder egal?«

Eine Sekunde, zwei Sekunden, drei, vier … und weggeschaut! »Kompletter Unsinn schon mal deswegen, weil der Euro nur dann funktioniert, wenn jeder Euro gleich viel wert ist.«

»Ich danke Ihnen!«

Ich bekomme mein Handy zurück und versende das Foto mit dem Satz ›*Seit einer Stunde Gefangener von Phil Konrad.*‹

Nach einer endlosen Minute, in der ich circa zehn Mal ums Auto tigere, macht es endlich KLICK, und ich kann die Autotür öffnen. Ich drücke den Startknopf, trete aufs Gas und steige augenblicklich wieder in die Bremsen. Mit zusammengepressten Zähnen und ohne zu atmen starre ich in den Rückspiegel: Hinter mir auf dem Parkplatz liegt Phils Kühlschrank.

Da die Kraft einer Peters'schen Schimpfwortkette zu schwach wäre, um meine unermessliche Wut zu mildern, drücke ich mit der linken Hand die Hupe und haue mit der rechten insgesamt vier Löcher in den Dachhimmel (gut verarbeitet, man kommt schwerer durch als bei meinem Toyota). Anschließend schalte ich die Stereoanlage auf volle Lautstärke. Mickie Krause singt begeistert: »Schatzi, schenk mir ein Foto, schenk mir ein Foto von dir. Schatzi, schenk mir ein Foto, nur so ein Foto wünsch ich mir …«

Ich prügle die Anlage aus und haue noch zwei neue Löcher in den Dachhimmel. Dann steige ich aus, knalle den angedellten Kühlschrank in den Kofferraum und gebe »Hilfe« ins Navi ein. Blitzschnell erhalte ich meine Route: 4 Stunden und 45 Minuten wären es bis zur Hilfegottesschachtstraße in Zwickau. Aber nur, wenn ich die A4 nehme.

Mein Handy fiept, es ist neun Uhr und Zeit für ein Nickerchen. Ich kippe die Rückenlehne ganz nach hinten, schließe für eine Minute die Augen und liege 20 Minuten fluchend wach. Dann fahre ich zum Weinkeller.

The Final Drop

Noch 20 Wachblöcke

›Kaiken‹ ist patagonisch und heißt Wildgans. Die patagonische Wildgans, so die Infotafel, lebt auf beiden Seiten der Anden, also in Chile und Argentinien. Wie sie das macht, steht leider nicht dabei, vielleicht hat sie ja einen zweiten Wohnsitz aus steuerlichen Gründen.

In jedem Fall fand Winzer Aurélio Montes die chilenisch-argentinische Wildgans so beeindruckend, dass er gleich seinen Cabernet nach ihr benannte. Der Kaiken ist laut Infotafel ein Wein mit viel Struktur und Finesse, der saftig ist am Gaumen und wild in der Nase. Ein Wein mit Biss, bei dem einem das Herz aufgeht. Für mich ist der Kaiken in erster Linie ein Wein, der direkt neben dem einzigen Notausgang steht, den ich bisher im über tausend Quadratmeter großen *Kölner Weinkeller* entdeckt habe. Dass der riesige Weinkeller mit seinen dunkelroten Steinmauern ideal ist für meine Zwecke, wurde mir schon klar, als ich die insgesamt 78 Stufen ins Gewölbe hinabgestiegen bin. Ein Traum für Annabelle, und meine Freunde werden auch Augen machen. Bald schon werde ich all das hier fluten mit meiner Liebe, und dann wird mein wahrer Kern vor ihnen erstrahlen, und je heller und prachtvoller er das tut, desto mehr werden sie erkennen, dass sie sich in mir getäuscht haben.

Bitte diesen Ausgang nur im Notfall öffnen. Alarmgesichert!, steht auf der braun lackierten Stahltür, und ich bin versucht, die Klinke zu drücken, lasse es dann aber doch, denn »Alarmanlage« und »nicht auffallen« hat noch nie wirklich gut zusammengepasst.

Es ist das erste Mal, dass ich alleine hier bin, also ohne Annabelle, und zum ersten Mal bin ich nicht damit beschäftigt, möglichst schnell wieder herauszukommen, zum ersten Mal schaue ich mich um und staune über die schiere Größe des Kellers, der sich in zwei Bereiche zu teilen scheint: Gleich rechts vom Treppenhaus geht es in den höchsten Raum, an dessen Wänden gut und gerne einhundert leere, heuballengroße Metall-Weinfässer aus vergangenen Zeiten stehen und die meisten deutschen Weine. Der Hauptbereich des Gewölbekellers ist von Treppenhaus und Lastenaufzug durch eine bis zur Decke ragenden Glaswand abgetrennt (Feuerschutz?), die man durch eine der beiden abschließbaren Flügeltüren passiert. Steht man mit dem Rücken zur Flügeltür, hat man auf der Fläche von gut und gerne zwei Tennisplätzen die gesamte Welt der Weine vor sich, welche rechts mit Italien beginnt und links mit der Servicetheke samt Probeausschank und Österreich. Ganz am Stirnende des Gewölbekellers, wo ich jetzt stehe, also noch hinter Argentinien und Chile, befindet sich die »Schatzkammer«, ein sanft beleuchteter Raum, dessen Mitte eine lange, blankpolierte Holztafel ziert.

Noch immer bin ich müde. So müde, dass ich versuche, mein Gesicht mit einer Grimasse wachzuziehen.

Vorsichtig stelle ich den Wildgans-Rotwein zurück auf den Weinkarton. Ich schiele auf mein Handy. Auch hier kein Empfang. Gut für den Fall, dass jemand auf die dumme Idee kommen sollte, Hilfe zu rufen. Ich trete ein paar Meter zurück und betrachte den Notausgang. Die Weinpaletten links und rechts von der Tür sind durchaus so hoch, dass die Tür komplett dahinter verschwinden würde. Mit einem der gelben Hubwagen könnte ich sie dahin bugsieren. Das grüne Notausgang-Leuchtschild müsste ich natürlich kaputtklopfen, und das wär's dann auch schon, denn durch eine Tür, die man nicht sieht, kann man auch nicht gehen. Ich ergänze meine Kugelschreiber-Skizze und schaue auf, ob mich jemand beobachtet. Das Personal scheint mit anderen Dingen beschäftigt.

Neugierig schaue ich durch eine große, schwarze Gittertür in die Schatzkammer. Hier finden sicherlich die Weinproben statt. Ich skizziere den Raum grob in meinem Überman-Notizblock und widme mich dann der Inspektion der anderen Kellerseite, die mit der Region Burgund beginnt und an deren Ende sich ein geräumiges Seitengewölbe öffnet, das ausschließlich für Bordeauxweine reserviert zu sein scheint. Als ich eine der Holzkisten hochhebe, sehe ich, dass die Kiste darunter leer ist. Sehr gut. Ich entdecke auch einen alten Wasserhahn an einer gemauerten Säule. Sobald weder das Personal noch ein echter Kunde in meine Richtung schaut, drehe ich ihn kurz auf. Ein Schwall Wasser gurgelt auf den Boden, es sieht okay aus. Ich halte meinen Mund in den Strahl und nehme einen Schluck. Schmeckt auch okay. Ich drehe den Hahn ab und notiere: Trinkwasser im Bordeaux.

»Schmeckt's?«

Ich reiße meinen Kopf herum, und weil ich mich so schnell bewegt habe, wird mir augenblicklich schwindelig. Da steht ein dürrer, kleiner und vor allem sehr hässlicher Angestellter mit rötlichem Haarkranz und großer Nase und betrachtet die Wasserlache auf dem Fliesenboden. Ich kenn ihn irgendwoher. Er mich offenbar auch, denn sonst würde er nicht grinsen.

»Sie ändern sich auch nie, oder?«

Ich gehe so weit zurück, bis ich eine Palette Wein im Rücken spüre. »Wie?«

»Der Bio-Supermarkt vor fünf Jahren? In Sülz? Da haben Sie für uns die Feedback-Zettel unserer Kunden beantwortet.«

Jetzt weiß ich wieder, wer das ist.

»Da stand aber auch ein Scheiß drauf!« Das da vor mir ist nicht nur der Bio-Supermarkt-Verkäufer, der mir meine Feedback-Zettel wieder abnehmen wollte, es ist auch der nassforsche Ikea-Zwerg, der mir meinen Single-Sessel verkauft hat vor gefühlten zwanzig Jahren. Zwerg Zwergan sieht aus wie immer, nur dass ihm Teile seiner roten Haare ausgefallen sind, vermutlich, weil sogar sie ihn zu hässlich fanden. Dafür hört er nun gar nicht mehr auf zu reden, ja, fast sieht es so aus, als würde er sich über das Wiedersehen freuen.

»Und bei Ikea haben Sie sich geweigert, sich die Regalnummer zu merken, da haben Sie gesagt, das sei unnützes Wissen, das Sie nie wieder vergessen würden.«

»Ich hab sie vergessen. Glücklicherweise.«

»Es war die 30 C!«

Eines weiß ich jetzt: Der Zwerg arbeitet nachts als Busfahrer. Und er wird einen langen, qualvollen Tod sterben.

»Warum haben Sie das gesagt?«, schimpfe ich, »ich hab zehn Jahre gebraucht, um die Scheiß Regalnummer zu vergessen!«

»Das wusste ich nicht, das tut mir leid. Wie kann ich Ihnen denn helfen?«

Er könnte mir helfen, indem er mir am 20. 12. sämtliche Schlüssel zum Weinkeller überlässt, alle übrigen Mitarbeiter in den Urlaub schickt und sich dann mit einem Dönermesser selbst zerlegt.

»Sie könnten … mir einen Wein empfehlen!«

»Für Sie selbst? Einen Begleiter für einsame Fernsehabende?«

»Ich hab eine Freundin jetzt!«, protestiere ich. »Sie heißt Annabelle und ist ziemlich hübsch!«

»Das heißt, der Wein ist für die Dame?«

»Genau. Es muss auch ein guter Wein sein, weil sie sich ziemlich gut auskennt, sie studiert nämlich bald Internationale Weinwirtschaft in Geisenheim.«

»Oh, das ist toll! Wissen Sie denn, welche Weine ihr schmecken?«

»Absolut!«

»Und in welche Richtung darf es gehen?«

»Rot!«, antworte ich wie aus der Pistole geschossen.

»Rot?«

»Oder weiß. Weil wenn ich's mir recht überlege, trinkt sie beides.«

Als hätte ich ihm irgendein Stichwort gegeben, verlässt der Weinzwerg mit mir zusammen das Verkaufsgebiet des Bordeaux in Richtung Südfrankreich. Ich habe Mühe, ihm zu folgen, und schließe meine Recherchefrage im Gehen an: »Hat man hier eigentlich irgendwo Handyempfang?«

»Wieso? Erwarten Sie einen Anruf?«

»Bin nur neugierig, so … tief unten.«

»In Österreich hat man Empfang, vermutlich wegen des Lüftungsschachtes.«

»In Österreich?«

»Da, wo die Weine aus Österreich stehen. So, wissen Sie denn wenigstens, ob Ihre Freundin eine bestimmte Rebsorte oder Region bevorzugt?«

»Klar, ich hab mir das extra gemerkt. Sie trinkt ziemlich gerne Wein von diesem ›Château‹.«

Seltsam. Der Zwerg sieht aus, als würde er durch mich durchschauen. Erst jetzt bemerke ich, dass wir vor einem weiteren Aufzug stehen. Ich muss wirklich aufpassen, dass mir solche Details nicht durch die Lappen gehen.

»Und … was für ein Château?«, fragt der Zwerg.

»Ja also, wie der mit Vornamen heißt, weiß ich jetzt beim besten Willen nicht mehr, aber, sagen Sie, funktioniert der Aufzug hier?«

»Nein, der ist stillgelegt. Aber … wenn Sie mir die Bemerkung erlauben: ›Château‹ heißt einfach nur ›Weingut‹.«

»Genau, von diesem Weingut«, bestätige ich und betrachte den Aufzug genauer. Macht wirklich nicht den Eindruck, als würde ihn noch jemand benutzen.

»Ich glaube, wir kommen so nicht wirklich weiter«, seufzt mein Stöpselverkäufer ratlos.

»Was schlagen Sie vor?«

»Dass ich einen Wein für Ihre Freundin raussuche und Sie sich ein bisschen einlesen in die Thematik. Ein Weinseminar wäre natürlich auch eine Idee.«

Ich merke auf. Da hat er recht.

»Wir bieten so was regelmäßig an.«

»Wann ist denn das nächste?«

»Am Donnerstag! Vielleicht ist das ja sogar ganz gut für Sie, weil es kein klassisches Weinseminar ist, sondern eher ein geselliges Beisammensein bei verschiedenen Weinen, mit einem Thema des Abends.«

»Klingt doch gut, was ist denn das Thema?«

»Weltuntergang.«

»Wie bitte?«

»Weltuntergang. Der Maya-Kalender, Sie wissen schon. Weil der zwanzigste ist ja direkt am Abend davor, und da haben wir uns gedacht, machen wir eine Weinreise durch die verschiedenen Orte, die was mit Weltuntergang zu tun haben.«

»Aber was … trinkt man denn da für Weine?«, frage ich.

»Einen Shiraz vom Weingut ›Allesverloren‹ aus Südafrika zum Beispiel oder einen Rosé aus der Heimat von Nostradamus.«

Ich bin begeistert. So ein Weinseminar wäre die Antwort auf so ziemlich jede Frage, wie um alles in der Welt ich Annabelle und meine Freunde hier runterbekommen soll am Vorabend des Weltuntergangs.

»Und … wie viele Plätze gibt es da noch?«, frage ich aufgeregt.

»Da muss ich nachschauen«, antwortet der Weinzwerg und

bewegt sich zielstrebig zum Servicebereich, wo er sich vor einen Rechner stellt und ein Kalenderprogramm aufruft. Ich folge ihm.

»Ah!«, sagt er und kneift die Lippen zusammen, »da war ich jetzt ein bisschen voreilig, ›The Final Drop‹ findet vermutlich gar nicht statt.«

»Warum das denn?«, frage ich erschrocken.

»Weil sich nur drei Personen angemeldet haben bisher, und wenn es nur so wenige sind, dann findet es nicht statt. Schade eigentlich, weil wir fanden es ganz lustig, aber vielleicht konnte ja der ein oder andere mit dem Thema nichts anfangen oder es ist wegen dem üblichen Weihnachtsstress.«

Ich schlucke und versuche einen Blick auf den Bildschirm zu werfen.

»Wie viele Leute brauchen Sie denn noch?«

»Damit es stattfindet? Also noch mindestens zwei.«

»Und maximal?«

»Noch neun.«

»Nicht mehr?«

»Wie? Nicht mehr? Neun kriegen wir ohnehin nicht mehr zusammen, wir haben ja schon Montag!«

»Ich meine, können noch mehr Leute kommen als neun?«

»Leider nur zwölf insgesamt, dann kriegen auch alle was mit und jeder kann Fragen stellen.«

»Verstehe. Was ist mit Tieren?«

»Tiere erlauben wir hier unten eigentlich nicht. Warum?«

»Freunde von uns haben einen Wurm, der ist ihnen sehr wichtig.«

»Tut mir leid. Keine Tiere, es sei denn, der Wurm hat einen Korb.«

»Und … wie läuft so ein Seminar ab?«

»Also wir starten um neunzehn Uhr und dann rechnen Sie mal drei Stunden drauf. Wir verkosten meist so um die acht Weine.

Normalerweise rate ich immer, ohne Auto zu kommen, aber in diesem Fall ist es ja egal, weil die Welt untergeht«, lacht der Zwerg.

»Stimmt!«, sage ich und überlege, wie ich an weitere Infos komme, »da haben Sie recht. Aber wenn das bis zweiundzwanzig Uhr geht, hat dann der Weinkeller überhaupt noch geöffnet, also offiziell?«

»Warum, wollen Sie was kaufen danach?«

»Ich frage mich nur, ob Ihre ganzen Kollegen warten müssen, bis das Seminar zu Ende ist.«

»Die gehen nach Hause um acht. Zum Schluss sind nur die Sommelière da und die Gäste.«

»WER bitte ist zum Schluss noch da?«

»Die Sommelière. In Ihrem Fall wäre das Frau Herzog.«

»Und wie sieht … – ich meine, ist sie … wie soll ich sagen … stark und kräftig?«

»Sagten Sie nicht eben, Sie hätten eine Freundin?«

»Absolut, ich finde nur, kräftige Frauen und feine Weine, also, da stimmt was nicht.«

»Also, Frau Herzog ist nicht kräftig, sondern schlank.«

»Aber nicht schwächlich?«

»Nein, einfach nur schlank.«

»Gut. Also dann nehme ich alle Plätze, die Sie haben für Ihre Weltuntergangs-Weinprobe.«

Der Karottenkopf schaut mich verwundert an. »Sie buchen alle neun Plätze?«

»Ja, gerne. Bitte. Danke. Neun Mal Final Drop mit Sommelieuse. Danke.«

»Wenn Sie mich kurz entschuldigen – gleich wieder da!«

Spricht's und geht schnurstracks in Richtung des großen Lastenaufzugs, den ich noch testen muss. Wo will er denn hin? Hab ich was Falsches gesagt? Ich überfall doch schließlich keine Bank.

Egal. Nutze ich die Zeit, um meine Skizze des Weinkellers zu vervollständigen und den Handyempfang in Österreich zu testen. Und tatsächlich: Direkt am Lüftungsschlitz glimmt ein dünner Balken auf meinen Telefon auf. Ich rufe Phil an zum Test. Eine Scheißidee.

»Wo bleibt denn mein Gepäck, du Otto?«

»Deswegen rufe ich ja an. Ich bin unterwegs!«

»Gut. Weil sonst ...«

»Ich weiß!«

Nach fast fünf Minuten eilt der ehemalige Ikea-Verkäufer und Immer-Noch-Zwerg mit gespannter Miene und Weinflasche zurück zum Servicebereich. Immerhin, die Bullen hat er nicht dabei. Dafür ist er außer Atem.

»Verstehen Sie mich nicht falsch, aber ... weil ja das Seminar ohne Ihre Gruppe gar nicht stattfindet, hätten wir in Ihrem speziellen Fall eigentlich recht gerne eine Anzahlung.«

»Warum bin ich denn ein spezieller Fall?«, frage ich verärgert.

»Wie gesagt ... weil Sie eine so große Gruppe sind und ...«

»An wie viel dachten Sie denn?«

»In Ihrem speziellen Fall dachten wir an ... die Gesamtsumme: 531 Euro.«

»Also gut!«, knirsche ich und deute auf die Flasche Wein. »Ist der für meine Freundin?«

»Genau. Ein Zwei-Zehner ›Vacqueyras Vieilles Vignes‹.«

»Wie bitte?«

»Das ist ein kräftiger, fruchtig-würziger Rotwein von der südlichen Rhône, aus mindestens sechzig Jahre alten Rebstöcken.«

Fragend betrachte ich zuerst die Flasche und dann den Weinzwerg. »Und ... dann ist der noch gut?«

Schweigend fahren wir im Lastenaufzug nach oben zum Kassenbereich. Das, denke ich mir, war ein sehr erfolgreicher Wachblock. Der Keller ist nicht nur geeignet, ich hab sogar einen Wein für Annabelle und ein Weltuntergangsseminar am richtigen Abend. Der einzige Wermutstropfen ist, dass es gerade mal neun Plätze gibt. Mich eingerechnet sind es sogar nur acht.

Ein bisschen ist es so wie das beim Atombomben-Planspiel im Bunker: Wen außer mir und Annabelle soll ich retten? Und wen muss ich schweren Herzens seinem Schicksal überlassen?

Dankbarkeitskarten

Aufgeregt und müde zugleich sitze ich mit Stift und Notizbuch am Wohnzimmertisch, sauge eine Gauloise bis zum Stummel und starre auf die weltweit fallenden Börsenkurse bei n-tv. Wenn Börse zum größten Teil aus Psychologie besteht, wie man so oft hört, bleiben auch hier wenige Fragen. Eine halbe Stunde nur noch bis zum Ende meines Wachblocks und ich fühle mich überfordert. Wen nehme ich mit? Wen nicht? Wie genau sag ich es ihnen? Wie sage ich es Annabelle? Wie kriege ich den Keller in meine Gewalt? Wie komme ich an so viele Lebensmittel? Kommt der Selbstverteidigungsschirm rechtzeitig an, den ich mir wegen Parisis Überfall eben noch bestellt habe bei *krisenvorsorge.de*? (Ein unfassbar stabiler Schirm und gleichzeitig eine Waffe, im Werbevideo wurde sogar ein Kürbis zerschlagen damit).

Als ich merke, dass mir fast der Kopf platzt, beginne ich eine Liste, die die Reihenfolge der Aufgaben und mögliche Lösungen beinhaltet, die ich in den kommenden Wachblöcken angehen will. Alles auf einmal machen kann schließlich kein Mensch und vermutlich nicht mal ein Übermensch.

- *Auswahl der Freunde und Einladung*
- *Einladung Annabelle*
- *Dinge für den Weinkeller*
- *Plan diesen einzunehmen (Krimis schauen? Seminar besuchen? Bundeswehr anrufen?)*
- *Daten für die Vermessung der Angst einholen (laut Formel)*

Das mit der Liste war eine gute Idee, denn ich fühle mich sofort besser und weniger panisch. Ich beginne mit dem ersten Punkt, der Auswahl der Freunde. Wen nehme ich mit? Die Antwort ist eigentlich ganz einfach. Ich nehme die Menschen mit, für die ich das allergrößte Arschloch bin zurzeit, denn ihnen das Gegenteil zu beweisen ist ja schließlich der Sinn des kompletten Unterfangens. Wer also, frage ich mich, hält mich derzeit für das größte Arschloch? Na ja …

Meine Freundin ist die Nummer eins auf meiner Liste. Nummer zwei und drei sind Manni und Lars, und Flik und Daniela werden mich auch hassen. Und der Wurm? Hat der schon was mitbekommen? Ab wann können Kinder hassen? Ich bin kurz verführt, die Frage zu googeln, wittere aber Zeitverschwendung und setze den Wurm einfach mit auf die Liste. Was soll er auch alleine machen in Holland, wenn beide Eltern im Krieg sind? Ich schaue ins Leere und höre Kanonendonner. Jetzt ist es passiert, ich hab den Überblick verloren. Wen hab ich denn schon im Bunker und wen nicht? Also …

1. *Annabelle*
2. *Manni*
3. *Ditters*
4. *Daniela*
5. *Flik und Wurm*

Paula! Ich hab Paula vergessen und ihren blöden Beagle und mich selbst natürlich!

6. *Paula und Evil*
7. *Überman*

Bleiben zwei Plätze. Was ist mit meinen Eltern? Die hassen mich zwar nicht, aber der Gedanke, dass ihr schönes kleines Häuschen vom hungrigen Mob gebrandschatzt wird, behagt mir auch nicht wirklich. Ich zünde mir also eine weitere Zigarette an und wähle ihre Nummer. Nach dem viermillionsten Klingeln geht meine Mutter ran. In den ersten fünf Minuten des Gesprächs geht es wie immer darum, dass der Papa das Telefon doch auch hätte hören können und jetzt einfach sie ran ist, obwohl sie gar nicht wusste, wo er es mal wieder hingelegt hat. Sobald ich eine viertel Millisekunde Pause zwischen zwei Sätzen geschickt nutzen kann, frage ich: »Wo seid ihr denn?«

»Ach, Simon. Auf Fuerteventura, wie immer um diese Zeit, das müsstest du doch irgendwann mal wissen.«

»Na ja … so lange fahrt ihr da ja auch noch nicht hin.«

»Seit '96!«

»Echt?«, staune ich und erfahre alles über das Nachspeisenbüfett im Club.

»Nur noch Melone. Und weißt du warum? Weil's billiger ist!«

Leider hört sich meine Mutter trotz der suboptimalen Dessert-Situation nicht so an, als könnte ich sie und Papa dazu bringen, vor dem 21. 12. wieder ins kalte Deutschland zu reisen. Mein Blick fällt auf die Uhr: zwanzig Minuten bis zum Ende des Wachblocks. Beenden kann ich das Gespräch trotzdem nicht. Man muss nämlich wissen, dass meine Mutter stolze Besitzerin einer Info-Kanone ist, die bis zu zwanzig Belanglosigkeiten pro Minute verschießen kann: »… glaubst du gar nicht, wie gut die Wärme tut. Der Papa war heute schon um sieben Uhr früh am Strand mit seiner Qigong-Gruppe, gleich laufen wir nach Morro Jable zum Italiener, der macht ja ausgezeichnete Spaghetti …«

Ich lege das Telefon zur Seite, mache mir einen Espresso und räume die Spülmaschine aus. Dann streiche ich meine Eltern von der Liste und greife wieder zum Handy.

»… da kriegen wir auch immer einen Grappa aufs Haus, weißt du, die kennen uns schon, nur beim Papa muss ich aufpassen, dass der seine Mütze nicht wieder vergisst, weil der lässt ja alles liegen, weißt du, wie oft wir uns schon neue Zimmerkarten haben machen lassen müssen?«

»Nein. Aber erzähl mal!«

Phil! Ich hab Phil komplett vergessen. Er ist natürlich die Nummer acht auf der Liste, womit ich dann nur noch einen einzigen Platz hätte. Und wer kriegt den?

Dr. Parisi wäre natürlich eine Option, aber der verschanzt sich ja selbst. Im Leben schreibt der kein Buch! Lala? Auf keinen Fall, da werden ja alle komplett bekloppt! Shahin? Wird auf einer Welle reiten, während sie ihm seine kalifornische Hütte ausräumen. Kaufe-jeden-Wagen-Maier? Die Fabelwesen aus dem Hotel oder das REWE-Napfmulch mit dem Erbsenglück?

»Unsinn!«, stelle ich schließlich laut fest und beschließe den Platz einfach freizuhalten, vielleicht will Phil ja die Türkin aus der Apotheke mitbringen oder Paula einen Ökobauern. Plötzlich fällt mir ein, dass ich eventuell meine Mutter noch am Telefon haben könnte.

»Mama?«

»… wie gesagt, am Besten man kommt früher, dann hat man in jedem Fall ein Kissen und eine Decke, also 'ne halbe Stunde geht's schon, aber abends wird's natürlich frisch, und man will ja nicht die ganze Zeit bibbern während der Show.«

»Was denn für eine Show?«, frage ich und schaue auf die Uhr. Noch zehn Minuten bis zum Ende des Wachblocks.

»Die Udo-Jürgens-Show. Haben wir zwar schon gesehen, aber die können wir immer wieder gucken, vor allem, weil da ja der Erkan mitspielt von der Tennisabteilung, der macht so tolle Tricks und …«

Ich lege auf und schalte das Handy in den Flugmodus. Die

Plätze sind verteilt, jetzt muss ich überlegen, wie ich meine Freunde in den Keller kriege. Eine Mail wird nicht reichen, nach allem was passiert ist. Da ich mein Wutbuch als Notizbuch verwende, fällt mein Blick auf meine Seminar-Notizen und Wut-Technik Nummer drei: *›Dankbarkeit. Liste der Leute, denen ich eine Dankbarkeitskarte schreiben würde.‹* Aha. Das könnte es doch sein, denke ich mir, denn damit rechnen sie gar nicht, dass ich mich bei ihnen bedanke, und dann sind sie gerührt und kommen vielleicht. Ich überlege kurz und probiere mich testweise an einer Karte für Phil:

Lieber Phil,
wollte einfach mal Danke sagen für alles. Aber jetzt zu was völlig anderem:

Nee. Das geht ja gar nicht. Vielleicht so?

Lieber Phil,
wollte einfach mal Danke sagen für Deine Geduld mit mir. Ich hätte Dich wirklich öfter besuchen sollen und klar war ich mit schuld an Deiner blöden Kniegeschichte. Das mit dem Rollstuhl tut mir auch leid, werde meinen Stil ändern!

Ich weiß nicht, woran es liegt, aber jeder einzelne Buchstabe verursacht mir körperliche Schmerzen. Warum um alles in der Welt sollte ich mich bei jemandem bedanken oder entschuldigen, der mir meine Freundin abgeschossen hat durch seine opiumgetränkte Facebook-Statusmeldung? Ich zünde mir eine Zigarette an, streiche die beiden Testbriefe durch und lese mir doch noch mal die komplette Liste mit Anti-Wut-Techniken durch. Nummer zwei: Wem würde ich verzeihen, wenn ich könnte? Verzeihen, das hat was Großherziges, das gefällt mir besser:

Lieber Phil,
zunächst einmal möchte ich Dir sagen, dass ich Dir verzeihe. Von ganzem Herzen. Obwohl Du natürlich auch ein Arsch

Nee. Ich lege den Stift zur Seite und klappe das Buch zu. Warum nicht doch eine Mail? Eine ganz normale, einfache, kurze, verdammte Mail.

Liebe Freunde,
ich weiß, ich war ein Vollidiot in den letzten Tagen, ich hoffe, Ihr könnt mir verzeihen.

Na also, geht doch! Ich überlege kurz, dann tippe ich weiter.

Als Entschuldigung und weil ich Annabelles Zulassung zum Weinwirtschaftsstudium (international!) mit Euch feiern möchte, lade ich am Donnerstagabend um 19 Uhr zum Weltuntergangs-Wein-Tasting in den Kölner Weinkeller ein. Bitte gebt Bescheid, ob Ihr so kurzfristig noch kommen könnt, und sagt Annabelle nichts, es ist eine Überraschung. Wurm und Beagle (im Korb) dürfen übrigens mit ;-)

Liebe Grüße,
Euer Spaßpräsident Simon

Die Mail ist versendet, zufrieden klappe ich mein Laptop zu. Manchmal macht man sich's aber auch wirklich schwerer als nötig. Simon Peters und Dankbarkeitskarten! Am Ende hätten sie noch gedacht, dass irgendwas nicht stimmt mit mir.

Zufrieden hake ich Wachblock zwanzig ab und umkreise meine nächste Aufgabe *›Kork-Nachricht mit Drohne an Annabelle überbringen‹*. Anschließend streue ich meine Reißnägel auf die

Couch, programmiere die Höhner für 13 Uhr 20, stelle das Pfefferspray auf meinen Nachttisch, lege mich falsch herum ins Bett (damit Einbrecher aus Versehen zuerst die Füße würgen) und schlafe sofort ein.

Trick gemacht

Noch 19 Wachblöcke

Drohnen sind militärische Flugobjekte zur Überwachung oder Vernichtung von feindlichen Zielen und werden meist von breitärschigen Texanern in klimatisierten Büros ferngesteuert. Punkt achtzehn Uhr haben die Texaner dann Feierabend, und während sich die Terroristen in Pakistan noch ihre Füße und Arme zusammensuchen müssen, ist Cotton Eye Joe aus El Paso längst nach Hause gefahren und hat die Spareribs auf den Barbecue-Grill geknallt.

»How was your day, darling?«, begrüßt ihn seine Frau Sheila mit Zähnen so weiß, dass ein Airbus drauf landen könnte, und noch während FOXNEWS über vier tote Terroristen in Pakistan berichtet, wendet Cotton Eye Joe schon die Spareribs und antwortet: »Great, honey! We blew up three houses, a bus, and a rabbit!«

»A rabbit? How cruel!«

»Goddamn rabbit got in the way!«

Paulas Drohne kann natürlich keine Terroristen zerlegen. Paulas Drohne kann nur walnussgroße Hanfbomben abwerfen, auf Dachterrassen von Banken und Großkonzernen zum Beispiel. Sie kann bis zu fünfzig Meter hoch fliegen und dreihundert Meter weit und alles aufs Telefon streamen, was ihr vor die HD-Linse kommt. Sie ist groß wie ein Pizzakarton, hat vier Rotoren und brummt nicht nur so wie eine genmutierte Wespe, sie sieht auch so aus. Letztlich ist sie das typische Spielzeug für Männer, Stalker und Hobbyspanner, das meist exakt drei Tage lang begeistert und dann so lange herumliegt, bis einem auffällt, dass man damit auch ernsthafte Sachen machen kann, wie zum Beispiel überprüfen, ob der Kanuschnitzer vom Telefon bei Annabelle wohnt oder nicht, und Botschaften überbringen.

Um Dinge abzuwerfen, gibt es einen vorprogrammierten Trick: Dabei dreht sich der Quadrokopter auf Knopfdruck einmal um die eigene Achse und verliert so dank der Schwerkraft seine in einer aufgeklebten Streichholzschachtel deponierte Ladung auf dem Styropor-Rücken. In meinem Fall besteht die Ladung aus dem Korken des vom Weinzwerg empfohlenen Rhône-Weins, in den ich **›20. 12. 12, 18 Uhr: Folge dem Rind!‹** gebrannt habe. Diesen Korken, so der Plan, werde ich über dem kleinen Küchenbalkon von Annabelles WG abwerfen.

Wachblock minus neunzehn, zweites Drittel Überman-Zeit*.

Ziel: Persönliche Überbringung der Weinkeller-Einladung.

Location: Gustavstraße, Köln-Sülz, vor der ehemaligen WG.

Ich drücke TAKE OFF auf dem Handy, und mit einem kraftvollen Sprung surrt Paulas Spielzeugdrohne auf einen Meter Höhe, wo sie dank etlicher Sensoren verharrt und auf weitere Befehle wartet, in der Streichholzschachtel zittert der Korken mit der Botschaft.

Ich schaue auf's iPhone und sehe mich selbst bis zum Hals. Langsam drehe ich die Kamera zur Fensterfront des Hauses und gehe zur Wand, so dass Annabelle mich nicht sehen kann.

»Is Drohe, ne?«, schallt es schrill von hinten, und ich drehe mich um. Es ist der stets übergut gelaunte Besitzer der Ha-Long-Bucht, der eigentlich in die Sülzburgstraße gehört und nicht hierher.

* 14 Uhr 45 in der Zeit der Anderen

Ich haue ein hastiges »Hallo!« raus und konzentriere mich wieder auf's Display.

»Drohe de Beste!«, ruft Herr Long aus.

»Es heißt Drohne«, verbessere ich ihn und bemühe mich um ein kurzes Lächeln.

»Habe gesahd: Drohe!«, ruft er, stellt seine beiden Einkaufstüten ab und beobachtet das Hightech-Insekt mit begeisterten Kinderaugen.

»Wiahoach fliegd?«

»Zehn Kilometer.«

»Ha ha ... dafliegdienie!«, lacht Herr Long und zündet sich eine Zigarette an. Hallo? Bin ich ein verschissener Straßenkünstler mit bunter Hose und Hut? Geh weiter, du Honk!

»Da fliehd ... also i glaube ... halbe Killometta!«

»Genau.«

»Ha ha ... dafliegdienie!«

Okay, offenbar muss ich damit leben, dass ich Annabelle ihre Überraschungsnachricht unter vietnamesischer Aufsicht zustellen muss, obwohl – historisch gesehen, haben die Jungs mit Luftangriffen ja Erfahrung.

Ich ignoriere Herrn Long und konzentriere mich ganz auf das Drohnenbild auf meinem Handy. Langsam surrt sie nach oben. Erster Balkon. Oh. Frau mit Laptop liegt wie tot auf der Couch, hoffe, sie ist nicht tot. Ups ... bin zu nah ans Fenster geflogen, bisschen zurück. Und weiter hoch. Der zweite Balkon ist zu sehen und ein leeres, dunkles Wohnzimmer. Okay. Jetzt wird's spannend. Noch ein Stock bis zur WG.

»Immahöha, ne! Bis halbe Killometta, hahaha!«, trötet der König des Reispapiers erfreut und setzt sich mit seiner Kippe jetzt auch noch in einen Hauseingang. Soll ich ihm vielleicht noch Popcorn bringen? Liebe! Frieden! Und zehn Sachen, für die ich dankbar bin: Pommes, Kippen, Bier ...

Die Drohne schwirrt inzwischen in gut fünf Metern Höhe, allerdings ist der Abstand zur Hauswand gerade mal ein, zwei Handbreit.

»Flieht gege Hauwand, de Drohe«, warnt Saigon.

»DROHNE!«, brüllt Köln, »und HAUSWAND!«

»Kann die au Trick?«, fragt Saigon.

»Nein!«, rufe ich genervt, aber Saigon beharrt auf seinem Standpunkt.

»Hahaha. Kann bestimm Trick!«

Einen Teufel werd ich tun, den Trick jetzt zu zeigen, denn dann fliegt der Korken runter und ich kann von vorne anfangen. Stabil steht die Drohne in der Luft. Noch einen Meter – und freie Sicht auf die Wohnküche. Reispapier-Long ist immer noch am Gaffen. Wink doch einfach auch noch, dann sehen alle, was ich hier mache. Konzentriert nehme ich den letzten Meter in Angriff. Mein Handy zeigt die grüne Wand, den weißen Fensterrahmen, Frühstücksflocken und tatsächlich … da ist meine Annabelle in einem ihrer bunten Pullis. Alleine. Gott sei Dank!

Gebannt schaue ich auf das von der Drohne zum Telefon übertragene Bild: Annabelle stellt eine Kaffeekanne auf den Tisch. Zwei Tassen und zwei Teller stehen schon drauf. Warum denn alles zweimal? Hat sie echt so lange nichts gegessen? Behutsam lenke ich die Drohne noch etwas näher ans Fenster. Ich könnte dagegenklopfen mit der Styroporspitze und dann zum Balkon fliegen und den Korken abwerfen, aber leider kommt da ein bärtiger Typ aus einem anderen Zimmer und kuckt direkt in die Kamera und damit übers iPhone auf mich. Der Kanuschnitzer! Innerhalb von Sekunden ist das Fenster offen, doch statt Annabelle ist ein Mann zu sehen. Ein Klotz von einem Mann mit brauner Nerd-Brille und verrückten schwarzen Haaren. Und entdeckt hat er mich auch noch.

»Bist du am Spannen, oder was?«, ruft er verächtlich nach unten und pflückt mein Fluggerät einfach aus der Luft.

»Hey!«, rufe ich nach oben, »nimm deine schmutzigen Kanuschnitzergriffel von meiner Hightech-Drohne!«

»Bist du Simon?«

»Ja, und du?«

»Otto!«

Das Fenster geht zu, meine schöne Drohne verschwindet in der Wohnung. Schockiert starre ich aufs Telefon, das weiterhin Bilder von der Drohne empfängt. ›Motoren blockiert‹ meldet das Display. Ich sehe den Holzfäller, wie er den Kopf schüttelt und den Vogel macht und ganz kurz Annabelle, die irgendwas in der Richtung »Gib sie ihm wenigstens zurück« sagt, dann geht das Fenster wieder auf, Otto erscheint und wirft die antriebslose Drohne auf die Straße. Sekunden darauf trifft mich der Korken am Kopf.

»Kann gar keine Trick, de Drohe!«, ruft Herr Long enttäuscht und greift nach seinen Plastiktüten.

»DROHNE! VERDAMMT! MIT »N«!, schreie ich ihn an. Dann klaube ich das Hightech-Insekt und den Korken vom Asphalt und wünsche mir, ich wäre ein breitärschiger Texaner in einem klimatisierten Büro.

Alles verlore

Noch 18 Wachblöcke

Wachblock minus achtzehn, erstes Drittel Überman-Zeit*.

Ziel: Dinge für den Weinkeller besorgen.

Location: kurz vor Holland.

Bin unzufrieden, weil das mit der Einladung an Annabelle in die Hose gegangen ist. Hab meinen siebzehn-Uhr-Nap schon wieder im Auto nehmen müssen, direkt vor Fliks Doppelhaushälfte in der Playmobil-Siedlung. Das Positive: Dieses Mal habe ich die zwanzig Minuten durchgeschlafen bis zu »Alles verlore« von den Höhnern. Sehr kölsches Lied, bei dem mir vor allem die Textstellen »Frau fottjelaufe«, »Nix mieh zo rette« und »Finanzamp am Hals« im Gedächtnis geblieben sind. So langsam bin ich mir nicht so sicher, ob nicht das FBI oder die CIA die Hände im Spiel hatte bei der Programmierung des Handy-Zufallsgenerators.

Umständlich stelle ich die Sitzlehne nach vorne und blicke nach draußen. Auch hier kurz vor der Nordsee müsste man sich Mühe geben, um nicht zu erkennen, dass die Anderen sich rüsten für den Tag der Tage. Hier schleppt eine junge Mutter einen 8-Liter-Kanister Volvic ins Haus, dort werden die Rollläden nach unten gefahren, Fliks Bobbycar-Nachbarn machen es am geschicktesten: Sie lassen bringen, zumindest steht ein Bofrost-Lie-

* 17 Uhr 30 in der Zeit der Anderen

ferwagen vor der Tür. Wie gerne würde ich mit all diesen Infos meine Formel erweitern, aber sie auf jede Beobachtung hin zu ändern wäre ebenso müßig wie unwissenschaftlich, also bleibe ich bei meinen fünf Indikatoren. Und: Die Formel kommt später, denn was hab ich von einer bewiesenen Angst, wenn ich keinen Schutz organisiert habe? Im Keller erst brauche ich den Beweis!

Ein letztes Mal blicke ich auf die Zu-Tun-Liste in meinem Wutbuch: »Dinge für den Weinkeller« steht dort. Wenn ich acht Freunde, einen Wurm, einen Beagle und eine nicht besonders kräftige, aber auch nicht schwächliche Sommeline bis ins neue Jahr hinein verpflegen will, dann brauche ich halt ein wenig mehr als neun Packungen CurryKing. Ich atme noch einmal tief durch, räuspere mich und wähle Fliks Nummer. Er geht sofort ran.

»Hi Simon, danke für die Einladung erst mal!«

»Und? Kommt ihr?«

»Daniela muss noch was abklären, aber ich glaub, wir sind dabei. Kann ich dich später zurückrufen, weil –«

»Dauert nicht lange«, unterbreche ich ihn, »ich bin nur gerade zufällig bei euch in der Nähe und da wollte ich euch ein neues Bobby-Car vorbeibringen für eure Nachbarn.«

»Im Ernst? Auch noch?«

»Ja. Mir … also mir lag das ein bisschen auf der Seele, und daneben benommen hab ich mich ja ohnehin an dem Abend, von daher …«

»Simon, sag mal, was ist denn los mit dir?«

»Kennst mich doch!«

»Eben. Deswegen überrascht es mich ja so! Eine Einladung zur Weinprobe, das Bobby-Car, aber … wir müssen trotzdem noch einkaufen in der Stadt, vielleicht stellst du's in den Garten und wir reden später?«

»Das wäre mir nicht so recht, weil … es ist ja auch noch ein Geschenk für euch dabei, wegen des verhunzten Abends.«

»Ein Geschenk auch noch?«

»Ja. Komm ich denn vielleicht irgendwie in die Garage?«

»Klar. Also, normalerweise natürlich nicht, aber du schon. Einfach 2112 ins Codeschloss eintippen und dann wieder zumachen!«

»Alles klar. Grüße an Daniela!«

»Mach ich! Und danke!«

Fliks Code funktioniert. 2112. Ein Schelm, wer Maya dabei denkt. Fast unhörbar rollt das weiße Tor der Doppelgarage nach oben, und ich kann hineinfahren. Eine Neonröhre geht an. Automatisch natürlich. Als sich das Tor wieder geschlossen hat, ziehe ich mir die Latexhandschuhe aus Phils Autoverbandskasten an und schaue mich um. Zwei Regale mit Kram stehen im Eck, ein Satz Sommerreifen und ein Weinkarton mit einem Aufkleber »Elektroschrott«. Unfassbar. Am meisten interessiert mich natürlich die Verbindungstür zur Wohnung, und als ich sie in Augenschein nehme, muss ich doch grinsen, denn da hat er gespart, der dicke Flik, die ist unterste Baumarktqualität. Sie aufzubrechen ist leichter, als ich dachte, denn dämlicherweise lagert Flik sein komplettes Werkzeug in einem Stahlregal daneben.

Nach nur zwei Minuten stehe ich in Fliks Flur und Sekunden danach in seinem heiligen Vorratslager. Klar, ist es erst mal ein Schock für die beiden, wenn sie nach Hause kommen, aber am Ende des Tages wird es ihr Schaden nicht sein, denn dann haben sie die lebenswichtigen Dinge dort, wo sie sie am 21. 12. brauchen.

Ich packe alles ins Auto, was mir für den Weinkeller sinnvoll erscheint: Gasheizer, Isomatten, Hygieneartikel und die Mikrowelle aus der Küche. Als ich mit dem Stromerzeuger aus der Gartenhütte komme, ist das Garagenlicht aus und ich muss winken, damit es wieder angeht. Damit sich Flik aber auch wirklich seine bunten H&M-Boxershorts vollscheißt, schmiere ich mit einem roten Wurm-Wachsmalstift noch drei Strichmännchen drunter. Eines dick, das andere mit Rock, das andere klein wie ein Wurm, darunter schmiere ich »Opfer!«. Es tut schon irgendwie weh, so was an die Wand meines Freundes zu schluren, aber je mehr Angst sie jetzt haben, desto geretteter fühlen sie sich nachher im Weinkeller.

Nach einer guten halben Stunde ist Phils Auto voll bis unters Dach. Nur der Karl-Heinz' Kinderwagen passt noch rein, Gott sei Dank war er schon zusammengeklappt. Eigentlich bin ich fertig. Fast.

Es tutet am Ohr.

»Ja, Simon?«

»Flik, tut mir leid, wenn ich noch mal störe …«

»Geht der Code nicht?«

»Ich musste ihn nicht eingeben, weil das Garagentor offen stand. Und die Tür zur Wohnung sah auch komisch aus.«

»Ach du Scheiße!«

»Tut mir leid, aber … ich hab irgendwie Schiss gehabt und mich nicht reingetraut! Mann, ich konnte nicht mal das Bobby-Car dalassen und das Geschenk …«

»Um Himmels willen, ich ruf sofort die Polizei an, danke, Simon!«

Zufrieden rolle ich aus der Doppelgarage und knirsche über einen pinken Plastiktretroller. Selbst wenn wir kurz vor Holland sind – rechts vor links wird ja wohl auch hier gelten, oder?

Wohlgemut

Noch 16 Wachblöcke

Fahl, beinahe lustlos schimmert der Mond durch den ranzigen Dezembernebel. Die Rinder stehen krumm und schief. Sie beäugen mich mit liebevollem Stolz, als ahnten sie, dass ich um ihre unbekannten Fähigkeiten weiß. Erst Steak, dann Kinder-Attraktion, jetzt präzises Messinstrument der Zeitenwende, was für eine Karriere! Bin wach und froh zugleich in diesem Augenblick. Nimmt man nämlich nur eine grüne Pille, rauscht warme Ruhe in den Leib. Zusammen mit der roten bleibt man wach und schafft den Überman. Schafft alles!

Zufrieden blicke ich in mein Wutbuch, in dem ich meine Angstformel notiert habe. Trulli und Lotta bestätigen, was die ersten Messungen vermuten ließen: Vier von fünf Autofahrern haben rückwärts eingeparkt beim REWE, wieder gab es nur drei CurryKings, und nur noch ein einziges Mal war in Wachblock minus siebzehn der beliebteste Stromerzeuger bei Amazon lieferbar. Zusammen mit der bereits vor der Metro gemessenen, verdächtig geringen Augenkontakt-Zeit bei meiner Frage nach in Deutschland gedruckten Euroscheinen, ist die Angst der Anderen nicht mehr wirklich von der Hand zu weisen, und nun das: Trulli, das blonde Rind mit den weißen Hörnern und der Karnevalsfrisur, steht auf ihrem lehmigen Restgras ganze 27 Grad neben der Nord-Süd-Achse, Lotti sogar 33 Grad.

Die Nord-Süd-Abweichung von Trulli und Lotta, das ist der noch fehlende Wert. Aufgeregt trage ich die Zahlen in meine Formel ein. 27 plus 33 geteilt durch 2, das ergibt eine durchschnittliche Magnetrind-Achsenabweichung von 30. Hinzu kommt die Anzahl der rückwärts, also bereits in Angst geparkten PKW mal 2 (um die Gewichtung zu den Rindern auszugleichen), also 4 mal 2, sind 8 plus 30, das sind 38 geteilt durch die Summe aus 3 (CurryKing) + 1 (Generator) + 4 (Banker-Augensekunden), was 8 ergibt.

Was zum Teufel war los mit mir früher im Matheunterricht? Warum hat es mich nicht fasziniert? Weil ich keine eigenen Formeln entwickeln durfte? Oder weil ich weder rote noch grüne Pillen hatte? Dabei ist es so einfach: Der genaue DADA-Wert ist nämlich nichts weiter als die Summe aus der durchschnittlichen Magnetrind-Achsenabweichung und den gedoppelten Angstparkern geteilt durch die Summe aus CurryKings, Generatoren und Bank-Augensekunden!

Ich tippe 38 geteilt durch 8 in mein Handy und erhalte: 4,75 DADA*. Es ist schon verrückt: Im Fernsehen fragen sie, wann es losgeht, und merken gar nicht, dass es längst angefangen hat. Dass wir mittendrin sind, sogar das Rind ist schon aus dem Gleichgewicht! Ich hingegen habe meine Balance wiedererlangt, denn nun weiß ich, dass ich richtig handle, und wie von selbst fließen meine Worte aufs Papier.

Köln, Wachblock –16

Liebe Annabelle,

von allen Gefühlen dieser Welt ist die Angst wohl das beschissenste. Lauwarm wabert sie umher und lässt sich gar nicht fassen, während

* DADA = Die Angst Der Anderen auf der nach oben offenen Peters-Skala

man krumm wie ein gebrühter Shrimp auf Nachricht wartet, ob der gebrannte Kork wohl gelesen und verstanden wurde.
Mit dem Mut der frisch vermessenen Angst wage ich es nun, von meinem Plan Dir zu berichten. Es ist ein Plan für Dich und für mich, ja für uns alle. Es ist ein Plan, der alles zum Besseren wendet und, glaub mir, ich hab die Möglichkeiten, ihn umzusetzen.
Zwar ist es bald schon wieder hell, und geschlafen habe ich kaum, aber deswegen bin ich noch lange nicht verrückt, im Gegenteil: ich bin beschwingt und entschlossen zugleich, mir geht es gut, sehr gut sogar, und das, obwohl Du jetzt mit dem bärtigen Kanuschnitzer wohnst. Bist zu Recht gegangen, denn ich war ein armseliger Idiot. Wirst aber auch zu Recht zurückkommen, weil ich Dir und unseren Freunden zeigen kann, wer ich wirklich bin: jemand, der Dich liebt. Jemand, der sich sorgt um seine Freunde, und dies in einem Maße, wie weder Staat noch Eltern es vermögen.
Keine Sorge, geliebte Annabelle, ich bin nicht betrunken, dies würde sich nicht ziemen in einer solchen Lage: ich bin einfach nur entschlossen, und das ist auch ein Rausch, ein viel geilerer Rausch sogar. Der Besoffski fällt ins Bett und wacht mit einem schlimmen Kater auf. Der Überman jedoch fällt nirgendwohin, er steht auch berauscht noch auf festem Grund. Die Sonne strahlt auch nachts ihm aus den Augen, weil er weiß, dass sich die Lage Schritt um Schritt verbessert. Jeden Tag ein bisschen besser!
Vielleicht weiß er noch nicht ganz, WIE alles zu bewerkstelligen ist, aber WAS zu tun ist, das weiß er wohl, der Überman, hier hilft beizeiten auch das mutige Magnetrind, mit dem er weise Pläne hat. Und weil er durch kluge Entscheidungen die notwendigen Schalthebel so justiert hat, dass er in den verbleibenden fünfzehn Wachblöcken ein besserer Mensch nicht werden kann, ist er auch beruhigt.
Er ist entspannt und beschwingt, wie ein Familienvater vor den großen Ferien, wenn er am frühen Morgen in einem feinen Anzug vor seinem Automobil die abenteuerlustige Familie erwartet. Er ist wohlgemut,

weil er alles getan hat, um seine geliebte Familie sicher ans Ziel zu bringen: er hat den Reifendruck überprüft, die Bremsen und den Ölstand. Er hat frische Sandwiches besorgt und Orangensaft, er hat sogar die Kühlbox überprüft. Und jetzt geht es los. Wohin es geht, das wird er nicht verraten, aber ist es nötig? Der forsche Aufbruch erst gibt den Blick frei für das eigentliche Ziel.

Wenn Dir, geliebte Annabelle, nun diverse Orte durch deinen süßen Kopf schießen, so lass Dir sagen, dass das Ziel kein Ort ist. Es ist eher so, dass der Ort zum Ziel führt. Mehr kann ich Dir derzeit leider nicht verraten, denn würde meine Überraschung vorlaut herausposaunt, es wäre alles verloren. Ich bitte Dich daher von Herzen bereit zu sein und wenn am Donnerstag, den 20. 12. bei »Mieten, Wohnen, Kaufen« die erste Werbepause beginnt, dann verlass den Feenbau und folge den Kreide-Magnetrindern auf der Straße. Sie führen Dich zu mir, Deinen Freunden und in Sicherheit.*

Mach Dir keine Gedanken um mich, liebste Annabelle, denn ich hab alles, was ich brauche: Kontrolle über mich, einen Plan, damit sich alles zum Besseren wendet, und die Entschlossenheit, diesen auch auszuführen.

Es grüßt Dich, in Liebe und bei klarstem Verstand,
Dein Schnuppes

* *Das ist circa 18 Uhr 15 in der Zeit der Anderen, minus 1 Wachblock vor der Übernacht (Überman-Zeit).*

Behutsam falte ich den Bogen und streichle die Rinder. Dann steige ich über den Zaun und gehe durch den Wald Richtung Sülz.

Entschlossen fallen meine Worte in den kühlen Blechschlund der WG. ›Klackediklack‹ lobt mich die Blende. Lächelnd und leicht wie nie federe ich nach Hause. Ist es nicht ein wahrhaft prächtiges Gefühl zu wissen, dass man alles richtig macht?

KELLERWURM

Noch 14 Wachblöcke

Weil alle immer den Wurm sehen wollen, ist das blaue Mützchen das Einzige, was unter der dicken blauen Decke des Kinderwagens hervorschaut. Ein letztes Mal prüfe ich, ob nicht doch irgendetwas Verdächtiges zu erkennen ist, dann wuchte ich den Kinderwagen die Eingangsrampe des Weinkellers hoch.

Wer mich in diesem Augenblick beobachtet, muss denken, dass ich ein wirklich verdammt fettes Baby habe. Vielleicht war es ja auch nicht die beste Idee, beim Ausrüsten des Kellers ausgerechnet mit dem Stromerzeuger und zwei Zehnliter-Kanistern Benzin anzufangen. Müde bin ich auch, trotz zweier optimaler Nickerchen und obwohl ich die rote Pille genommen habe. Muss dringend Parisi anrufen und fragen, ob das so bleibt, denn wie soll ich große Dinge leisten, wenn ich mich ständig fühle, wie nach einem Australien-Flug in der Economy?

Vorsichtig rolle ich den Wurmwagen in den Delikatess- und Kassenraum, von dem auch der Lastenaufzug abgeht. Hab ihn überladen, glaube ich, vermutlich wiegen Babys weniger als dreißig Kilo insgesamt, woher sollte ich's aber wissen? Eine Verkäuferin lächelt mir zu, ich lächle zurück. Vielleicht hätte ich mir eine Sekunde lang überlegen sollen, was ich in einem solchen Augenblick sage. Hab ich nicht. Also sage ich: »Kann ich den Wurm mit runternehmen? Ich bin alleinerziehender Alkoholiker.«

Es funktioniert. Die Dame lacht schallend und hält mir sogar die Tür des Lastenaufzugs auf. »Kann ich mal sehen?«

»Schläft!«

Als mich der parkplatzgroße Lastenaufzug langsam nach unten schaukelt, mache ich ein Foto vom Bedienelement. Dreitausend Kilo schafft er. Was wiegt ein Rind? Man weiß es nicht. Bin längst angekommen, merk ich plötzlich, und noch während ich schaue, ob mit meinem Wurmwagen alles in Ordnung ist, macht mir ein älterer Herr die Tür auf. Neugierig beugt er sich zu mir und spitzt die Lippen.

»Na-?«

Ich fahre einfach an ihm vorbei.

»Schläft!«

Langsam rolle ich den Wurmwagen über den Betonstreifen, passiere die große Glastrennwand und die Servicetheke und biege rechts ab in den sensationell uneinsehbaren Bordeauxbereich. Auf einer Länge von gut und gerne zwanzig Metern stapeln sich die Weinkisten bis über den Kopf.

Leider bin ich nicht alleine: Ein schlechtgelauntes Pärchen in den frühen Vierzigern diskutiert darüber, ob sie vom Château Moulin was-weiß-ich-was einen ganzen Karton nehmen sollen oder nur eine Flasche.

»Also, mein Sohn und ich, wir nehmen immer gleich einen Karton!«, sage ich und parke den Wagen in einer Ecke.

»Sie können ihn also empfehlen?«, fragt der geheimratsbeeckte Berufsjugendliche mit dem Kapuzenpulli, der ein bisschen zu schnell an Geld gekommen zu sein scheint.

»Mein Lieblingswein!«, lächle ich und ergänze: »Einer der verdammt noch mal besten Châteaus aus dem ganzen Cuvé!«

»Na dann!«

Die beiden nehmen eine Kiste und schieben ihren Einkaufswagen raus. Wieder alleine – jetzt muss es schnell gehen. Ich hebe eine der Weinkisten zur Seite und stelle zu meiner großen Freude fest, dass jede Menge Platz dahinter ist.

»Hallooo!«, schallt es mir gut gelaunt in den Rücken. Hastig schiebe ich die Kiste zurück. »30 CEEEHEEEEE!«

O Gott, die Nervensäge schon wieder. Ich habe Glück, denn der Kapuzenschmock fängt den Zwerg ab, bevor er mir dumme Fragen stellen kann.

Eilig ziehe ich die Decke zur Seite, wuchte den Generator raus und stelle ihn hinter die Weinkisten. Nach einem kurzen Kontrollblick folgen der Benzinkanister und die Mikrowelle. Deckchen drüber, Mützchen raus und fertig. Fast. Nach einem weiteren Schulterblick wandern insgesamt acht Packungen CurryKing vom Wurmwagen in eine leere Kiste, die ich mit einer vollen des gleichen Weins tarne. Das Gleiche wiederhole ich mit einer Kiste 2006er Château Cos d'Estournel, in die ich sogar noch eine Großpackung Original Neapolitaner-Schnitten verstaut bekomme. Als ich den brabbelnden Karottenzwerg im Augenwinkel sehe, richte ich eilig den Kinderwagen her und greife mir die erstbeste Flasche Franzecken-Fusel, einen 2000er Château Margaux. Ich entdecke den Preis. Ja, leck mich am Arsch, was kostet der?

»Das ist ein 1er Grand Cru Classé«, trötet der Karottenzwerg naseweis.

»Ja, aber neunhundertdreißig Euro, das gibt's doch gar nicht.«

»Es ist ja auch einer der besten Weine der Welt und entsprechend nachgefragt.«

»Trinken wir den auch am Donnerstag?«

»Ich denke nicht«, lacht der Zwerg ein wenig überheblich und fügt neugierig an: »Junge oder Mädchen?«

»Mädchen. Schläft!«, antworte ich wie aus der Pistole geschossen. »Aber sagen Sie mal, wenn Sie so unfassbar teure Weine hier haben, haben Sie denn überhaupt eine Alarmanlage?«

»Nein, aber einen Wachdienst, der kontrolliert, dass nach Feierabend keiner mehr hier ist, der nicht hier sein sollte.«

Interessant! »Und der ist immer im Einsatz?«

»Na ja, wir müssen anrufen, dass es länger wird, weil noch Leute hier sind, dann nicht.«

»Ihr ruft alle an?«

»Der Chef ruft an.«

»Ist das nicht zu gefährlich? Ich meine, da könnte ja jeder anrufen.«

»Es gibt ein Codewort.«

»Natürlich. Also – weswegen ich hier bin: Ich bräuchte jetzt mal so zwei, drei richtig gute Einsteiger-Weine, um mich, wie soll ich sagen, schon mal so ein bisschen reinzuschmecken.«

»Was wollen Sie denn ausgeben?«

»Insgesamt oder pro Tetrapak?«

Mit zwei Flaschen 2011er Château Cantenac auf der Decke des Kinderwagens fahren der Weinzwerg und ich schweigend nach oben in den Kassenbereich. Weiß gar nicht, was er hat: Bei RTL haben sie letzte Woche doch noch gesagt, dass es durchaus auch gute Weine im Tetrapak gibt. Und vor allem: Warum fährt er eigentlich mit nach oben? Ist das wieder so eine »In Ihrem Fall ...«-Sache? Nachdem ich meine 24,20 € für die beiden Weine an der Kasse gezahlt habe, weiß ich warum: »Wenn wir trotzdem einmal kurz in Ihren Kinderwagen schauen dürften ...«, wagt es eine brünette Mittdreißigerin zu fragen.

Entsprechend empört reagiere ich. »Wieso? Denken Sie, ich hab was mitgehen lassen?«

»Natürlich nicht, aber nachschauen müssen wir, sagt der Chef.«

Ich schaue mich um. In einem Glasbüro hinter dem Kassentresen telefoniert ein Mann im blauen Hemd. Er sieht aus wie Bruce Willis mit der Brille von Günther Jauch.

»Ist das der Chef?«

»Ja!«

Okay, denke ich mir, sollen sie reinschauen, die Sachen sind ja schon unten im Keller. Vorsichtig hebe ich die Decke mit dem imaginären Wurm hoch und lasse die Verkäuferin kurz mit der Hand drunterwischen. Mist! Ich wusste, ich hab was vergessen. Mit großen Augen zieht sie es hervor.

»Ist das ...?«

»Pfefferspray, richtig.«

Reicht offenbar nicht als Erklärung, also schiebe ich was nach: »Ich wohne in Köln-Porz. Fühl mich einfach sicherer damit.«

»Natürlich. Und entschuldigen Sie, dass ich ... Ist aber nicht aufgewacht, oder?«

Ich tue so, als würde ich nachschauen. »Schläft!«

Erleichtert klappe ich den Kinderwagen zusammen und verstaue ihn im Auto. Gerade, als ich mich auf den Weg zur nächsten Angstmessung machen will, vibriert mein Handy, und ein ziemlich aufgeregter Flik ist dran.

»Du ahnst nicht, was gestern hier los war!«

»Du hast gewunken beim Kacken, und das Licht ging nicht an?«

»Haha! Leider nicht.«

Völlig aufgelöst berichtet Flik, dass sie bei ihnen eingebrochen haben und die halbe Vorratskammer leergeräumt, sogar der Kinderwagen sei weg. Wie er übertreibt, das Weichei. Ich hab gerade mal ein Drittel rausnehmen können aus der Vorratskammer.

»'ne Ahnung, wer's war?«, frage ich.

»Nee!«

»Und wie isses für Daniela?«

»Sie weint die ganze Zeit! Aber nicht wegen dem Einbruch, sondern ...«

Fliks Stimme gerät ins Stocken.

»Warum?«

»Sie haben was Schlimmes an unsere Wand geschmiert. Mit der Wachsmalkreide von Lea-Marie. Und … deswegen ruf ich dich auch an.«

Augenblicklich verkrampft sich mein Magen, und mein Hals wird eng.

»Deswegen rufst du mich an?«

»Ja, Simon.«

Warum sagt er denn nichts mehr? Hab ich was liegen lassen? Will er … erwartet er, dass ich es zugebe? Dann müsste ich ja die komplette Weinkeller-Geschichte –

»Die Sache ist die … also, wie du dir vorstellen kannst, ist Daniela ziemlich am Ende und einfach nur wütend, weil sie sich so hilflos gefühlt hat, und jetzt will sie irgendwas machen, falls diese Idioten noch mal hier aufkreuzen, und da ist sie auf Krav Maga gestoßen.«

»Auf wen?«

»Krav Maga. Das ist so eine Art Selbstverteidigung, kommt aus Israel und …«

»Eine Selbstverteidigung aus Israel?«

»Ich weiß es doch auch nicht so genau, Simon. Jedenfalls hat sie sich gestern noch zum Probetraining angemeldet, und das ist heute Abend in Köln.«

»Ist doch super!«, sage ich erleichtert, »machste auch mal bisschen Sport.«

»Ich hab 'ne Sitzung, Simon, und ganz ehrlich, selbst wenn ich keine hätte: Ich wiege einhundertzehn Kilo und für mich ist so was nichts.«

Es ist wirklich seltsam. In genau dem Augenblick, in dem ich frage »Ja, und was willst du jetzt von mir?«, weiß ich die Antwort.

ZUPFSPIEL

Noch 12 Wachblöcke

Unsere Trainerin heißt Megan und ist Nahkampfausbilderin der israelischen Streitkräfte. Sie dient außerdem als Platoon Commander der Reserve in einer geheimen Anti-Terror-Einheit. Das alles weiß ich vom sympathischen Sascha, der normalerweise das Training leitet. Normalerweise. Außer heute Abend, wo er bei der Weihnachtsfeier von 4711 im Einsatz ist, weswegen er sich gleich wieder verabschiedet. Megan spricht acht Sprachen, darunter kein Deutsch. Sie trägt eine schwarze Kampfhose, dazu ein olivfarbenes T-Shirt mit hebräischen Schriftzeichen, die blonden Haare sind zu einem strengen Zopf zusammengebunden. Ich bin im ersten Drittel von Wachblock minus zwölf vor der Übernacht.

Ziel: Überleben.

Location: eine runtergerockte, nach Schweiß stinkende Turnhalle irgendwo am Rande von Köln-Bickendorf.

Aktueller Messwert: 8,4 DADAs auf der nach oben offenen Peters-Skala.

Der Druck steigt. Aber auch ohne den gestiegenen Angstwert geht mir der Arsch jetzt schon auf Grundeis. Ganz im Gegensatz zu Daniela. Mit finsterer Miene scheint die sich auf das Training geradewegs zu freuen, ab und zu zischt sie was von »Arschlöcher!«

»I am very happy to be here in Germany!«, behauptet Megan und »we are going to have a lot of fun tonight.«

Ach ja? Ich erinnere mich, dass ich nur aus zwei Gründen hier bin: 1. aus schlechtem Gewissen und 2. weil ich hoffe, irgendetwas Anwendbares zu lernen, um die nicht besonders kräftige Sommelieuse zu überwältigen, wenn mein Selbstverteidigungsschirm nicht mehr rechtzeitig ankommt.

Ängstlich hebe ich meinen Blick. Wir sitzen im Kreis auf dem Hallenboden, in der Mitte steht Megan. Die meisten Männer sind echte Kanten mit schwarzen Militärhosen und gedeckten T-Shirts. Den Frauen würde ich auch an Karneval nicht unbedingt an den Arsch fassen. Außer Daniela vielleicht, mit ihrer engen, braunen Armeehose und dem weißen Tank-Top. Warum trage eigentlich nur ich ein grell leuchtendes, kanariengelbes Kapuzen-Shirt? Ich sollte abhauen. Wegen …? Verdauungsbeschwerden? Zahnschmerzen? Panikattacke?

»Okay, listen up! Sascha told me, we have two new people here. Who is it?«

Das ist doch völlig egal, dass wir neu sind, denke ich mir, als ich einen metergroßen Krater in den hellgrünen Hallenboden starre. »I am Daniela«, sagt Daniela, und ich sage »And I am Simon!«

»Welcome«, sagt Megan,»as you are new: ›Krav Maga‹ is a self defense system for everybody. Simon?«

Mir gefällt der hebräische Akzent im Englischen. Ähnelt dem französischen irgendwie. Sprechen die alle so in Israel? Oder nur, wenn sie Englisch im Ausland sprechen? Daniela zupft mich an meiner Jogginghose.

»Schau doch mal hoch!«

»Ich bin doch nicht wahnsinnig!«, nuschle ich und werde von Megan aus dem Schneidersitz gezogen. Sie will was zeigen an mir. Was zieh ich auch so eine Kack-Signalfarbe an?

»Okay, Simon, try to strangle me.«

Hilflos schaue ich auf die sitzende Meute. Jemand sagt, ich

soll sie würgen. Okay, natürlich. Würgen. Krieg ich hin. Ist auch nützlich. Vielleicht will mich ja jemand würgen, wenn ich im Weinkeller …

»You got a jockstrap?«, fragt Megan.

»Ja«, sage ich, um nicht als Idiot dazustehen.

»Good! Let's go. Choke me!«

Ich schlucke die Angst runter, gehe auf Megan zu und versuche, sachte ihren Hals zu greifen. Ich komme sogar an ihren Hals! Also fast. Dann geschieht innerhalb der nächsten 0,24 Sekunden Folgendes: Meine Arme werden auseinandergerissen wie zwei Brötchenhälften, alles wird knallgelb, ich bekomme ein gutes Dutzend Schläge auf den Kopf, noch während ich falle einen Tritt in die Eier. Als ich wie ein Erdnussflip zusammengekrümmt auf dem Hallenboden um Luft ringe, wird mir die Kapuze vom Kopf gezogen – es ist Megan, die mich ebenso betroffen wie entschuldigend anschaut.

»I am really sorry, you said you wear a jockstrap!«

»WHAT? IS? A? JOCKSTRAP?«, jammere ich.

»Tiefschutz«, sagt jemand, und dann lachen sich alle tot, und ich darf am geöffneten Fenster zuhören, wie Megan vor Kapuzenshirts warnt, und mir einen lächerlich großen Tiefschutz über die Jogginghose streifen, in dem ich aussehe wie Cameo im »Word Up«-Video. (Für alle, die die Achziger sabbernd im Maxi Cosi verbracht haben: Cameo sah in diesem Video aus wie ein perverser Vollspast.)

Das Aufwärmprogramm besteht aus fünf Liegestützen, zehn Kniebeugen, die in Tel Aviv ›Squats‹ heißen, und noch fünfzehn Sit-ups, die in Tel Aviv ›Sit-ups‹ heißen. Machbar? Vielleicht. Aber nicht zehn Minuten lang ohne Pause und nach vier Stunden Schlaf in zwei Tagen. Und noch ein Leckerli gibt es als Motivation: Wer am wenigsten Wiederholungen schafft, muss sich zum Schluss des Tages in einem Schutzanzug verdreschen lassen.

»Come on, boys and girls, try your best!«

Ich try wirklich my best und muss beinahe kotzen, so fertig bin ich. Ich werde Vorletzter. Der Letzte, ein leberkäsfarbener Teenie in einem zu engen Quiksilver-Shirt, sieht noch schlimmer aus als ich, knallrot und zuckend liegt er auf dem Boden, die Flasche Wasser in der Hand, aber unfähig zu trinken. Ich schütte einen halben Liter Volvic in mich hinein und bekomme gerade noch die Erklärung für die nächste Übung mit, das Zupfspiel. Okay. Alle stecken ihre T-Shirts und Hemden in die Hose, verteilen sich in der Halle und versuchen dann, es den anderen rauszuziehen. Wer als Letzter sein Shirt noch in der Hose hat, gewinnt. Wie albern ist das denn? Und solche Leute bilden die israelische Armee aus? Na dann gute Nacht im Westjordanland …

»Hey Sie, verlassen Sie sofort unsere Siedlung!«

»Und was, wenn wir's nicht tun?«

»Dann zupfen wir Ihnen das verdammte Hemd aus der Hose!«

Weil ich eine Pause brauche und nicht total bekloppt bin, lass ich mir mein Shirt als Erster rausziehen. Was ich überhört haben muss: Der Erste, der sein Shirt verliert, macht zehn verschärfte Liegestützen. Verschärft heißt, dass ich nach jeder Liegestütze mit den Füßen die Hallenwand hochkrabbeln muss fast bis zum Handstand und dann zurück zur Liegestütze. Eins! Kann es sein, dass das Danielas Lachen ist? Zwei. Es ist Danielas Lachen. Drei. Die … blöde Kuh! Ich schaffe vier. Was ich auch überhört haben muss: Wer die Strafe nicht schafft, wird mit zwanzig Squats bestraft. Ich schaffe siebzehn und muss zehn Sit-ups machen. Hätte ich meine Pulsuhr um, sie hätte nicht mehr gepiept, sie wäre in die Luft geflogen wie ein Blindgänger in Schwabing. Als ich fest davon überzeugt bin, dass ich wegen der Schmerzen nie wieder meine Arme heben kann, geht es erst mit den eigentlichen Techniken los. Wir lernen die Abwehr von geraden Faustschlägen,

Würgegriffen und einfachen Messerattacken. Ich »sterbe« durchschnittlich dreimal pro Minute, weil ich keine einzige Technik kapiere. Daniela schon, sie ist ein wahres Talent, begreift blitzschnell und kämpft um ihr Leben.

Wir lernen sogar eine für Männer recht praktische Kneipentechnik: Was tun, falls man mal beim Pinkeln mit verschlossenen Augen am Pissoir geschubst wird. Mal abgesehen davon, dass ich erst nach acht Weizen so pisse, leuchtet die Technik ein: Wenn man geschubst wird, dann mit beiden Händen abstützen und gleichzeitig das Gesicht zur Seite drehen, damit man nicht mit der Nase aufschlägt.

»Okay, folks, one more time!«

Ein letztes Mal. Wir stehen an der Wand und tun so, als würden wir pinkeln, der Schubspartner steht dahinter. Mein Schubspartner ist Daniela. Sieht übrigens wirklich süß aus in ihrer olivweißen Sport-Kombi.

»Close your eyes. Prepare!«

Schade eigentlich, dass ich mit Daniela nie in die Kiste bin, damals beim Spanischkurs, denke ich mir, aber hey, so spielt das Leben, jetzt tunkt halt der dicke Flik seinen weißen Vorstadtpimmel in das süße ...–

Ich knalle so schnell und heftig gegen die Wand, dass ich mich nicht mal mehr mit den Händen abstützen kann. Das Drehen des Kopfes vergesse ich komplett.

»Are you allright, Simon?«

Nach zehn Minuten fließt der letzte Tropfen Blut ins knallrote Waschbecken der Herrenumkleide, und ich kann die letzten Minuten des Probetrainings genießen. Der Sinn der letzten Camp-Übung ist ganz einfach: die anerzogene weibliche Scheu zu verlieren, richtig zuzuschlagen und zu treten, wenn es drauf ankommt. Find ich ja gut, eigentlich, wo so viele Einzeller mit dauerstrammer Fleischpeitsche durch die Gegend strunkeln. Das Problem ist nur: Der Leberkäse-Teenie ist nicht mehr da! Ich glaub, ich weiß warum. Weil er der Letzte im Zupf-Spiel war. Und ich … ich war der Vorletzte.

»Okay, Simon, go for it!«

Zitternd vor Überanstrengung ziehe ich mir den überdimensionierten Schutzhelm über den Kopf, dann steige ich in die Schaumstoffmontur. Ist die denn auch dick genug? Durch den Sehschlitz schaue ich in einen der Spiegel: Ich sehe aus wie die schwarze Version des Michelin-Männchens. Nach dem, was Megan den Teilnehmerinnen gesagt hat, kann ich nur beten, dass der Anzug hält, was er verspricht: Schutz! Jede Frau hat dreißig Sekunden lang Zeit, auf mich einzudreschen wie auf einen Sack Mehl. Noch bevor ich zählen kann, wie viele Frauen überhaupt hier sind, geht es los.

Drei Dinge fallen mir auf während der gefühlten drei Jahre, in der ich von jeder Frau vermöbelt werde. Erstens: Es gibt gar keine weibliche Scheu vor Gewalt. Zweitens: Der Schutzanzug taugt einen Scheiß, und drittens: Daniela ahnt, dass ich der Einbrecher mit der Wachsmalkreide war.

»Liebe! Frieden!«, schreie ich, doch es bringt nichts, und als ihre dreißig Sekunden um sind, müssen zwei Leute das wild um sich schlagende und schreiende Etwas wegziehen von mir. Taub, zuckend und schweißnass steige ich aus dem Schaumstoff. Am Ende klatschen alle, und weil Daniela und ich neu sind, bekommen wir ein Krav-Maga-Shirt geschenkt. Anziehen kann ich es leider nicht, weil ich meine Arme nicht mehr hochkriege.

Wenigstens bekomme ich ein Küsschen von Daniela. »Danke, dass du mit bist!«

Ich versuche zu nicken und lächle.

Als ich endlich in den bequemen Autositz fallen will, erinnert mich Phil via Fernverriegelung daran, dass ich ihm längst Kühlschrank und Gepäck hätte bringen sollen. Wenn ich nur das Auto nicht bräuchte! Mit letzter Kraft tippe ich meine Nachricht ins Handy.

Komme!

Klettspecht

Noch elf Wachblöcke

Skeptisch betrachtet Phil den surrenden Campingkühlschrank neben seinem Holzbett und nimmt einen Schluck Müllermilch Pistazie-Kokos. Er trägt eine neue, rote Jogginghose, ein graues Sweatshirt, ja er hat sogar seine Haare gewaschen. Und trotzdem hat er schlechte Laune.

»Rollstuhl geklaut. Auto geklaut. Und ich hasse Pistazie-Kokos!«

Ich sinke noch ein wenig tiefer in die einzige Sitzgelegenheit des Siebzigerjahre-Reha-Zimmers, einen grünbespannten Polstersessel.

»Also, Simon, wenn du die ganze Scheiße echt wiedergutmachen willst, dann musst du am Donnerstag aber echt 'ne Monster-Überraschung am Start haben.«

»Vergiss nicht, dass mich deine verdammten Pillen fast umgebracht haben.«

Grinsend wirft Phil den leeren Milchbecher in Richtung Abfalleimer und verfehlt ihn um drei Meter. »Hey, du warst so unentspannt, da dachte ich, lass den Otto auch mal bisschen Spaß haben!«

Hätte ich nicht so unmenschliche Schmerzen wegen des israelischen Scherz-Schutzanzuges, würde ich widersprechen. So jedoch genieße ich es, endlich eine Sitzposition gefunden zu haben, in der neben meinen müden Augen nur eine Schulter wehtut.

»Jedenfalls hast du's schön hier«, lüge ich stattdessen.

»Schön?«, lacht verächtlich Phil und quält sich auf die Bettkante. »Das ganze Zimmer sieht aus, als hätten es die Siebziger ausgekotzt. Du übrigens auch. Schläfst du nicht oder was?«

»Na ja, die Monster-Überraschung ist schon was aufwendig.«

»Sollte sie auch. Gib mir mal die Schuhe.«

»Wo willst du denn hin?«

Widerwillig reiche ich Phil einen der beiden blauen Converse, die er vor seinem Bett geparkt hat.

»Rauchen. Und den anderen!«

Ich halte Phil auch den anderen Schuh hin und schaue gleichzeitig auf die Uhr. »Gut, dann wollen wir mal!«, sagt Phil, springt vom Bett und schiebt den eigenen Rollstuhl zur Zimmertür.

»Was guckst du so blöd?«, fragt Phil genervt.

»Du kannst schon wieder laufen?«

»Ja. Aber ich darf noch nicht, sagen die Ärzte, damit das Knie schneller heilt. Danke.« Ein wenig ertappt rutscht Phil in seinen Rollstuhl und klopft auf die Räder. »Also, was ist jetzt, du Otto? Vamos!«

Ich zögere, denn eine kleine Sache brennt mir dann doch noch auf der Seele.

»Wegen des Autos …?«

Phils Ertapptheit weicht einem amüsierten Grinsen. »Haha, hab ich mir gedacht, dass du das fragst. Ist deins noch in der Werkstatt?«

»Ja! Da wird jetzt auch noch der Motor getauscht, haben die gesagt.«

Leidend quäle ich mich aus dem Besucherpolstersessel. ICH sollte den verdammten Rollstuhl kriegen, nicht Phil.

»Und? Was ist jetzt mit dem Wagen?«, hake ich nach.

»Also, wenn du mich später wieder zurückfährst, kannste ihn haben.«

Ich stutze. »Zurück von wo?«

Der größte Puff von Köln platzt aus allen Nähten, die Leute feiern, als gäbe es kein Morgen.

Mit einem Kölsch stehe ich neben einer halbrunden weinroten Plüschsitzecke, höre Madonnas »Like a Virgin« und überlege, wie ich Phil wieder besänftigen kann, was die Schäden an seinem Auto angeht. Im Augenblick scheint er's vergessen zu haben, was natürlich auch an der osteuropäischen Tänzerin liegen könnte, die ihm mit ihren blanken Möpsen gerade einen Dollarschein aus dem Mund zieht.

Es ist Phils dritter Private Dance, und er ist definitiv im siebten Himmel. Leider ist der Wachblock minus 11* direkt neben Phils siebtem Himmel, und zweimal bin ich schon kurz eingeschlafen. Das Rumstehen ist mal definitv reine Zeitvernichtung. Mein Ziel kann daher nur sein: abhauen, die SIM-Karte aus dem Auto bauen, kurz pennen und weitermachen mit meinen Weinkeller-Vorbereitungen.

Mittlerweile hat Phil eine neue Tänzerin neben sich und wedelt mit einem Tabledance-Dollar vor meiner Nase herum.

»Hey, Zombie. Kannst mir ruhig mal einen Private Dance ausgeben, nach der Scheiße mit dem Auto.«

Ich nicke apathisch und gebe einer der Tänzerinnen einen griechischen Zwanzigeuroschein.

»Sven? Was ist mit dir? Simon zahlt!«

»Klar. Cool. Danke!«

Gequält schaue ich zu Phils Pfleger Sven, einem dünnen jungen Kerl Anfang zwanzig, den Phil unbedingt dabeihaben

* kurz nach Mitternacht in der Zeit der Anderen

wollte, damit der auch mal ein bisschen Spaß hat. Hab ich ihm sofort geglaubt, weil er so aussah, als würde er gleich losflennen. Tat er aber nicht. Erst jetzt ahne ich, dass es Svens permanenter Gesichtsausdruck ist. Während sich also zwei mit Gold-Strings bekleidete Tänzerinnen um Phil und die Reha-Heulboje winden, überlege ich ein zweites Mal, hier abzuhauen.

»Hey Zombie, entspann dich mal, siehst ja aus wie auf'm Sprung«, grölt Phil.

»Ich BIN auf dem Sprung!«, ächze ich, »du hast was von zwei, drei Bierchen gesagt!«

»Na, jetzt wo du mein supertolles Wahnsinnsauto zu Klump gefahren hast, sind's halt zehn Bierchen. Und das Schönste: Die zahlst alle du! Hier, guck mal, die Kleine will was von dir!«

Phil deutet auf eine kleine Schwarzhaarige im Minirock, die lächelnd mit einer Dose Sprühsahne auf mich zu scharwenzelt.

»Lust auf was Süßes?«

»Hab 'ne Laktoseintoleranz, leider …«, brumme ich.

»Ist laktosefrei!«

»Dann bin ich Veganer und … außerdem nehm ich nur Sachen zu mir, die die Natur freiwillig hergibt!«, ergänze ich hastig.

»So wie Kölsch?« Mit einem Augenzwinkern zieht sie weiter zu einem schwammgesichtigen Messe-Pakistani, den sie vermutlich exakt das Gleiche fragt, und im Gegensatz zu mir hat er keine Laktoseintoleranz.

Aber es kommt noch schlimmer: Phil will rüber, also dahin, wo nicht nur getanzt wird – ins Laufhaus, und er will, dass ich mitkomme. Ich atme tief durch und schaue auf meine Uhr. Realistisch betrachtet ist es ohnehin schon zu spät, denn eigentlich hätte ich die beiden schon vor einem Drittel in die Eifel zurückfahren müssen.

»Is gut«, knurre ich, »ich komme ja mit.«

»Sag mal, checkst du's nicht?«, kreischt Phil, »du hast mein

Auto kaputtgefahren, du hast hier überhaupt gar nix mehr zu kamellen!«

»Ich zahl's ja auch!«, stöhne ich.

»Worauf du deinen plattgesessenen Spießerarsch verwetten kannst!«

Eine Behindertenrampe und drei Etagen Liftfahrt später lässt Phil sich mit einem weiteren Dollarschein im Hosenschlitz von Sven durch einen hotelähnlichen Flur rollen, vor dessen Zimmertüren halbnackte Mädchen auf Barhockern sitzen. Als wäre das nicht schon peinlich genug, trötet Phil noch »Schnapp, schnapp, schnapp!« zu den Mädchen.

»Phil, das ist albern!«, zische ich ihm zu, während ich versuche, einen Blick in die Zimmer zu erhaschen. Svens Heulgesicht kommt bei den Mädchen besser an als Phils Rollstuhl. Von jedem zweiten Mädchen wird er gefragt, ob was Schlimmes passiert ist.

»Hey! ICH sitze hier im Rollstuhl!«, nölt Phil eifersüchtig und stellt klar, dass sein Pfleger immer so aussieht. Ein Stockwerk weiter oben setzt sich dann endlich eine zierliche Brünette auf den Rollstuhl, und während sie Phil den Schein mit dem Hintern aus dem Reißverschluss zieht, tippe ich ihm auf die Schulter.

»In einer Stunde am Auto?«

»Hey, du Otto, nerv jetzt nich, ich hab was am Laufen.«

»Alles klar!« Ich mache kehrt, passiere zwei Zimmer und entscheide mich für eines mit petrolfarbener Bettwäsche. Hastig lege ich mich hin, seit zwei Minuten bereits ist mein Wachblock beendet. Eine gute Entscheidung, denn Matratze und Licht sind in Ordnung, nur die Decke ist etwas dürftig.

»Hey!«, höre ich ein Mädchen rufen, das ich gar nicht gesehen habe, das es aber gibt, denn jetzt steht es mit den Händen in den Hüften vor meinen Bett: »Du kannst dich doch nicht einfach so hier reinlegen! Das ist mein Zimmer!«

Das Mädchen ist unfassbar schön, sie hat lange schwarze Zöpfe und ein feines, indianisch wirkendes Gesicht mit einem sehr großen Mund. Doch wenn man nach mehreren Tagen Überman erst einmal liegt, ist es ungefähr so schwer wieder aufzustehen, wie mitten im Pinkeln aufzuhören. Also frage ich die Schönheit freundlich, was die halbe Stunde kostet, womit sich die Situation augenblicklich beruhigt.

»Siebzig Euro mit Französisch und einmal Entspannung.«

»Nehm ich. Danke. Aber entspannen würde ich mich alleine.«

»Du willst dir einen runterholen?«, fragt sie unsicher.

»Nein. Ich will hier einfach nur liegen, um ehrlich zu sein. Bitte!« Ich reiche dem verdutzten Mädchen 70 Euro aus meinem Portemonnaie.

»Und was soll ich machen? Striptease? Massage?«

»Du machst gar nix. Ich will hier nur liegen.«

»Ich könnte mir die Muschi reiben.«

»Kannste gerne machen, solange du mich pennen lässt.«

»Spinnst du? Ich reib mir doch nicht die Muschi, wenn du pennst.«

»Dann halt nicht!«

»Gut. Hatte ich zwar noch nicht, aber wie du willst. Wie lange?«

Hatte sie noch nie und für wie lange? Das versteh ich, das würde ich auch wissen wollen, wenn ich was noch nie hatte. Gerade als Indianerin würde ich fragen, wo denen soviel abgenommen wurde von uns Europäern, da würde ich gleich zweimal fragen wie lange! Nicht im wilden Westen erwache ich, sondern auf einer sattgrünen Frühlingswiese. Bin eng umschlungen mit Annabelle. Wie gut sie riecht! Wie hübsch sie aussieht in ihrem Sommerkleid mit den orangen Punkten! Viel schöner als die Dotterblumen leuchten! Und wie hoch Evil La Boum springt, ja ist er denn von Sinnen, will er allen Ernstes die Wespe essen?

… taktaktaktaktak …

Annabelle lacht und sagt, da sei keine Wespe, sondern ein Specht auf meiner Schulter.

»Nein, Evil, nein! Die sticht!«, rufe ich.

… taktaktaktaktak …

Der Specht soll von der Schulter runter, von der Schulter soll der Specht! Will ihn verscheuchen, aber der Specht bleibt, wo er ist. Muss magnetisch sein. Oder aus Klett.

… taktaktaktaktak …

»Jetzt lass doch mal …«, stöhne ich und will den Specht zur Seite schieben, doch der Vogel ist riesig. »Specht?«, frage ich, »wofür hast du denn so große Krallen?«

»Damit ich dich an deinem stinkenden Schwanz bis zur Inneren Kanalstraße ziehen kann!«, grunzt eine tiefe Männerstimme.

Ich schnelle hoch und blicke direkt in das aufgedunsene Gesicht eines tätowierten Pitbulls in Menschengestalt.

»Ist die wieder einspurig?«

»Ja! Morgen, der Herr!«, grunzt der Pitbull.

»Mo…Morgen!«, stottere ich, rutsche sicherheitshalber ein Stück zur Wand und überlege, ob wir eine solche Situation eventuell bei Krav Maga hatten. Leider fällt mir nur ein, die Nase zur Seite zu drehen, wenn ich am Pissoir stehe.

»Die Sache ist eigentlich ganz einfach …«, sagt der Pitbull.

»Da bin ich aber erleichtert!«, antworte ich und weiche dennoch ein Stück zurück, »also, wenn sie so einfach ist, die Sache.«

»Verarsch mich nicht!«

»Natürlich nicht. Entschuldigung!«

Ich muss mich kurz sortieren. Mitten im Zimmer steht eine Indianerfrau mit Handtasche und Mantel, bereit zum Aufbruch. Vor mir sitzt ein Pitbull mit schlechter Laune und mächtigen Tattoos. Das Motiv besteht aus einem Totenkopf, einem Kreuz und einer Art Säbel.

»Hallo? Bist du bei uns, Kollege? Eintausendzweihundertundzehn Euro kriegen wir von dir!«

Ich schaue vorsichtig auf. »Warum denn eintausendzweihundertundzehn? Ich … hab doch nur kurz hier gelegen!«

»Kurz? Seit ein Uhr blockierst du das Zimmer. Und deine beiden Kumpels haben auch ordentlich Gas gegeben.«

Erschrocken blicke ich auf meine Uhr und erstarre augenblicklich: Es ist verdammt noch mal kurz nach sieben Uhr morgens! Ich habe volle fünf Stunden überschlafen! Ich bin mitten im neunten Wachblock!

»Also, Freundchen: Eintausendzweihundertundzehn Euro, dann ist die Sache erledigt. Kannst sogar wiederkommen am nächsten Sonntag!«

»Was ist denn nächsten Sonntag?«

»Unsere Pauschal-Adventsaktion: Blasen, bis das Licht ausgeht.«

»Nette Idee«, lache ich steif und setze mich auf die Bettkante. »Und was passiert, wenn ich nicht zahlen kann?«

Der Pitbull grinst schäbig.

»Geht das Licht sofort aus.«

»Verstehe.«

Vorsichtig zittere ich mein Portemonnaie aus der Hose, doch so lange ich die beiden Scheine auch hin und her bewege – es wird nicht reichen. Hätte meinen Toyota-Umschlag einstecken sollen.

»Und … wenn ich mein Auto hierlasse, bis ich das Geld habe?«

»Kommt auf's Auto an.«

Gut, dass sich die Zeiten geändert haben! Früher, da bin ich mir sicher, hat man sofort auf die Fresse bekommen, wenn man in einem Puff nicht zahlen konnte. Heute bekommt man erst dann auf die Fresse, wenn es das angebotene Pfand nicht gibt.

»Ich hab ihn vorhin hier hingestellt, ohne Scheiß!«, höre ich mich noch sagen, bevor ich in hohem Bogen auf den harten

Asphalt fliege. Gibt es denn auch irgendeine israelische Technik, mit der man trotz zerbrochenem Rücken aufstehen kann? Da mir keine einfällt, ziehe ich mich an einem neben meiner blutigen Hand geparkten SLK mit Coesfelder Kennzeichen hoch. Dann habe ich die Wahl zwischen meinem iPhone und meiner Schweizer Automatikuhr. Ich entscheide mich für die Uhr.

»Kannste abholen, wenn du das Geld bringst«, grinst der Pitbull und verstellt das Band auf seine Handgelenkgröße.

»Mach ich …«, antworte ich gequält, »Und danke noch mal für alles, netter Abend.«

Als ich die Innere Kanalstraße Richtung Sülz laufe, bekomme ich meinen ersten von insgesamt drei Wutanfällen.

Phil, diese hinterhältige Ratte! Nur deswegen hatte er die Heulboje mit! Von Anfang an wollte er nur sein Auto zurück und auf meine Kosten poppen. Und jetzt? Wie zum Teufel soll ich ohne Auto den Weinkeller fertig ausstatten? Mit der Straßenbahn oder was?

Als ich eine halbe Stunde später die Wohnungstür aufschließe, sehe ich, dass eine Nachricht von Annabelle auf meinem Handy glimmt. Ein Lichtblick! Aufgeregt zünde ich mir eine Zigarette an und falle auf die Couch, springe aber fluchend wieder hoch, als wäre ich auf einem Trampolin gelandet. Es folgt mein zweiter Wutanfall. Erst nachdem ich mir den letzten Reißnagel aus meiner Wange gezogen habe, lese ich Annabelles Nachricht:

Beschwingt und entschlossen zugleich?

Ich stutze. Was ist das denn jetzt für ein saublödes Rätsel? Der angehängte Link führt mich direkt zu Phils Facebook-Seite. Das letzte Update ist ein Foto von mir neben einer kleinen Schwarzhaarigen ohne BH und mit Sahnesprühdose.

Liebe? Frieden? Nein! Mein dritter Wutanfall. Immerhin: 38 Personen gefällt das.

Wachblöcke

Noch 8

Hab nach dem finanziellen und sozialen Bankrott noch einen Bankrott zu erklären: den körperlichen. Komme fast nicht ans Handy vor Schmerzen, als Tim Toupet um 9 Uhr 20 mit »So ein schöner Tag« loslegt.

Mein Kopf ist auch komplette Monstermatsche. Nehme eine von den roten Pillen, die mich wach zu machen scheint. Immerhin – langsam wird es erst hell, und dann gelb, denn DHL bringt den Selbstverteidigungsschirm. Er ist schwerer als ein normaler Schirm, dafür aber auch weit stabiler. Ob es auffällt, wenn es nicht regnet und ich ihn trage? Ich spanne ihn auf und zu, dann übe ich ein paar Schläge und spieße einen Apfel auf. Der Apfel hat keine Chance. Anschließend kontrolliere ich meine ZuTun-Liste für den heutigen Tag, und als sich die Panik breitmacht, dass ich das gar nicht schafffen kann, nehme ich eine grüne Pille, dusche mich eiskalt ab und bereite den Wurmwagen vor.

Im Weinkeller sehen sie mich inzwischen als kauzigen Stammkunden, der die Zeit bis zum Weinseminar kaum erwarten kann. Umso einfacher lassen sich meine in zwei Teile geschnittenen Isomatten und die restlichen CurryKings im Bordeaux verstecken, ja, ich kann sogar einen genaueren Blick auf die beiden österreichischen Lüftungsschächte werfen und sehe, dass sie breiter sind als ein Plastikeinkaufskorb und dass ich die Gitter von innen abnehmen kann. Dann gehe ich nach oben und frage, ob ich den Chef sprechen kann wegen einer derart unfassbaren Begebenheit, die ich so mit niemand anderem erörtern mag und die dem Ruf des Weinkellers in einem solchen Ausmaß schade, dass gerade der Chef das allergrößte Interesse daran haben sollte, mich sofort und persönlichst anzuhören. Ich werde vorgelassen.

»Bis auf die Knochen blamiert hab ich mich mit Ihrem ›*Wackerä Wiey Winje*‹!«, poltere ich los und zeige dem verdutzten Bruder von Bruce Willis, der heute ein beiges Hemd trägt, die Flasche.

»Ach, den Vacqueyras Vieilles Vignes meinen Sie. Was ist denn damit?«

»Was damit ist? Er schmeckt wie 'ne Mischung aus A 57, Milzbrand und Kanal, oder wie sagt Ihr Weinfreaks zu ›Mischung‹?«

»Wir sagen Cuveé. Aber normalerweise …«

»Überlegen Sie mal: Ich buch hier ein Weinseminar für zehn Leute und frag nach einem Wein für meine Freundin, und dann empfiehlt man mir so was!«

»Wer hat ihn denn empfohlen, können Sie sich erinnern?«

»Da kann ich Ihnen jetzt leider nicht weiterhelfen, weil ich grundsätzlich keine anderen Leute in die Pfanne haue, schon gar keine Kleinwüchsigen.«

»Verstehe. Sie bekommen natürlich sofort einen Gutschein.«

Mit der leeren Flasche in der Hand verlässt der Bruder von Bruce Willis sein Büro in Richtung Kasse und bittet mich, ihm zu folgen. Eine ausgezeichnete Gelegenheit, mein sprachgesteuertes Diktiergerät in den stählernen Stiftebecher neben seinem Telefon zu stecken.

Weil ich es bis zum Dreizehn-Uhr-Nickerchen nicht mehr nach Hause schaffe, gehe ich mit meinem Gutschein noch einmal in den Weinkeller und mache einen letzten Kontrollgang. Dabei entdecke ich eine kleine Küche, in der Unmengen von Weingläsern stehen, und eine Mikrowelle. Sehr gut.

Weil sehr wenig los ist und der Zwerg in der Mittagspause, lege ich mich mit einem schmalen Isostreifen in einen Seitengang der Schatzkammer. Ich schlafe augenblicklich ein und träume, dass der 1. FC Köln wieder aufsteigt, weil Trulli im Kölner Tor den entscheidenden Elfmeter von Martínez halten konnte.

Noch 7 Wachblöcke

In einem benachbarten Armee-Shop kaufe ich eine neue Uhr für mich, ein Seil für Evil und neun kleine Winter-Flecktarn-Rucksäcke für meine Freunde (das ist die Art von Flecktarn, die Soldaten tragen, wenn sie nicht beim Schneemannbauen erschossen werden wollen).

Dann schiebe ich den Wurmwagen mit den Rucksäcken zu REWE für personalisiertes Füllmaterial. Schließlich darf ich nicht vergessen, dass alle damit rechnen, am gleichen Abend wieder nach Hause zu fahren.

Ganz klar ist zu sehen, dass der nahende 21. 12. gerade bei Grundnahrungsmitteln Lücken in die Regale gerissen hat, so gibt es weder das neue Knorr fix für Geschnetzeltes Toskana noch die Original Wagner Piccolinis Texas. Aus den erwähnten Gründen bleibt meine Angst-Formel dennoch unverändert: Die von mir gezählten zwei Packungen CurryKing werden den Tageswert ebenso in die Höhe schnellen lassen wie die fünf (!) rückwärts geparkten Autos. Vollgepackt wie eine alleinerziehende Mutter mit acht Kindern stoppe ich im letzten Drittel des Wachblocks noch bei der Commerzbank.

»Kann ich bei Ihnen Griechen-Euros in deutsche tauschen?«, frage ich. Zählen brauche ich nicht, denn die Dame schaut mich gar nicht an, sondern den Wurmwagen mit den Flecktarnrucksäcken und den acht REWE-Tüten. Ich trage null Augensekunden ein.

Noch 6 Wachblöcke

Schlafe fest und knackig wie eine gekühlte Lauchstange und werde schon wieder von Mickie Krause geweckt, dieses Mal mit »Ich bin solo«.

Ich nehme eine rote Pille und trinke einen Espresso, dann prüfe ich die Liefersituation des beliebtesten Stromerzeugers bei Amazon. *›Lieferbar ab dem 22. 12. 12‹* steht dort tatsächlich. Genausogut könnten sie schreiben *›Lieferung vor Weltuntergang nicht garantiert‹*. Also trage ich eine weitere Null in meine Angstformel, püriere im Mixer eine Packung CurryKing als Babynahrung für den Wurm und ziehe mich an, um meine Rinder zu besuchen.

Schon von weitem sehe ich, dass Trulli und Lotta West-Ost stehen, was das komplette Gegenteil der Normposition ist. Doch zunächst interessiert mich der Tierpark selbst, irgendwie muss das Vieh ja schließlich raus. Wie solide sind die Tore? Gibt es womöglich eines, das nicht wirklich einsehbar ist? Was ist mit Kameras? Da es bereits dunkel ist, kann ich unbemerkt den Zaun abschreiten.

Nach einer Viertelstunde stehe ich vor einem sehr stabilen Holztor, welches zum Stadtwald führt. Als ich dran ziehe, stelle ich erfreut fest, dass es zwar stabil ist, aber nicht verschlossen. Sollte dem morgen auch noch so sein, hätte ich leichtes Spiel.

Trotz der schon vermerkten Rindsabweichung gehe ich noch einmal näher zu den Tieren, um ihren Gemütszustand zu prüfen. Sie wirken ruhig, wenn man die enorme Abweichung bedenkt, aber warum sollten sie auch aufgeregt sein, denke ich mir, sie sind ja nur Messinstrument der Angst, und schließlich schwitzt ein Thermometer auch nicht bei 35 Grad.

Noch 5 Wachblöcke

Zu Hause übertrage ich die von mir gesammelten Werte in meine Formel zur Vermessung der Angst. Fünf mal zwei rückwärts geparkte Autos ergibt zehn. Dazu addiere ich die enorme Rindwinkelabweichung von neunzig, was hundert ergibt. Der untere Teil der Formel gestaltet sich noch einfacher, da sowohl die Augensekunden als auch die Lieferzeit des Generators den Wert null aufweisen. Bleiben die zwei CurryKing aus dem REWE und somit hundert geteilt durch 2. Starr vor Schreck hebe ich meinen Blick: Die Angst hat sich verzehnfacht! Fünfzig DADA auf der nach oben offenen Peters-Skala. Jetzt gibt es keine Fragen mehr. Und keine Entschuldigung.

Noch 4 Wachblöcke

Den vierten Wachblock bis zur Übernacht nutze ich zum Befüllen der Rucksäcke, in die ich die individuellen Sachen packe, wie zum Beispiel Windeln und CurryKing für den Wurm, Hundefutter und Bio-Riegel für Paula, ein *Schlag-den-Raab*-Brettspiel für Manni und Zigaretten für Phil, die dumme Sau.

Ein Punkt nach dem anderen verschwindet auf meiner Liste, doch leider kommen ständig neue hinzu: Mannis Kamera! Und Unterhaltung! Hab ich Filme, die ich zeigen kann, Bücher, die ich mitnehmen sollte? Einen Abend kann man ja Wein trinken und vielleicht einen zweiten. Aber dann? Weiß ich nicht vom Bunker-Chef, dass man seine Leute immer beschäftigt halten muss? Ich lade mir *Men in Black 3*, *The Amazing Spider Man* und *Total Recall* herunter. Ich renn sogar zum Kiosk, um die neue *Kraut & Rüben* für Paula zu kaufen, aber der hat noch gar nicht offen.

Noch 3 Wachblöcke

Kurz und gut geschlafen und von Lady Gaga geweckt worden, als Belohnung dafür, dass ich mich von meiner Schlagerzufallsliste verabschiedet habe.

Ich quäle mich hoch, dusche mich, nehme eine rote Pille. Drei Wachblöcke noch, das sind zwölf Stunden. Hab Zusagen von allen, nur von Annabelle nicht. Den Brief hat sie gelesen, so wie die SMS formuliert war, das weiß ich. Zieh mich an und geh zu ihr, um die Kreiderinderspur zu legen.

Als ich das erste Rind vor Annabelles Wohnung auf den Bürgersteig zeichne, werde ich langsam ruhiger. Es ist die Ruhe eines Mannes, der alles tut, was er kann. Sprüche von Passanten blende ich aus. Irgendwas mit »Sind doch kein Kind« und »Wird das Kunst?« Muss damit leben, dass man mich für verrückt hält, aber wenigstens werd ich überleben. Ich und Annabelle und meine Freunde.

78 Kreiderinder male ich in über zwei Stunden. 78 Kreiderinder, die Annabelle den Weg in den Keller weisen. Schraub das Lüftungsgitter lose und versteck das Seil. Auch wenn die Rinder

zum Streckenschluss künstlerisch weniger anspruchsvoll werden aus Zeitgründen, so werden sie meine Freundin doch sicher zur Weinprobe lotsen.

Noch 2 Wachblöcke

Hab nicht geschlafen, weil ich so nervös bin, denn wenn ich jetzt was vergesse, dann kann ich nichts mehr korrigieren, dann ist es nicht da.

Die Rucksäcke liegen gefüllt im Wurmwagen. Muss aufpassen, dass Flik ihn nicht sieht, bevor die Türen zu sind. Schau n-tv für eine halbe Stunde, sie tun so, als wäre nichts und wurden vermutlich angewiesen dazu. Als ich mich nach dem Duschen abtrockne, merke ich, dass ich gerade schon geduscht haben muss, denn das Handtuch ist nass. Verdammte Müdigkeit. Nehm noch eine rote Pille zur Sicherheit und merke, wie ich langsam zurückkomme.

Ich denke sogar an die Kamera und schreib eine SMS an Manni, dass er sie mitbringen soll zur Weinprobe. Nach wenigen Minuten erhalte ich ein »Mal schauen«.

Und dann steht plötzlich Lala im Raum und behauptet, dass heute Putztag sei.

»Was ist für komische Militär-Kinderwagen in Flur?«

»Das ist eine Überraschung!«

»Ahhh … musst du mir sagen für wen!«

»Einen Scheiß muss ich!«

Sauer verschwindet Lala in meinem Arbeitszimmer. An einem Donnerstag, das weiß ich ganz genau, war sie noch nie hier.

Beförderungsbedingungen

Noch 1 Wachblock

Warum Trulli mit in den Weinkeller kommt? Ganz einfach: In meiner Angstformel ist sie der einzige Indikator, den ich mitnehmen kann, der Indikator to Go, sozusagen. Sollte sich die Lage verändern in der Welt – mein Magnetrind wird es anzeigen. Natürlich ist Trulli auch eine Versicherung für den Fall, dass meine Freunde mir nicht glauben. In einem solchen Fall deute ich auf das schiefe Rind, und sie werden ehrfürchtig schweigen.

Erleichtert stelle ich fest, dass es sich mit dem Magnetrind-Transfer so verhält, wie mit dem Ich-klaue-mal-ein-Schlauchboot-aus-dem-Kaufhaus-Klassiker: Je größer und dreister eine Sache ist, je offensichtlicher man etwas klaut, desto weniger kann es falsch sein oder nicht genehmigt, und wenn ich so recht drüber nachdenke – ich selbst würde vermutlich auch an einen Dreh von RTL denken oder an einen Protest gegen Tiertransporte, wenn ich einen Mann mit einem weißen Rind in die Straßenbahn steigen sehen würde. Und genau das steht über meiner Unterschriftenliste: FÜR ARTGERECHTE TIERTRANSPORTE!, die ich verteile: Länger als fünf Stationen sollte kein Rind der Welt jemals fahren müssen! Ich bekomme positives Feedback auf die Aktion und mehr Unterschriften als gedacht, auch wenn mir der ein oder andere mein Rind zu neiden scheint, weil er sich zwar auf den 21.12. vorbereitet hat, aber natürlich an kein Rind gedacht.

Für einen Augenblick wünsche ich mir, Paula könnte mich sehen, bestimmt wäre sie stolz auf mich, doch die macht sich in diesem Augenblick sicher für die Weinprobe fertig. Der überraschend zugestiegene KVB-Kontrolleur in blauer Uniform mit roter Mütze ist mir leider nicht ganz so positiv gesonnen. Nachdem es ihm für eine ganze Weile die Sprache verschlagen hat, sagt er, dass Trulli und ich die Bahn sofort verlassen müssten, um auf die Polizei zu warten.

Ich lache. »Auf die Polizei warten. Heute! Die wird anderes zu tun haben!«

Ich bin froh, dass keiner der anderen Fahrgäste Partei gegen mich ergreift.

»Sie können doch kein Rind mit in die Bahn nehmen!«

»Dann schauen Sie doch einfach mal auf auf die KVB-Webseite!«, protestiere ich.

»Und was soll da stehen?«, schnoddert es zurück.

»Rinder bis einschließlich fünf Jahre fahren kostenlos; sechs- bis einschließlich vierzehnjährige zum Rindertarif.«

»Kinder! Nicht Rinder!«, stöhnt der Kontrolleur, und von hinten ruft jemand im Scherz: »Köln ist echt so rinderfeindlich!«

Da der Kontrolleur keinen Humor hat, muss ich ihn mit seinen eigenen Waffen schlagen und halte ihm meinen Computerausdruck vor die Nase.

»Lesen Sie!«

Unwirsch drückt er das Blatt zur Seite. »Ich les doch hier nix vor. Was ist das?«

»Die Beförderungsbedingungen des Nahverkehr NRW. Gültig ab 1. 8. 2012.«

»Schön!«

»Ja, schön und zwar für mein Rind und mich, denn offensichtlich sind Sie nicht wirklich mit Punkt 9.3 vertraut.«

»Und was soll da stehen?«

Ich blättere um und lese den Punkt laut und deutlich vor: »Fahrgäste können Tiere unentgeltlich mitnehmen, wenn dadurch die Sicherheit und Ordnung des Betriebes nicht gefährdet ist und andere Fahrgäste nicht belästigt werden.«

Es ist still geworden im Wagen, die Blicke der Fahrgäste sind auf mich gerichtet.

»Hat Trulli irgendwo hingekackt?«, rufe ich in den Wagen und sehe nur schüttelnde Köpfe.

»Hat Trulli euch sonst irgendwie belästigt, blöd angeschaut zum Beispiel?«

»Nein!«, rufen einige, der Rest schüttelt amüsiert den Kopf.

»Na also!«, verhöhne ich den sprachlosen KVB-Menschen, schiebe ihm die gefalteten Beförderungsbedingungen quer ins Hemd und schaue nach draußen. »Dann machen Sie hier mal nicht so 'ne Welle. So, Oskar-Jäger-Straße, Trulli, wir müssen raus!«

Der kleine Mann kommt nicht mehr

Übernacht, 20 Uhr 27

»Wer von Ihnen glaubt denn, dass er in den Himmel kommt?«, fragt der Zwerg augenzwinkernd, und zum ersten Mal seit Minuten bin ich geistig wieder bei der Veranstaltung. Ja, der Zwerg moderiert den Abend und nicht die Sommelière, weil die kurzfristig in die Provence musste. Eine saublöde Ausrede. Es ist ja offensichtlich, was sie sich gedacht haben: Dieser Peters hat ohnehin keinen blassen Schimmer von Wein, da nehmen wir den dusseligen Zwerg, der ist billiger. Am Ende ist es aber besser für mich, denn viel lieber sperre ich den Verkäufer ein, als eine mir unbekannte Dame. Ich schaue auf meine Plastikuhr aus dem Armee-Shop. Wie geplant dreht sich der Bordeaux in der Mikrowelle der Vorbereitungsküche. Wann genau sie in die Luft fliegt, kann ich freilich nur ahnen. Bei Hoëcker und Boning waren es so um die 15 Minuten, glaube ich.

»Hey, Spaßpräsident, ob du in den Himmel kommst?!«, ruft mir Phil quer über den Tisch zu, und alle bis auf den dicken Flik und Daniela lachen.

»Kommt garantiert nicht in den Himmel …«, nuschelt Ditters.

Warte nur ab, Brillenhobbit, warte nur ab, denke ich mir und luge wieder auf die Uhr. Fünf Minuten ist sie schon drin, die

Flasche. Zehn Minuten noch, bis mir das Zerbersten eines 2006er Châteaux Mouton Rothschild das Signal gibt, Keller und Freunde mit meiner Liebe zu fluten. Oder nur noch zehn Sekunden? Nervös presse ich meine Zähne aufeinander. Genau das ist es, was mich so wahnsinnig macht in diesem Augenblick, dass ich diesen wichtigen Moment ebenso wenig unter Kontrolle habe, wie meine Gäste, denn dass der Zwerg hier ist statt der Sommelière ist nicht die einzige Überraschung des Abends. Für einen kurzen Augenblick wage ich es aufzuschauen und blicke auf einen schwarzhaarigen Südländer, der mir in seinem fein karierten Businesshemd und dunklen Sakko gegenübersitzt und nervös auf sein Blackberry starrt: Kosmás Nikifóros Sarantakos. Als er mit seiner mangelernährten Botoxblondine hier aufgeschlagen ist, bin ich fast aus den Latschen gekippt. Er aber auch.

Sarantakos' Verbindung zu Phil hatte ich längst verdrängt. Erst als Phil ihn mit »Hey, Kosmás, alter Pleitegeier!« begrüßt hat, ist mir wieder eingefallen, dass er eine Empfehlung von Phil war. Der Gedanke, dass ich gleich ihn und seine seltsame Ehefrau mit ihrer funkelnden Chloé-Handtasche retten werde, statt meine eigene Freundin, ist einfach nur unerträglich.

Ich drehe mich nach rechts und schaue hinein in den inzwischen verlassenen Weinkeller in der vagen Hoffnung, Annabelle könnte in letzter Sekunde doch noch dazukommen. Doch da ist keine Annabelle.

Dafür ist Lala gekommen. Sie muss was entdeckt haben in unserer Wohnung, vor Tagen schon, da bin ich mir ganz sicher. Vielleicht hat sie auch ganz einfach nur die Einladungsmail auf meinem Laptop gelesen, ich weiß es nicht. Ihre Erklärung jedenfalls – »Einladung von andere, großzügige Putzstelle mit Herz statt Geiz« – nehme ich ihr nicht ab. Immerhin – im Gegensatz zum nervös wirkenden Sarantakos sieht Lala ebenso zufrieden aus wie der Zwerg, der gerade am Kopfende der schweren Holztafel sein Weinglas schwenkt.

»Ein Graacher Himmelreich Pinot Noir von Markus Molitor!«, verkündet der Weinzwerg und schnuppert begeistert an seinem Glas, »sollte die Welt heute tatsächlich untergehen, würde ich vorschlagen, dass wir eine Extra-Flasche mit zur Himmelspforte nehmen, um Petrus zu bestechen!«

»Simon vielleicht besser 'ne Kiste nach der letzten Woche!«, ruft Manni. Ja ja, macht euch nur alle lustig über mich wegen der letzten Woche, ihr werdet schon noch sehen. Und wieder zieht es meinen Blick auf die Uhr. Zehn Minuten dreht sich der Wein nun schon, wann passiert's denn endlich?

Während der Zwerg irgendetwas von einer Reblausattacke im Napa Valley erzählt und Paula einwirft, dass das am Ende nur der Preis für die mit viel Chemie aufrecht erhaltene Monokultur sei, lasse ich meinen Blick über meine Freunde wandern. Manni blinzelt mich durch sein viel zu volles Weinglas an, er hat bisher jeden der fünf Weine inklusive Aperitif restlos ausgetrunken, vermutlich aus Angst, sich übermorgen zu blamieren bei *Schlag den Raab*.

»Weltuntergangsstimmung also im Napa Valley und das wegen einer Reblaus!«, wiederholt der Zwerg und wir probieren den Wein. Er schmeckt wie Rotwein.

»Prost, Simon, auf dass ich gewinne, obwohl du mich beschissen hast!«, ruft Manni mir von der gegenüberliegenden Tischseite rüber. »Veralbert!«, korrigiere ich, vielleicht weil auch Sarantakos aufmerksam geworden ist, der neben Manni sitzt. Ich bin erleichtert, dass meine Freunde offenbar nicht mehr wirklich sauer auf mich sind, aber natürlich ist »nicht wirklich sauer« etwas grundlegend anderes als »nachhaltig beeindruckt« oder »begeistert«. Und das werden sie sein, wenn nur endlich mal die Flasche …

Ditters wird nicht müde, sich Notizen zu machen, vielleicht will er ja die kalifornische Reblaus verklagen. Er hat mich vorhin sogar kurz umarmt und findet's sicher nett, dass ich ihn eingeladen habe, aber was denkt er tief in seinem Inneren? Was ist mit Paula, die ihren mitgebrachten Biowein schon fast alleine geleert hat? Was mit Evil La Boum, der beleidigt in seinem Körbchen pennt, weil sich keiner um ihn kümmert? Was ist mit Flik und Daniela, die sich am allerseltsamsten verhalten und bisher noch nicht wirklich was mitbekommen haben von der Weinprobe, weil sie entweder das Deckchen vom Wurm neu stopfen oder miteinander tuscheln?

»Die Reblaus war also ein herber Rückschlag für den Weinbau im Napa Valley, aber sie war nicht der Untergang«, doziert der Zwerg und betrachtet sein Glas.

»Wie heißt der Wein noch mal genau?«, fragt Phils Pfleger Sven, der offenbar als Ersatz für die türkische Apothekerin mitgekommen ist.

»Ein 2004 Private Reserve Cabernet Sauvignon vom Weingut Beringer«, antwortet der Zwerg und reicht Sven die Flasche, der in diesem Augenblick bemerkt, dass ihn der komplette Tisch anstarrt.

»Ich bin nicht traurig, ich seh immer so aus«, erklärt er, und Phil ergänzt völlig unnötigerweise: »Aber nur, wenn er nicht heult!«

»Weingut Beringer«, wiederholt Ditters und notiert sich etwas und dann gibt es einen derart lauten Rumms, dass der Pulheimer Wurm zu schreien beginnt, Paula ihr Wasserglas umwirft und alle sofort durcheinander reden.

»Jetzt passiiiert!«, schreit Lala und vergräbt ihr Gesicht in den Händen, als würde gleich die Decke einstürzen. Dem Weinzwerg gefriert indes das Gesicht vor Schreck: »Was war das denn?«

»Was in die Luft geflogen!«, ruft Phil begeistert und versucht aufzustehen, doch Sven drückt ihn wieder runter.

»Was in die Luft geflogen, sagt er!«, quiekt Manni amüsiert, der inzwischen seine Beachvolleyball-Brille aufgesetzt hat und sich vom Reblaus-Rotwein nachschenkt. »Kurze Pause bitte, ich muss da mal schauen«, unterbricht der Zwerg und verlässt die Schatzkammer.

»Ich probier's noch mal bei Annabelle«, verkünde ich und eile ihm hinterher.

»Ach, ist hier doch Empfang irgendwo?«, ruft Sarantakos mir hinterher.

»Direkt nebenan in Australien!«, lüge ich und folge dem Zwerg in Richtung Vorbereitungsküche. Im Abstand von gut zehn Metern passieren wir den Weihnachtsbaum in der Mitte des Gewölbes und biegen an der Loire links ab, wo ich kurz warte. Erst als ich ein »Ach, du große Scheiße!« höre, folge ich ihm weiter, und als ich dann vor der geöffneten Küchentür stehe, da weiß ich, dass Boning und Hoëcker nicht getrickst haben im ZDF: Der Raum sieht aus wie das Wohnzimmer von Mr. Bean, nachdem der einen Böller in einen Farbeimer gesteckt hat. Es ist einfach alles rot, sogar das in der Mitte des Raums liegende Mikrowellengehäuse. Nur der Zwerg ist weiß im Gesicht.

»Ja, was ist hier denn passiert?«, frage ich, was leider so klingt wie der Auftrittssatz in einer schlecht ausgeleuchteten Low-Budget-Sitcom. Gott sei Dank ist der Zwerg zu erschrocken, um irgendetwas zu bemerken.

»Ich hab keine Ahnung ...«, stottert er kreidebleich.

»Vielleicht ein Streich von Kollegen? Haben Sie ... sind Sie beliebt hier?«

Ratlos hebt der Zwerg das Gehäuse der Mikrowelle und legt es auf einen Tisch. »Also bisher dachte ich das schon!«

Ich räuspere mich. »Ich weiß, das ist jetzt wirklich unpassend, aber ich würde wahnsinnig gerne noch mal meine Freundin anrufen, immerhin war der Abend ja für sie …«

»Na ja, klar. Machen Sie. Wir haben ja noch drei Weine.«

»Ach … sind die Türen oben offen?«

»Entschuldigung. Die Kollegen sind ja weg inzwischen. Bin gerade 'n bisschen durch den Wind«, stammelt der Zwerg und reicht mir den kompletten Weinkellerschlüsselbund. Verstört blicke ich auf ein gutes Dutzend Schlüssel an einem Edelstahlring.

»Der mit der roten Wolle?«

»Nein, der ist für hier. Der mit dem weißen Plastik.«

»Danke!«, sage ich, gehe nach draußen und schließe die Tür ab.

»Hey!«, schallt es dumpf durch die solide Stahltür, »was soll das denn? Hallo?« Dass sich der Zwerg nicht geräuschlos seinem Schicksal fügen würde, hatte ich vermutet, dass man das Geschreie und Getrete nun allerdings so laut hört, überrascht mich doch. Ich fackle nicht lange und schiebe vier mannshohe Paletten toskanischen Rotwein als Schallschutz vor die Tür, was mich eine weitere wertvolle Minute kostet. Es muss schnell gehen jetzt; vier, fünf, höchstens sechs Minuten noch, dann werden sie nachschauen, wo wir bleiben.

An der Servicetheke vorbei renne ich zum fahrbereiten Lastenaufzug. Obwohl es nur zwei Stockwerke sind, dauert die Fahrt ewig. Immer noch hab ich Mickie Krause im Kopf. Was macht man gegen einen Ohrwurm zur völlig unpassenden Zeit? Gegenfeuer mit Rammstein? Oder eine gelbe Pille?

Endlich angekommen, drücke ich die schwere weiße Aufzugtür auf, springe über den Kassentresen und stürze ins Büro des Geschäftsführers. Ich kippe den Becher mit den Stiften um, und mein Diktiergerät fällt raus. Siebenundzwanzig sprachgesteuerte Aufnahmen wurden erstellt, die ich natürlich unmöglich alle durchhören kann. Mit zitternden Fingern klicke ich mich zu den letzten Takes um kurz vor zwanzig Uhr, und die Stimme des Chefs knarzt aus dem winzigen Lautsprecher.

»… im Ernst, lass stecken die Karten, ich war so enttäuscht im letzten Jahr, die sollen erst mal wieder aufsteigen.«

Okay, das ist es schon mal nicht. Ich klicke mich vor.

»… das noch fertigmachen, dann kann's morgen in die Post. Ich danke Ihnen. Was? Nee, ruf ich an!«

Bitte, bitte, bitte …

Ich drücke auf den vorletzten Take.

»Sebastian, alles jut?«

Warum antwortet denn keiner? Weil es ein Telefongespräch ist!

»Ja, nee … jeden Abend jetzt vor Weihnachten, bewachen halt die Kunden den Laden, auch nicht schlecht«, scheppert das Diktiergerät.

Sag's einfach!

»Ja, nee, is klar: Mesut Özil!«

Gott sei Dank!

Zitternd wähle ich die Nummer des Wachdienstes. Es tutet einmal, zweimal, dreimal …

»Adler Objektschutz, Günther?«

»Sebastian, alles jut?«, wiederhole ich.

»Alles jut!«

»Ich wollte dir nur sagen, die Veranstaltung hier geht was länger, von daher spart euch die Runde. Du weißt ja … jeden Abend!«

»Alles klar. Trotzdem, pro forma, du weißt schon …«

»Es gibt nur einen … Mesut Özil!«

»Haha, stimmt! Alles klar, viel Spaß dann noch!«

»Danke!«, sage ich, lege auf und sprinte aus dem Büro. Ich durchquere den hellgrünen Kassen- und Delikatessverkaufsraum, trete hinaus in die Nacht und genieße für einige wenige Sekunden die frische Winterluft. Weiter, Überman, weiter!

Die Rampe runter renne ich an Phils zerbeultem BMW vorbei zum Gebüsch neben dem Parkplatz, wo mein weißes Magnetrind mit den lustigen Hörnern seelenruhig vor sich hinsteht und mich anstarrt. Hastig binde ich sie los. »Es geht weiter, Trulli!«

Meine Eile kann ich Trulli dann aber doch nicht wirklich vermitteln. Wie in Zeitlupe schleppt sie sich die Rampe hoch – hätte ich mal lieber die nicht so fette, dunkle Kuh genommen. Und nicht nur das ist das Problem – Trulli hat sich überhaupt nicht im Griff: Als ich das Gitter vom Luftschacht abnehme und das Seil für den Korb in die Umlenkrolle lege, lässt sie in aller Seelenruhe mehrere apfelgroße Batzen Scheiße fallen. Noch so eine Sache, an die ich nicht wirklich gedacht habe.

»Och Trulli …!«, stöhne ich, »im Keller aber nicht, ja?!«

Ich öffne die Dose mit Evils Würstchen und lege sie in eine Plastikschale neben den Luftschacht, dann versuche ich ein letztes Mal, Annabelle zu erreichen. Wieder nur die Mailbox.

Ich spreche ihr drauf, dass sie den Rindern nicht mehr folgen soll, weil ich die Türen schließe. »Du musst jetzt leider mit dem Schlimmsten rechnen, Feechen, denn die Angst ist explodiert. Deck dich mit dem Nötigsten ein, geh nach Hause und schließ die Türen ab. Pass auf dich auf und … du hättest es geliebt hier!«

Für einen kurzen Moment stehe ich noch auf der Rampe und blicke auf den riesigen Parkplatz. Dann erinnert mich Trulli mit einem lauten »Muh« daran, dass es weitergehen muss. Noch langsamer als eben gleitet der Lastenaufzug in die Tiefe. Dreizehn Minuten hat alles bisher gedauert. Kommt mir länger vor. Endlich sind wir unten. Die Hand fest am Halfter, ziehe ich Trulli aus dem Aufzug.

»Auf geht's, Trulli – und psssst!«

›Pssst‹ geht leider nicht, denn Hufe sind in einem gefliesten Weinkeller einfach deutlich lauter als in einem Wildpark. Wenn mich jetzt einer hört, dann ist es aus, bevor es angefangen hat. Auch den Zwerg hör ich dumpf poltern, werd wohl Musik anmachen müssen oder so.

Ich führe Trulli zwischen die beiden Lüftungsschächte in Österreich, dem einzigen Ort im Keller mit Handyempfang, und binde sie an einer Säule fest. Trulli ist nicht nur Messinstrument der Angst, sie ist auch meine Rindersicherung, denn wo ein Rind steht, wird man nicht unbedingt sein Smartphone auspacken.

Mit einem breiten, weißen Klebeband ziehe ich meine Nord-Süd-Linie direkt unter dem Rind, das als Zeiger dient. Für einen kurzen Augenblick verharre ich und beobachte nur. Trulli steht West-Ost. Hastig ziehe ich die hinter einem Regal versteckte Kiste mit Äpfeln hervor, Wasser werde ich später besorgen. Trulli schaut mich an, frisst aber nicht.

»Alles in Ordnung?«, frage ich sie und und streichle über ihr weißes Fell. Trullis Antwort erhalte ich in Form eines Schwalls flüssiger Kuhscheiße.

Auf dem Weg zurück zur Schatzkammer schließe ich die gläserne Feuerschutztür vor dem Aufzug und dem Treppenhaus ab und stecke den Schlüsselbund in meine Hose.

Es ist 21 Uhr 36. Ich spüre, wie ein leichtes Lächeln über mein Gesicht huscht, und mit jedem Schritt, den ich am Bordeaux entlang Richtung Schatzkammer marschiere, fühle ich mich ein Stückchen großartiger. Nur eine Sache gibt es noch zu tun: den Notausgang in den USA unkenntlich machen. Leider kommt mir ein aufgeregter Sarantakos entgegen.

»Da ist überhaupt gar kein Emfpang in Neuseeland!«

»Bei welchem Provider sind Sie denn?«

»T-Mobile.«

»Da haben wir's schon. Geht weiter jetzt übrigens.«

Missmutig schaut Sarantakos auf sein Handy und geht schließlich wieder in die Schatzkammer. Sobald er außer Sichtweite ist, ziehe ich den Hubwagen mit einem Kistenturm Zinfandel vor den Notausgang und schreite zufrieden zurück an die große Tafel der Schatzkammer, wo die Stimmung noch immer ganz hervorragend ist. Dass ich schon wieder über eine Viertelstunde weg war, ist offenbar keinem aufgefallen. Nicht mal, dass der Weinzwerg fehlt, wird registriert. Erst als ich mich an seiner Stelle am Stirnende der Tafel positioniere und die nächsten beiden Weinflaschen öffne, krächzt Phil quer über den Tisch und will wissen, wann der kleine Mann wiederkommt.

Mit einem Plopp ziehe ich den Korken aus der zweiten Flasche Allesverloren und lächle Phil an: »Der kleine Mann kommt nicht mehr.«

Monster-Überraschung

Übernacht, 21 Uhr 41

Sarantakos' Begleitung findet, der kleine Mann hätte sich zumindest verabschieden können. Phil erklärt ihr, dass das schon in Ordnung ginge, weil ich der Spaßpräsident sei und es gleich eine Monster-Überraschung gebe.

»Monster-Überraschung, sagt er!«, lallt Manni, und Daniela fordert mit dem brabbelnden Wurm im Arm, dass ich dann aber jetzt auch was zu den Weinen sagen müsse, wenn ich schon Sommelier spiele.

»Aber klar!«, verspreche ich, nehme einen ersten Schluck des ohnehin vorgesehenen südafrikanischen Rotweins (schmeckt auch nach Rotwein), und während die anderen noch schnuppern und probieren, erzähle ich die hastig zusammengegoogelte Geschichte vom Besitzer dieses südafrikanischen Weingutes, der sich 1806 auf den Weg nach Kapstadt machte, um seine Weine zu verkaufen. Als er zurückkam, waren seine Farm und sein Haus abgebrannt.

»Deswegen also der Name«, ende ich in allerbester Zwergmanier, »er hatte ›alles verloren‹!«

»Das ist verdammt noch mal die langweiligste Geschichte, die ich je gehört habe«, nölt Phil. Ich zeige ihm den Mittelfinger, was ihn überraschenderweise verstummen lässt. Im Gegensatz zum Brillenhobbit, der sein Glas absetzt und ein halbschwules

»Sehr rund und ausgewogen im Untergang« herausknötert. »Ausgewogen im Untergang, sagt er!«, amüsiert sich Manni. O weh …

Bevor die Stimmung noch feuchtfröhlicher wird, sollte ich loslegen. Also erhebe ich meine Stimme. »Ich hab euch das mit dem Weingut ja nicht einfach so erzählt«, beginne ich.

»Hört, hört!«, sagt Flik, der ebenfalls schon rote Bäckchen hat, und Phil zieht sich hoch im Stuhl, weil er ahnt, dass jetzt endlich mal die Monster-Überraschung kommt.

»Wenn ihr gewusst hättet, dass jemand vorhat, die Farm abzubrennen – hättet ihr den Winzer gewarnt?«

»Natürlich!«, sagt Flik, und der Rest nickt.

»Sie auch, Herr Sarantakos?«, frage ich Sarantakos, der noch immer an seinem Blackberry herumdrückt.

»Ja, sicher. Warum? – Ah, okay, schon kapiert, vergessen Sie's!«

Ich wende mich wieder an alle: »Und wenn Freunde von euch übernachten wollten auf diesem Weingut, von dem ihr sicher wisst, dass irgendwelche Idioten es anzünden werden, was würdet ihr dann tun?«

»Das Gleiche!«, meint Paula. »Ich würde sie warnen. Oder aufhalten sogar!«, und jeder stimmt ihr zu.

»Kommt natürlich darauf an, wie sicher ich das weiß, dass die Hütte brennt«, relativiert mein Anwalt.

»Sehr sicher«, sage ich, und Ditters ergänzt: »Dann aufhalten, natürlich!«

Zufrieden fahre ich fort. »Und … würdet ihr eure Freunde auch aufhalten, wenn ihr Streit gehabt hättet vorher?«

»Klar, wenn ich weiß, dass das Weingut abbrennt in der Nacht und sie da drin sind, dann ist das doch egal«, sagt Daniela, und Flik bestätigt: »Absolut!«

»Und wie würdet ihr euch verhalten, wenn eure Freunde uneinsichtig sind? Wenn sie sagen, dass ihr bekloppt seid, und euch fragen, woher ihr das so genau wissen wollt, dass jemand das Weingut abfackelt und sie in jedem Fall dort schlafen werden, egal was ihr faselt, was macht ihr dann?«

»Dann muss man zwingen die Leute!«, ruft Lala, und der Rest stimmt ein.

»Ihr würdet also behaupten, dass man Freunde zu ihrem Glück zwingen darf, wenn man sicher weiß, dass ihnen etwas zustößt?«

»Absolut. Ist ja zu ihrem Besten!«, sagt ausgerechnet Sarantakos und fängt sich einen bösen Blick von mir.

»Auf was willst du denn hinaus?«, fragt Paula irritiert.

Ich nehme einen Schluck Allesverloren, doch als ich mich konzentrieren will, blicke ich in das entsetzte Gesicht meines ehemaligen Finanzberaters. »WIR sind die Freunde, die nicht auf dem Weingut schlafen sollen, oder? Und SIE halten uns davon ab?«

»Fast!«, bestätige ich, »Sie sind nämlich nicht mein Freund. Aus logistischen Gründen halte ich allerdings auch Sie und Ihre Frau ab vom … äh … Übernachten auf dem Weingut.«

»Ha!«, lacht Phil und klopft dem verwirrten Sarantakos auf die Schulter, »haste ihm rumänische Waldfonds vertickt, oder was?«

Ich lasse meinen Blick über die Runde schweifen und sehe, dass Sarantakos nicht der Einzige ist, der gerade fürs Wachsfigurenkabinett probt.

»Von was hältst du uns denn jetzt ab?«, fragt Daniela irritiert, worauf ich die Weltuntergangsmusik vom Notebook starte.

»Das ist die Musik von meinem Clip!«, ruft Manni.

Und während die Augen aller auf mich gerichtet sind, spreche ich über das chorale Endzeit-Musikbett. »In den letzten Tagen habe ich die Welt um uns herum ziemlich gut beobachtet!«

»Knaller!«, ruft Phil dazwischen, aber ich lasse mich nicht beirren.

»Eine beträchtliche Anzahl von Idioten hat tatsächlich Angst vor dem Weltuntergang. Nicht alle, aber eine gewisse Anzahl schon. Sie horten Wasser, Lebensmittel und Benzin für den Fall der Fälle. Einige bewaffnen sich sogar. Ich nenne sie ›die Anderen‹ oder einfach nur ›die Idioten‹.« Ich schaue zu Flik, doch der zählt sicherheitshalber gerade die Glühbirnen auf dem Kronleuchter.

»Aber sind keine Idioten!«, ruft Lala beleidigt.

»Doch«, korrigiere ich sie, »denn durch ihre Angst bringen sie all die in Gefahr, die keine Angst vor dem Weltuntergang haben. Und heute ist es soweit, am Vorabend des Einundzwanzigsten! Wenn nur jeder zehnte sich eine Extrakiste Wasser holt aus Angst, noch mal voll tankt und einen Extrakanister füllt dazu, wenn nur jeder zehnte mehr Geld abhebt, weil er fürchtet, morgen keines mehr zu bekommen, dann können wir was erleben. Und wir werden was erleben, denn genau das habe ich beobachtet!«

»Und konkret?«, fragt Sarantakos provokant, »ich müsste nämlich gleich mal telefonieren.«

»Konkret heißt das, dass heute um Mitternacht die Lage eskalieren wird und Chaos und Anarchie ausbrechen!«

»Herrlisch!«, jubelt Manni, »endlisch Karneval! Kölle alaaf!«

»Hab ich Pfefferspray genau dafür!«, ruft Lala und hält eine Sprühdose in die Luft.

»Jetzt aber mal die Monster-Überraschung!«, ruft Phil.

Ich ignoriere ihn, zu wichtig ist mir das, was kommt, ich muss präzise sein und schlüssig in meiner Argumentation, damit man mir folgen und die Dankbarkeit sich entwickeln kann.

»Ich hab die Angst der Anderen vermessen in den letzten Tagen, heute bin ich nicht mehr dazu gekommen, aber gestern war sie bei fünfzig DADA! Das heißt, die Angst hat sich verzehnfacht!«

»Fünfzig Lala?«, schreit Lala aufgeregt.

»Nein, DADA!«, korrigiere ich, und Phil, der den Ernst der Lage offenbar nicht mal ansatzweise rafft, kommentiert: »Leck mich am Arsch, das ist 'ne ganze Menge!«

Ich atme tief durch, massiere meine Schläfen und versuche, mich zu sammeln. Dass Mannis Weltuntergangssong in genau diesem Augenblick von Jürgen Drews mit »Ich bau dir ein Schloss« abgelöst wird, macht es nicht leichter. Dieser verdammte, von US-Agenten gesteuerte Zufallsgenerator! Entschlossen klappe ich meinen Laptop zu und versuche mich zu sammeln.

»Jedenfalls kommt aus den Geldautomaten kein einziger Schein mehr und aus den Zapfsäulen kein Tropfen Benzin!«

»Was hat denn die Angst mit Benzin zu tun?«, hakt Frau Sarantakos nach.

»Kriegen Sie denn Brötchen, wenn der Bäcker nach Hause geht?«, entgegne ich.

»Also wir haben immer sehr viele Brötchen eingefroren«, antwortet Frau Sarantakos.

»Da sehen Sie mal«, rufe ich, »Sie sorgen auch vor!«

»Äh, Simon, wird das ein Rollenspiel, oder … ist es schon eines?«, fragt Paula ein wenig gelangweilt.

»So was in der Richtung«, antworte ich, »warum?«

»Evil müsste mal Gassi!«

Inzwischen rutscht auch Sarantakos nervös auf seinem Stuhl herum.

»Ich unterbreche Ihre schöne Phantasiereise ja recht ungern, aber wir müssen jetzt los. Können Sie es irgendwie abkürzen? Also, sagen, worauf –«

»Worauf es hinausläuft?«, unterbreche ich und versuche mich an einem Lächeln.

»Das wäre toll.«

»Okay, machen wir die Kurzversion.« Ich zünde die Lunte von meinem Tischfeuerwerk an, klappe mein Laptop wieder auf und wechsle in eine Art staatsmännische Stimmlage: »Es läuft darauf hinaus, dass die Anderen nicht mehr in unseren Keller kommen! Es läuft darauf hinaus, dass ihr unfassbares Glück habt, heute

Nacht hier unten zu sein mit mir, dem Überman, zwölf Meter unter der Erde, in diesem sicheren Weinkeller. Es läuft darauf hinaus, dass ich, Simon Peters, den ihr für ein Arschloch haltet …«

»Ja, also ich ja nicht!«, wehrt Sarantakos ab.

»… es läuft darauf hinaus, dass ich, Simon Peters, den alle außer Kosmás Nikifóros Sarantakos für ein Arschloch halten, euch hier und heute das Leben rette!«

Mein Tischfeuerwerk pengt, Konfetti rieselt herab, und ich drücke die Play-Taste. Schon wieder die verdammte Schlager-Playliste.

»Du hast mich tausendmal belogen«, singt Andrea Berg und »Du hast mich tausendmal verletzt«.

Feiner Qualm wabert über dem Tisch, es riecht nach Silvester. Ich klappe das Laptop zu und die Musik stoppt. Betretenes Schweigen.

Irritierte Blicke werden ausgetauscht, dann durchbricht Phils Klatschen die Stille. »Huhu!«, ruft er, »Monster-Überraschung!« und »Das ist unser alter Spaßpräsident!«

Und dann, nach einer kurzen Schrecksekunde, jubelt und klatscht die gesamte Schatzkammer. Ich schließe die Augen und genieße es einfach.

Ordnung

Übernacht, 21 Uhr 56

Sobald der Applaus verebbt ist, verteile ich die Weinbunker-Ordnung und bitte Phil, den ersten Punkt vorzulesen. »›Weinbunker-Ordnung‹«, beginnt er, und weil sowieso gerade alle auf ihn gucken, zupft er sich vor dem Weiterlesen demonstrativ am Sack. »›Ihr erleichtert euch die kommenden Tage, wenn ihr folgende Punkte der Weinkeller-Ordnung berücksichtigt. Erstens: Der Aufenthalt im Weinkeller dient Eurer eigenen Sicherheit. Bitte bewahrt in jedem Fall Ruhe, es ist für alles gesorgt, auch im Falle eines kompletten Stromausfalls.‹ Ich hab gerade ’ne Idee. Soll ich das Sack-Zupf-Kellerlied singen?«

»Nein. Lala? Liest du Punkt zwei?«

»Lese ich Punkt zwei! ›Jeder Teilnehmer hat von der Weinbunkerleitung persönlich eine …‹ – wie spricht man das?«

»Überbag!«

»›… hat er eine Überbäg mit einige persönliche Dingen sowie Einmal-Bettbezug erhalten.‹«

Staunende Blicke, als ich die flecktarnfarbenen Bundeswehrrucksäcke verteile.

»Hey, ich hab Bio-Sachen drin!«, juchzt Paula und zieht erfreut eine Tüte Bio-Schokolade aus ihrer Überbag. »Und sogar Futter für Evil!«

»Hab ich keine?«, jammert Lala enttäuscht.

»Nein, ich wusste ja nicht, dass du kommst …!«, entschuldige ich mich.

»Bist du Mann ohne Herz!«

»Lala, bitte …!«

Als auch Sarantakos und dessen straffgesichtige Gemahlin bemerken, dass sie keine Überbag erhalten, stecken sie ihre Köpfe zusammen. Schließlich steht Frau Sarantakos auf und trippelt aus der Schatzkammer. Ich überlege kurz, ob ich intervenieren soll, und entscheide mich dagegen, weil ich denke, dass wir eh durch sind, bis sie zurück ist vom Klo.

»Flik? Magst du Punkt drei lesen?«

Unsicher blickt Flik zu Daniela, die wiederum ihn anschaut und dann mich und dann ratlos die Schultern hebt.

»Also … die drei«, beginnt Flik, »›Bitte beachtet den im Bordeaux ausgehängten Zeitplan für die Belegung der drei Isomatten, der einen sechsstündigen Wechsel in Dreiergruppen vorsieht.‹« Flik schaut ein wenig verunsichert auf. »Verstehe ich das richtig? Wir alle würden uns drei Isomatten teilen?«

»Warum denn nicht?«

»Wir haben ein Dux-Bett zu Hause!«

»Aber es steht zu Hause, oder?«

»Ja!«

»Und du bist …?«

»Hier?«

»Genau. Lies einfach weiter. Ich hab mir schon was dabei gedacht.«

»›Da diese Matten abwechselnd von allen Überlebenden benutzt werden, packt Euren Überzug nach dem Schlafen bitte wieder in Eure Überbag.‹«

Phil lacht sich scheckig. »Haha, der Sprachspiel-Otto. Alles mit ›Über‹!«

»Halt die Klappe, Phil.«

»Jawoll, Chef!«

»Danke, Flik, Daniela? Hallo?«

Daniela zieht das Päckchen mit dem Überzug aus ihrer Überbag und betrachtet es skeptisch. Ich bin ein wenig genervt, dass es nicht weitergeht.

»Leute, bitte schaut euch die Taschen danach an! Daniela, die Vier lesen bitte!«

Irritiert schaut mich Daniela an. »Was ist das denn für ein Ton plötzlich, wir sind doch nicht in der Schule!«

»Entschuldige, Daniela, bitte lies!«

»Also: ›Punkt vier. Der Weinkeller ist mit einem Lebensmittelvorrat ausgestattet. Bitte haltet euch an die vorgegebenen Esszeiten und Portionsgrößen. Die verschiedenen Gruppen essen gemäß ihrem Schlafrythmus. Essensausgabe und Menüplan findet ihr an der Tür zur Schatzkammer.‹«

Um Zeit zu sparen, lass ich Lala den Essensplan durchreichen. Paula ist entsetzt: »Geht's noch? Diesen Müll sollen wir essen?«

»Das ist kein Müll, Paula, das ist einwandfreie Industrieware. Regel Nummer eins in Krisenzeiten, Flik?«

»Äh … keine Umstellung der Nahrung!«

Ich blicke zu Manni, der seine Giggelphase offenbar beendet hat.

»Manni? Magst du lesen?«

»Ja. Äh … fünftens. ›Das in Österreich untergebrachte Magnetrind Trulli bitte weder füttern noch berühren, es dient der Messung des Erdmagnetfeldes und somit der Angst.‹«

Neben ungläubigen nun auch amüsierte Blicke.

»Magnetrind Trulli, schreibt er!«

»Bitte, Manni, konzentriert bleiben.«

Ich schlucke kurz, weil den nächsten Punkt Annabelle lesen müsste, deren Platz frei ist.

»Was ist Magnetrind?«, fragt Lala und unterbricht schon wieder meinen Fluss. Ich antworte entsprechend genervt: »Wie der Name schon erahnen lässt, ist ein Magnetrind ein Rind, welches das Magnetfeld misst.«

Daniela scheint mit der Antwort allerdings immer noch nicht ganz zufrieden. »Und das ist hier im Keller?«

»Natürlich.«

»Wo steht?«, will Lala wissen.

»Es steht in Österreich, Lala. Sechstens, vielleicht Herr Sarantakos?«

Statt zu lesen, steht Sarantakos einfach auf. Erst jetzt sehe ich, dass er seinen Mantel schon übergezogen hat. Er klopft kurz auf den Tisch.

»Ich muss jetzt wirklich los. Danke für den Abend im … äh … Freundeskreis und … ich ruf Sie noch an, Herr Peters!«

»Wo wollen Sie denn hin?«, frage ich ihn.

»Ich muss leider noch was Dringendes erledigen. Also … schönen Abend!«

Spricht's und verschwindet aus der Schatzkammer, das heißt, dass ich ab sofort keine sechzig Sekunden mehr habe, bis es raus ist. Entsprechend hastig fordere ich Paula auf, weiterzulesen.

»Paula?«

»Okay. ›Sechstens. Zu Eurer Unterhaltung liegen in den USA Bücher, Filme und Gesellschaftsspiele aus. Macht bitte Gebrauch davon. An Filmen gibt es: *Men in Black 3*, *The Amazing Spider Man* und *Total Recall*.‹«

Enttäuscht schaut Paula auf. »Also da würde ich mir keinen von anschauen.«

»Ich hab auch ein fair gehandeltes Brettspiel hier. Lars? Punkt sieben.«

Mein Anwalt starrt mich an, als wäre ich irre.

»Was ist?«, frage ich ihn, doch statt zu lesen schaut er mich ratlos an. »Du hast dich nicht zufällig ein bisschen zu viel mit deiner Website befasst?«

»Die SIEBEN, Lars. Sieben!«

»Ist ja gut. ›Sieben: Jegliche Kommunikation nach außen erleichtert es Plünderern, uns zu orten, und ist daher strengstens verboten.‹«

»Über diesen Punkt braucht ihr euch aber keine Gedanken zu machen, weil es hier unten sowieso keinen Handyempfang gibt. Manni?« Ich schaue zu Manni, der mich mit trotzigem Blick anglotzt. »Ich hab schon gelesen!«

»Ja und? Dann liest du halt zweimal.«

»Okay, okay, okay! Die Acht. ›Für Eure Anregungen und Vorschläge hat die Bunkerleitung stets ein offenes Ohr. Bitte benutzt hierfür den im Elsass ausgehängten Zettelkasten.‹«

»Flenn?«

»Ich heiße Sven!«

»Entschuldigung. Sven?«

»›Neuntens. Wir verlassen den Weinkeller erst dann, wenn die Bunkerleitung sicherstellen kann, dass draußen keine unmittelbare Gefahr für uns besteht.‹«

Flenn legt das Blatt weg und nimmt einen großen Schluck Rotwein. Den Rest lese ich selbst. »Der wichtigste Punkt ist aber: ›In Eurem eigenen Interesse rät die Bunkerleitung euch vom Versuch ab, den Weinkeller eigenmächtig zu verlassen‹.«

Als ich aufschaue, steht auch Ditters schon abmarschbereit neben seinem Stuhl. »Sorry, Simon, aber ich muss jetzt auch. Danke für den Abend und … na ja, die Geste, schöne Idee. Darf ich deine lustige Bunkerordnung mitnehmen?«

»Warum lustig? Und wohin mitnehmen?«, frage ich verständnislos zurück. »Nach Hause?«, lacht Ditters verunsichert, und im selben Moment kommt ein leichenblasser Grieche zurück mit einer Frau, auf deren Gesicht zum ersten Mal eine Regung abzulesen ist, die mit dem Begriff »Panik« sicher am zutreffendsten beschrieben werden kann.

»Alle Türen sind abgeschlossen!«, keucht Sarantakos, »und an der Servicetheke steht eine weiße Kuh in einer Pfütze voll Scheiße …«

Ich schaue auf die Uhr. Die sechzig Sekunden waren gar nicht schlecht berechnet.

Schlüsselrind

Übernacht, 22 Uhr 19

Jetzt, wo allen klar sein müsste, was ich in kürzester Zeit für sie geleistet habe, reden sie auf mich ein wie auf einen Schiri nach einem nicht gegebenen Elfmeter. Dass nicht alle gleich auf die Knie fallen vor Dankbarkeit, war mir natürlich bewusst, dass aber sofort das komplette Chaos ausbricht und man meiner ehrenhaften Sache nicht mal für eine halbe Stunde eine Chance geben will, das ärgert mich maßlos. Statt nachzuhaken, zu was die Angst der Anderen alles führen kann und wie ich sie gemessen habe, untersuchen sie Türen, suchen Handynetze und Notausgänge, wie Manni und Paula, oder fotografieren die Kuh, wie Phil.

Am Schlimmsten ist Daniela. Wie ein mit Pressluft betriebener Kirmes-Hase hüpft sie hysterisch mal rechts, mal links von mir und schnaubt Variationen von »Du kannst uns doch nicht einsperren!«

»Ich sperre euch ja auch nicht ein, sondern die Anderen aus. Es kommt keiner rein, begreif das doch!«

»Jetzt mal ohne Flachs, Herr Peters!«, droht Sarantakos, »wenn Sie uns hier nicht sofort rauslassen, dann rufe ich die Polizei!«, und Frau Sarantakos fragt, was die Kuh soll.

»Sie haben hier am allerwenigsten zu sagen!«, keife ich, da schiebt sich Flik dazwischen.

»Simon, ich weiß nicht, was mit dir los ist, aber –«

»Was mit mir los ist? Ich rette euch den Arsch, das ist mit mir los!«

Ich schubse ihn zurück und klatsche in die Hände. Daniela macht den Scheibenwischer mit der Hand und murmelt was von »Klapse«.

Sie wird schon noch sehen, wer hier der Bekloppte ist. Ich klatsche in die Hände, um für Ruhe zu sorgen. »Das geht so nicht, Leute! Ich muss euch wirklich bitten, den Zettelkasten im Elsass zu benutzen für eure Beschwerden, ich hab echt zu tun.«

»Er spinnt!«, quiekt Daniela und hört gar nicht mehr auf, ihr Köpfchen zu schütteln.

»Was bitte hast du denn zu tun?«, fragt Lars Ditters verständnislos.

Mein Gott. Der auch noch. »Was ICH zu tun habe?«, lache ich, »zum Beispiel die Schlafplätze einrichten? Das Essen vorbereiten? Die Magnetrind-Achse prüfen? Die Stromversorgung sichern? Das Unterhaltungsprogramm vorbereiten?«

Ich rolle die beiden Teile der durchtrennten Isomatte auf dem Tisch aus, beschwere sie mit zwei Weinkühlern und setze das braune Paket-Klebeband an. Ratsch, sind die ersten dreißig Zentimeter Schlaffläche verklebt.

»Sag mal, das sind doch meine Matten!«, staunt Flik entgeistert, »genau die gleiche Farbe und … hier ist sogar noch der Preis!«

»Richtig«, bestätige ich, »ich war so frei, sie für euch herzubringen.«

Ich schaue in die konsternierten Gesichter von Daniela, Flik und Ditters. Ha, denke ich mir, das sieht ja aus, als hätte man ihre Gesichter eingefroren, um den Vorspann drüberzulegen, so wie in einem 70-er Jahre Krimi:

STARRING
LARS THE LAW DITTERS,
FATBOY FLIK AND
DANNI DE VETO

»DU warst das?«, stammelt Flik.

»Yap!«, sage ich und bitte Ditters, den oberen Teil der Isomatte auf den Tisch zu drücken, damit ich besser kleben kann, was er sogar macht. »Hier oben runterdrücken die Matte, sonst schlafen wir schief und werden schwul.«

Ditters zeigt mir den Vogel. »Du kannst mich mal, also echt!«

Während mir mein Anwalt kopfschüttelnd den Rücken zuwendet, sind Flik und Daniela noch immer im Krimi-Vorspannmodus.

»Also ... ich krieg das nicht in meinen Kopf, dass du ...– du hast echt bei uns eingebrochen, oder?«, stammelt Flik.

»Nein, ich hab die Sachen nur hergebracht! Und ihr seid ja jetzt auch hier, oder?«

Daniela stampft wütend auf den Boden. »Sag mal, checkst du's nicht? Du hast bei uns eingebrochen, und jetzt sperrst du uns ein!«

Ich muss mich wirklich schwer beherrschen, um nicht auszuflippen. »Ja, aber doch in eurem eigenen Interesse! Liebe! Frieden!«

»Was?« Ditters hat sich wieder umgedreht und starrt mich an.

»HÄLT JETZT IRGENDJEMAND MAL DIE VERDAMMTE MATTE FEST?«, brülle ich. Für einen kurzen Augenblick ist Stille im Keller.

»Wir brauchen keine Isomatte, weil hier keiner pennen wird!«, erwidert Daniela. Wütend fege ich die beiden Mattenteile vom Tisch und nehme noch ein paar Weingläser dabei mit.

»Dann bleibt ihr halt wach! Ist nur ein Angebot«, erwidere ich beleidigt und greife zu meinem Selbstverteidigungsschirm.

»Warum entspannt ihr euch nicht erst mal oder habt ein bisschen Spaß, so wie Phil?«

Alle schauen nach draußen. Phil hat sich einen Rollstuhl aus einem Hubwagen und zwei Weinkisten gebaut und lässt sich winkend von seinem Pfleger wegziehen.

»Ich sing das Wein-Hubwagen-Lied, das schönste Lied, was es so gibt …«

Ruhig lege ich den Arm um den leichenblassen Flik. »Mensch, Flik, ich mach das hier nicht für mich. Genießt ihr es doch einfach. Annabelle hat immer davon geträumt, dass sie hier mal eingeschlossen wird!«

»Also doch ›eingeschlossen‹!«, schreit Daniela hysterisch, und weil Kinder sofort merken, wenn ihre Mütter durchticken, fängt auch der Wurm an zu schreien.

Entschlossen drückt Flik meinen Arm von seiner Schulter. »Wir genießen es deswegen nicht, weil wir jetzt nach Hause fahren, Simon. Du kannst froh sein, wenn wir dich nicht anzeigen!«

»Natürlich zeigen wir ihn an«, schimpft Daniela, »und zwar gleich zweimal!«

Flik beschwichtigt. »Jetzt gib uns mal den Schlüssel, bevor was Schlimmeres draus wird!«

»Ha!«, kreischt seine Freundin, »was soll denn noch Schlimmeres passieren?«

Jetzt reicht's! Ich knalle den Selbstverteidigungsschirm auf den Tisch.

»KAPIERT IHR'S NICHT?«, brülle ich, »ICH! RETTE! EUER! VERDAMMTES! LEBEN!«

»Du kannst aber unser Leben nicht retten, weil es nicht bedroht ist!«, antwortet Flik trocken.

»ES! IST! BEDROHT!«, widerspreche ich, »und hast du nicht vor einer halben Stunde selber noch gesagt, dass man seine Freunde zu ihrem Glück zwingen muss, wenn ihr Le–«

»Unser Leben ist nicht bedroht, Simon«, wiederholt nun auch der naseweise Ditters.

»Ist es wohl, Brillenhobbit, und ich werd's euch beweisen. Aber jetzt gebt mir mal eine Minute Luft und lasst mich wenigstens die Matten ins Bordeaux bringen – und, Flik? Kannst du mir mit dem Generator helfen?«

»Natürlich nicht!«

Fassungslos und mit offenem Mund starre ich auf Ditters, Daniela und Flik.

»Ihr«, würge ich heraus, »seid echt das Letzte!«

Mit den Isomatten und meinem Selbstverteidigungsschirm unter dem Arm bahne ich mir meinen Weg durch die miesepetrige Nölbande, doch schon kurz hinter dem Ausgang der Schatzkammer fängt mich ein auf entspannt machender, lächelnder Grieche ab. »Herr Peters, ich denke, wir sollten jetzt wirklich mal –«

»Verpissen Sie sich!«, sage ich und eile am Burgund vorbei in Richtung Weihnachtsbaum.

»Sehen Sie, und genau deswegen wollte ich kurz mit Ihnen sprechen.«

»Simon, was soll das denn mit der Kuh?«, ruft Paula aus Österreich, wo sie endlich auch das Rind entdeckt hat und einen auf Tierschutz macht.

»Hast du auch nur eine Sekunde zugehört eben? Punkt fünf: Das Magnetrind dient der Messung des Erdmagnetfeldes und somit der Angst.«

»Es misst die Angst?«

Sarantakos steht immer noch neben mir. »Was wollen Sie?«, frage ich ihn.

»Das Gleiche wie die anderen. Hier raus. Hören Sie – ich hab einen Call auf den Dow Jones laufen, und wenn ich den nicht bis Börsenschluss verklopfen kann, verliere ich unfassbar viel Geld!«

»Einen Tritt in den Arsch haben Sie auch laufen, und zwar bei mir. Und wenn Sie mir nicht sofort aus dem Weg gehen, dann verlieren Sie unfassbar viel Blut!«

Ich biege ins Bordeaux und werfe die Matten auf den Boden. Sarantakos ist mir schon wieder gefolgt. »Sie verstehen das nicht«, jammert der Grieche, »ich hab eine Wette auf steigende Aktienkurse laufen in den USA und das, wo jede Stunde rauskommt, dass die USA auf hundert Billionen fauler Kredite sitzen! Ich muss verkaufen. JETZT!«

»Und ich hatte mal Mischwald in Rumänien!«

Was gibt es Schöneres als einen panischen Sarantakos? Wo hatte ich denn noch mal die Mikrowelle hin?

»Hallo? Herr Peters?« Sarantakos guckt mich mit großen Augen an.

Ah ... hier war sie, hinter dem *Schattoo Ponee Caneee.*

»Ja, dann danke auch«, sagt Sarantakos frustriert und lässt mich alleine die Mikrowelle aus der Kiste ziehen. Keine zehn Sekunden bin ich ungestört, da marschiert Ditters ein und warnt mich vor einer dreijährigen Bewährungsstrafe, sollte mich wegen Nötigung und Freiheitsberaubung irgendwer anzeigen. Er zum Beispiel.

Gezogen von Sven rumpelt Phil auf seinem Weinkisten-Hubwagen-Rollstuhl an uns vorbei und klopft mir auf die Schulter. »Hey du Otto, coole Aktion!«

»Danke.«

Wenigstens einer. Als sie um die Ecke sind, wende ich mich wieder Ditters zu.

»Hab zu viel zu tun und muss dich leider ignorieren!«

Als ich zurück zur Schatzkammer will, sehe ich, dass Manni dabei ist, die Glastür mit einem Korkenzieher aufzubrechen. Also jetzt scheinen wirklich alle durchzudrehen.

»Was soll der Scheiß, Manni? Jetzt gib der Sache doch mal ein paar Stunden!«

»Ich muss trainieren für die Sendung morgen, du Idiot!«

»Kannste doch hier auch!«

Ditters ist mir gefolgt und legt einen Arm um meine Schulter. »Simon, ich weiß, du hattest 'ne scheiß Zeit, und wahrscheinlich hat das mit deiner Webseite auch nicht hingehauen, aber wir können immer noch gegen Jamie Oliver –«

»Natürlich hat es nicht hingehauen!«, schimpfe ich, »hat mir ja keiner mehr geholfen!«

»Komisch, ne?«, lacht Manni, der unser Gespräch gehört hat und tritt gegen die Tür.

Ditters zieht mich weg von ihm. »Also womöglich hast du's ja in deinem verschrobenen Kopf noch irgendwie gut gemeint, aber dein Spaß hier, oder was immer es ist, geht zu weit. Du kannst uns nicht einsperren, weil du denkst, dass die Welt untergeht.«

»ICH! DENKE! NICHT! DASS! DIE! WELT! UNTERGEHT!«, fluche ich. »Die Anderen denken das!«

»Wie auch immer, Simon. Lass gut sein und gib mir die Schlüssel. Bitte.«

Ich klopfe Ditters auf die Schulter, sage »Haben wir alles schon gehört!« Wütend mache ich mich auf den Weg zu meinem Magnetrind, im Augenwinkel sehe ich einen hektischen Sarantakos mit einem in die Luft gehaltenen Smartphone von Land zu Land hetzen.

Haha, denke ich mir, fünf Meter weiter in Österreich hättest du zwei Balken, aber einen Teufel werd ich tun, dir das zu sagen.

»Die Schlüssel!«, hallt es das einhundertste Mal durch das Gewölbe, und plötzlich frage ich mich, wie lange ich die Schlüssel noch verteidigen kann, bevor sich die anderen absprechen und mich festhalten zu viert oder fünft. Ich Idiot hätte sie längst verstecken müssen! In irgendeiner der eintausend Kisten zum

Beispiel, das hätte ein Jahr gedauert, bis jemand sie gefunden hätte.

»Simon!«, schreit Paula, »du gibst uns jetzt sofort die Schlüssel!«

»Och Leute ...!«, rufe ich zurück, »das ist echt langweilig. Lasst euch mal was anderes einfallen.«

Bei Trulli angekommen, sehe und rieche ich, dass sie sich noch ein klein wenig weiter entleert hat. Schaut mich leidend an und steht West-Ost statt Nord-Süd. Meine getapete Nord-Süd-Markierung ist nur noch noch schwer zu erkennen, weil fast komplett in der Scheiße ersoffen. Offenbar hat das veränderte Magnetfeld die arme Trulli nun auch schon körperlich aus der Bahn geworfen.

So bestialisch der Gestank ist, er bringt mich doch auf eine Idee: Trulli ist das ideale Versteck für meine Bunkerschlüssel! Ich packe sie einfach unter ihr Halfter, dann sind Rinderkacke und Hörner der natürliche Schutzwall! Und auf einen Schlag ist Trulli Handyabwehr, Messinstrument und Versteck. Das geht aber nicht, denke ich mir noch, weil das sind ja gleich drei Dinge in einem. Geht doch: mit der Rinderüberraschung! Hastig wate ich durch die ekelhafte Pfütze, zwei bis drei Schritte noch bis zu Trulli, schnell muss ich sein, denn gleich wird der krakeelende Schlüssel-Haben-Wollen-Mob wieder hier sein. Ein lautes »Muuuuhhh« lässt den Keller erbeben.

»Was denn?«, frage ich Trulli, die sich seltsam verhält und mich gar nicht recht an sich ranlassen will. Vielleicht beruhigt sie Musik? Will was summen, um sie zu beruhigen, aber es fallen mir nur die Höhner und die dicken Mädchen ein. »Dicke Mädchen haben schöne Naaaaamen ...«, beginne ich leise. Noch eine Handlänge, dann bin ich dran. »... heißen Trulli, Lotta oder Caaaaaarmen ...« Ruckartig reißt Trulli den Kopf zur Seite und erwischt mich mit dem Horn am Arm. Okay, die Hornspitzen scheinen empfindlich. »... dicke Mädchen machen mich verrückt ...« Gut. Sehr gut sogar. Vielleicht kann ich's ja in diesem ledernen Halfterdings einklemmen? »Dicke Mädchen hat der Himmel geschickt!«

Ich kann.

Und atme auf.

Geschafft in nur einem Höhnerrefrain! Eilig streife ich noch die weißen Haare über das Halfter, sage »Brav, Trulli« und stapfe mit stetem Blick auf meine Schuhe aus der stinkenden Kackpfütze.

Der fokussierte Blick ist ein Fehler, denn nur kurz hinter der Pfütze habe ich einen Arm so fest um den Hals, dass ich fast keine Luft mehr bekomme, und während mich links Manni festhält und rechts Flik, durchsucht Daniela meine Taschen nach den Schlüsseln. Ich strample und schreie wie am Spieß. Erst nach einer guten Minute lassen sie von mir ab. »Er hat sie nicht bei sich!«, ächzt Ditters und ringt nach Luft.

»Mein eigener Anwalt. Schäm dich!«, schnaufe ich, die Hände auf den Knien aufgestützt, dann erst bemerke ich, dass die Schlüsselattacke die komplette Verkostungsrunde angelockt hat.

»Es geht ihr nicht gut, wir müssen sie rausbringen, die Kuh!«, fordert Paula.

»Das ist keine Kuh, das ist ein Messrind!«, schnaufe ich, immer noch nach Luft ringend. »Und es steht schief!«

»Schief in Bezug zu was?«, fragt Ditters.

»Nord-Süd-Achse!«, schnaufe ich »Das heißt, dass das Magnetfeld der Erde gestört ist. Tiere verhalten sich komisch dann. Und wenn Tiere sich komisch verhalten, dann kriegen das auch die Anderen mit und drehen durch.«

»Aber die Anderen gibt's nur in unserem Clip«, sagt Manni mit dem Korkenzieher in der Hand, offenbar hat er aufgegeben.

»Es gibt sie wirklich, Manni, die Anderen!«

»Weil die arme Kuh hier schief steht, drehen die Leute durch?«, wiederholt Paula misstraurisch.

»Tiere wissen immer vorher!«, ruft jetzt Lala in die Runde, »auch bei Tsunami und Erdbeben, das ihr habt doch gesehen! Seid ihr froh, dass ihr hier unten seid in Sicherheit!«

»Könnte schon sein«, bestätigt Flik, bekommt aber sofort einen Ellenbogen von Daniela in die Seite. »Was denn?«, verteidigt er sich, »Vor dem Tsunami sind die Tiere auf Berge hoch geflüchtet, Minuten vor der Welle, das haben wir doch gesehen!«

»Jetzt gebt ihm doch nicht auch noch recht!«

»Was immer passiert«, unterbreche ich laut, »habt keine Angst, denn ich hab für alles vorgesorgt. Also, wer kommt mit und bringt Fliks Generator mit mir nach Spanien?«

Abwechselnd starren alle auf Trulli und mich. Ein weiterer Schwall Sprühkacke landet auf meiner Markierung

»Klapse …!«, murmelt Daniela.

Was für ein undankbares Pack! »Wer mitkommt, will ich wissen!«, und dann geschieht etwas wirklich Wunderbares: Mit einem gespenstischen Klack gehen alle Lichter aus im Keller, und wir stehen im Dunkeln.

Für eine halbe Minute sagt niemand etwas, lediglich Lala klatscht kurz. Daniela beginnt zu weinen. Aus der Toskana höre ich, wie Phil sich übergibt. Dann ist es wieder still. Wie eine schwere Decke liegt die Dunkelheit über uns, die Zeit scheint zu stehen.

Direkt vor mir erglimmt ein Feuerzeug, dahinter erscheint Lars Ditters' blasses Gesicht mit der Kunststoffbrille. Dann spüre ich, wie er an meinem Ärmel zupft. »Simon, wohin soll der Generator?«, fragt er mit kleinlauter Stimme.

AUFPIEKSEN!

Übernacht, 0 Uhr 23

Es ist fast irrelevant, wie sehr man an etwas glaubt. Denn wenn es dann tatsächlich passiert, ist man fast genauso erschrocken wie alle anderen.

Wie auch immer die panischen Anderen an der Erdoberfläche für einen Stromausfall gesorgt haben, mir verschafft er die nötige Atempause. Endlich gesellen sich Fakten zu meinen Worten, die auch meine Freunde nicht übersehen können. Außerdem kann ich zeigen, dass ich auf ein solches Ereignis vorbereitet war: Binnen kürzester Zeit knattert Fliks Benzin-Stromerzeuger in Spanien, ich kann die Mikrowelle anschließen und die CurryKings warmmachen. Kleiner Nachteil: Im Weinkeller riecht es jetzt nicht mehr nur nach Kuhkacke, sondern auch nach Diesel und CurryKing, und das sogar in der Schatzkammer, wo wir jetzt wieder sitzen. (Außer Manni, der seit einer Viertelstunde versucht, aus zehn Metern Entfernung eine mit Stroh ausgelegte Holzkiste mit Rotweinflaschen aus dem Napa Valley zu treffen.)

»Fastfood in einer Diesel-Mikrowelle heiß machen, kranker geht's nicht mehr!«, klagt Paula, statt mal einfach nur dankbar zu sein.

Trotz des Stromausfalls werde ich weiterhin mit Drohungen und Beleidigungen bombardiert statt mit Liebe und Respekt. Und noch etwas irritiert ungemein. Das Licht ist wieder da. Und dann wieder weg. Da und weg, aus und an, wie in einer Disko. Immerhin: Ein kleiner Teil der Gruppe weiß nun auch nicht mehr so recht, was er glauben soll. Flik zum Beispiel, Frau Sarantakos und Lala sowieso: »Seht ihr nicht, dass ist nicht normal!«, ruft sie und »Eieieieiei!«, jedes Mal, wenn das Licht flackert.

Dass der größte Teil der Gruppe noch immer Beweise braucht, ärgert mich dermaßen, dass ich anbiete, Evil La Boum Tsunami mit der Kamera nach draußen zu schicken. Nur mit seinen Bildern kann ich beweisen, dass oben in der Welt jetzt schon das pure Chaos herrscht.

»Bist du bescheuert?«, schimpft Paula, »das ist ein Hund und keine Kamera!«

»In dem Fall wäre es ja auch ein Kamerahund.«

»Hier unten ist Chaos, Simon!«, ergänzt Ditters neunmalschwul, »oben ist alles normal. Zu hundert Prozent!«

»Und die fünfzig DADA auf der Peters-Skala hab ich mir aus den Fingern gesaugt, oder was?«, bölke ich zurück.

»Jedenfalls bleibt Evil hier!«, poltert Paula, »du hast keine Ahnung von so einem Beagle! Weißt du, was der macht, wenn er oben ist? Er läuft weg und wird entweder überfahren oder geklaut!«

»Ja, aber dabei macht er Bilder für uns!«

»Du bist so ein Tierhasser!«

»Und du ein Menschenhasser!«

»Menschenhasserin, du Chauvinist!«

»Simon?«, unterbricht uns Ditters. »Du verlierst gerade deine Bewährung.«

In den USA zerschellt gerade eine weitere von Mannis US-Flaschen auf dem Kachelboden. Das Licht geht an. Das Licht geht aus. An. Aus. An. Aus …

»Also ganz ehrlich, lange halte ich das nicht mehr aus!«, stöhnt Flik.

Demokratie kann so brutal sein: Acht von zehn Überlebenden sind der Meinung, dass Evil La Boum Tsunami nach dem Rechten sehen soll, wenn es denn dazu führt, dass sie hier rauskommen. Und so müssen Lala und Sarantakos die strampelnde Paula festhalten, als ich die Kamera auf den Kopf des Beagles schnalle und ihn in den REWE-Korb stelle.

»Sieben Minuten und dreizehn Sekunden!«, ruft Manni, der gerade den kompletten Weihnachtsbaum abgeräumt hat in der Hoffnung, dass es so ein ähnliches Spiel bei *Schlag den Raab* gibt.

»Super!«, rufe ich zurück und wende mich wieder dem Projekt Kamerahund zu. »Haste 'ne Umlenkrolle oben?«, will Flik wissen und inspiziert neugierig den Lüftungsschacht.

»Ja«, sage ich, »aus deiner Garage.«

»Evil wird einen Teufel tun, sich da hochziehen zu lassen!«, meckert Paula.

»Und warum?«

»Weil Evil der ängstlichste Hund der Welt ist!«

»Wir werden sehen«, sage ich in vollstem Vertauen auf den Geruch meiner Würste oben, und während ich Evil mit Mannis Kamera auf dem Kopf ohne irgendein Problem nach oben ziehe, tobt Paula weiter. »Das bringt euch gar nix! Das ist MEIN Hund, darüber entscheide ICH!«

»Wir wollen wissen, was draußen los ist, Paula. Du darfst jetzt nicht nur an dich denken.« Dann höre ich Phil von nebenan schreien. »Leute, schaut euch das an! Aus dem Arsch von der Kuh kommt'n Ballon!«

Sobald der Einkaufskorb oben angekommen ist, drehe auch ich mich zu Trulli, und tatsächlich: Phil, der auf seinem Weinkarton-Hubwagen-Rollstuhl sitzt und sein Smartphone auf die Kuh hält, hat recht: Es kommt tatsächlich ein Ballon aus Trullis Hintern. Er ist melonengroß, von lila-rosaner Farbe und offenbar kurz vor dem Platzen.

»Vielleicht ein Geschwür!«, vermutet eine wie aus dem Nichts erschienene Frau Sarantakos und nimmt einen Schluck aus einer Champagnerflasche.

»Sieht aus, als hätte sie sich in einen Kaugummi gesetzt!«, mutmaßt Daniela, und Flenn der Pfleger äußert die Vermutung, dass das Rind defekt sein könnte.

Inzwischen stehen alle um Trulli versammelt.

»Wir müssen den Ballon aufpieksen!«, fordert Phil, doch das geballte »Nein!« der anderen offenbart eine andere Meinung.

»Lieber wieder reindrücken, das Ding!«, schlägt der zurückgekehrte Manni vor, und wieder schreien alle: »Nein!«

Ich beschließe, mir das bizarre Rektal-Spektakel mal aus der Nähe anzuschauen, und nähere mich mit einer von Fliks Campinglampen. Was ich sehen kann: Der Ballon kommt gar nicht aus dem Hintern. Und es ist auch kein Ballon.

»Sie wissen wirklich nicht, was passiert, oder?«, fragt Herr Sarantakos amüsiert, und da alle den Kopf schütteln und Phil fragt, was zum Teufel das Vieh denn jetzt hier macht, da ergänzt er: »Sie kalbt!«

Ein erstauntes Raunen erfüllt das Gewölbe.

»Wir müssen eine Hebamme rufen!«, fordert Ditters, und Phil besteht weiterhin auf dem Aufpieksen. Mir wird ein wenig schummrig im Kopf. Hätte ich mal lieber die dünne Kuh genommen, aber ich Idiot nehm die schwangere Blondine. Und wieder muht Trulli so durchdringend, dass der ganze Weinkeller vibriert, dabei saugt sie den Ballon ein und wieder aus, was so aussieht, als würde jemand in der Kuh aus dem Ballon atmen. Schließlich scheint Trulli die Kraft auszugehen. Der Ballon verschwindet, sie sackt zur Seite und bleibt liegen.

»Tot«, sagt Phil achzelzuckend und lässt sich von Flenn ein Stück nach vorne rollen, um ein weiteres Foto zu machen, »wir hätten das Ding wirklich aufpieksen müssen!«

»Vielleicht sollten wir ja Stroh holen irgendwo?«, schlägt Ditters vor.

»Was weiß denn ein schwuler Anwalt von Kalbsgeburten?«, frage ich.

»Danke, Simon, dass du immer wieder drauf rumhackst!«

»Die Idee ist aber nicht schlecht«, merkt Herr Sarantakos an, der mir mit seinem Handy ein wenig zu nah am Schacht steht, »aber es wird kein Stroh geben hier, oder?«

»Doch!«, rufe ich, »beim Verpackungsmaterial!«

Ich schnappe mir Sarantakos, und gemeinsam rennen wir in den Versandraum. Ob das in den sesselgroßen, durchsichtigen Tüten Stroh ist, weiß ich nicht, zumindest sieht es aus wie welches.

Während wir gleich zwei Tüten vollpacken, startet Sarantakos einen weiteren Versuch. »Herr Peters, wenn Sie mich telefonieren lassen, kriegen sie zwanzig Prozent vom Gewinn!«, ächzt er strohschaufelnd.

»Und wenn nicht?«

»Gehen die Märkte runter, und ich bin am Arsch!«

»Tja!«, sage ich und reiche ihm meine volle Strohtüte, »wenn die Märkte runtergehen, können die Leute nicht zaubern …«

Zurück bei Trulli verteilen wir das Stroh unter ihr und um sie herum.

»Jetzt kommt ein Schuh aus'm Arsch!«, ruft Phil begeistert, und wieder blitzt seine armselige LED-Lampe am Handy auf, aber natürlich ist es immer noch kein Schuh und immer noch kein Arsch. Und es ist auch kein Fuß oder Huf, wie mein ehemaliger Finanzberater weiß, sondern, korrekt ausgedrückt –

»… ein Lauf!«

»Woher wollen Sie das denn wissen, Sie Pleitegeier?«

»Weil ich einen Jagdschein habe und mich ein bisschen auskenne mit Tieren.«

»Du hast einen Jagdschein?«, fragt Phil seinen Kumpel verwundert.

»Klar. Eigenhändig gekauft 2007 in Rumänien!«, nickt Sarantakos.

»Jedenfalls müssen wir der Kuh jetzt helfen und es rausziehen!«

»Unsinn! Wir müssen den Schuh wieder reindrücken!«, quietscht Manni und Phil krakeelt: »Aufpieksen!«

Während Flik leichenblass abgeht, weil ihm schlecht geworden ist, kommt mit einem erneuten Schwall Glibber ein zweiter Lauf aus Trulli. Die schleimigen Läufe, der Glibber, der Geruch: Zum ersten Mal bin ich dem Kotzen näher als dem Einschlafen.

»Also JETZT müsste wirklich jemand helfen!«, wiederholt sich Sarantakos, und da alle ihn anschauen, ergänzt er kopfschüttelnd: »Im Leben nicht, Leute, ich hab einen Tausend-Euro-Anzug an!«

»Und'n Call auf'n Dow!«, ergänze ich, woraufhin ein Flasche Wein in meine Richtung fliegt und auf den Kacheln zerschellt.

»Wenn wir das nicht ganz schnell wieder reindrücken, dann flutscht es uns raus, und dann gute Nacht!«, ruft Manni.

»Quatsch«, entgegne ich, »du hast doch gehört, was der widerwärtige Sarantakos in seinem Tausend-Euro-Anzug gesagt hat, ziehen müssen wir! Wir müssen das Kleine aus dem Großen ziehen!«

Jetzt deuten plötzlich alle auf mich, offenbar ist man der Meinung, dass das eine Aufgabe für mich wäre.

»Genau!«, ruft Paula, »wer hat das arme Tier denn hier runtergeschleppt?«

»Ist ja gut«, stöhne ich, »ich zieh mal kurz dran!«

Manni lacht. »Er zieht mal kurz dran, sagt er!«

Langsam gehe ich auf Trulli zu, die relativ unbeeindruckt auf ihrer Strohinsel liegt, und wieder rutscht eine Handbreit ekelhaft gelb-weißer Kalbsfuß aus dem Kuhende. Noch so ein Fuß, und ich kotze. Auf der anderen Seite soll mir natürlich alles recht sein, was den Schlüssel-her-Mob auf andere Gedanken bringt. Also muss ich. Jetzt!

Widerwillig und ohne hinzuschauen, umgreife ich die beiden glibbrigen Läufe; sie fühlen sich an wie zwei warme Spareribs mit Barbecuesauce, riechen aber nach verschimmeltem Eiter-Furz.

»Simon, schau mal, Foddo machen für Facebook!«, ruft Phil, und die Glitschläufe immer noch in der Hand drehe ich meinen Kopf so weit weg, wie anatomisch möglich. Es blitzt.

»Zieh doch endlich!«, ruft Flik, der sich eine Flasche fränkischen Riesling geholt hat und nun wieder tapfer neben der Kackpfütze steht.

Ich ziehe und ziehe und ziehe. Trulli muht und muht, und ich ziehe weiter, und dann geht das Licht wieder an und aus und an und aus, und tatsächlich scheint da was rauszuflutschen, aber ich kann ja nicht hinsehen, ich werde einfach so lange ziehen, wie alle »Ziiieh!« rufen, und dann aufhören. Aber dann schaue ich doch kurz, was ich da ziehe, und schaue direkt auf einen gelb-rot verschleimten Kalbskopf, und noch bevor ich diesen Anblick auch nur ansatzweise verdaut habe, rutscht das komplette restliche Kalbspaket aus Trulli heraus und liegt nun hilflos vor mir wie ein besoffener Jugendlicher an Karneval. Licht aus. Licht an.

»Leute, nein, sind Tiere eklig!«, ruft Phil und Ditters: »Du musst die Nabelschnur durchschneiden!«

»Was bitte weiß ein schwuler Anwalt von Nabelschnüren?«

»Du hörst nicht auf, oder?«

»Es hat keine Nabelschnur«, informiert uns Sarantakos trocken, »es hat eine Nachgeburt.«

Was der alles weiß! In meinem Kopf hallt es nur noch. Als ich auf meine gelb-roten Schmodderhände und auf das zitternde

Kalb schaue, wird mir endgültig schwindelig. Das Letzte, was ich höre, ist ein ebenso verhallender wie panischer Phil, der schreit: »Es steht nicht auf, es ist gelähmt …!«

Dann geht das Licht endgültig aus. Zumindest für mich.

Evil La Cam

Übernacht, 03 uhr 22

Wenn die Aufnahmeleitung mich antippt, soll ich rausgehen. Ein bisschen nervös bin ich schon, aber auch glücklich, denn jetzt endlich bekomme ich den Lohn für all das, was ich riskiert habe.

Wie mit Ditters besprochen, trage ich mein schwarzes Überman-T-Shirt, sieben Millionen Zuschauer dürfe man schon wegen der Werbung auf keinen Fall auslassen. Der Beitrag über den Weinkeller ist zu Ende und wird kräftig beklatscht, dann spricht Hape Kerkeling in den immer noch donnernden Applaus rein: »Meine Damen und Herren, begrüßen Sie mit mir den Mann, der sich selbst den ›Überman‹ nennt: …«

Die Aufnahmeleitung tippt mich an, und ich laufe los.

»… hier ist … Simon Peters!!«

Und unter tosendem Applaus federe ich raus ins grelle Scheinwerferlicht, verbeuge mich kurz und gehe lächelnd auf Hape Kerkeling zu.

»Schön, dass Sie hier sind!«, sagt er und ich: »Danke für die Einladung!«

Dann setze ich mich in einen orangen Sessel und warte, bis der Applaus verebbt. Hape wirkt gut gelaunt und ehrlich interessiert. »Herr Peters, vor wenigen Tagen haben Sie Ihre Freunde, Ihren ehemaligen Finanzberater und ein trächtiges schottisches Hochlandrind in einen Kölner Weinkeller gesperrt aus Angst vor dem

Weltuntergang. Sie schlafen bis heute nur zwei Stunden am Tag und haben mit einem Freund zusammen das berühmte Kopfsteinpflasterlied veröffentlicht, das schon drei Wochen auf Platz eins der Charts ist. Mal abgesehen davon, dass Sie jetzt reich und berühmt sind: Könnte man sagen, dass Sie den Schuss nicht gehört haben?«

Ich lache und will gerade antworten, dass ich keine Angst vor dem Weltuntergang hatte, sondern vor der Angst der Anderen, da schlägt mich seine Aufnahmeleiterin mit ihrem Klemmbrett in die Seite, und als hätte es Hape nicht bemerkt, stellt er einfach die nächste Frage: »Erzählen Sie uns doch mal, wie das geht mit so wenig Schlaf? Wird man da überhaupt noch wach?«

Und wieder krieg ich das Klemmbrett in die Seite!

»Aber natürlich, Hape ...!«, stöhne ich.

»Das gibt's doch nicht, dass der nicht aufwacht!«, wundert sich Hape, und ich reiße meinen Arm zur Seite, wie ich es beim Krav Maga gelernt habe. Da werden die Menschen im Publikum plötzlich zu Weinflaschen, und die Aufnahmeleiterin wird zu Paula.

»Na endlich!«

»Was endlich?«

»Endlich bist du wach! Evil ist zurück mit der Kamera.«

Ich habe überschlafen. Schon wieder. Augenreibend sehe ich mich um. Ich liege im Burgund. Neben mir schläft Herr Sarantakos, zugedeckt mit mehreren auseinandergerissenen Weinkartons auf einer meiner Isomatten.

»Was ist mit ihm, Paula?«

»Er hat gesagt, dass er zwei Millionen Dollar verloren hat wegen einem »Call«, und sich besoffen danach!«

»Ich meinte das Kalb.«

»Ach so. Steht sogar schon. Simon, bitte! Wir können das Video nicht sehen ohne dich, weil dein Laptop ein Passwort hat.«

»Komme!«

»Echt? So einfach?«

»Nein, Paula. Ich meinte, dass ich komme und das Passwort eingebe.«

Das Licht geht an und wieder aus. An und Aus.

»War das die ganze Zeit so?«, frage ich.

»Leider ja!«, stöhnt Paula.

Kurz darauf sitzen wir in den USA und starren gespannt auf mein Notebook. Aus der Schatzkammer schreit der holländische Wurm und will gar nicht mehr aufhören. Flik kommt und fragt mich, ob ich irgendetwas außer CurryKing hätte für den Wurm.

»Warum? Ich hab's doch püriert!«, antworte ich, Flik zieht wieder ab in die Schatzkammer zu Daniela, und wir können endlich den Film sehen.

Da ich die Kamera auf Evils Kopf montiert habe, sehen wir die Welt so, wie Evil sie sieht, und der sieht im Schacht erst mal gar nichts außer dem Rand des roten Einkaufskorbes.

»Simon, wenn wir nur einen einzigen Menschen sehen, dann sagst du, wo die Schlüssel sind, ja?«, sagt Paula.

»Wenn draußen alles in Ordnung ist, ja!«

Ich spule vor bis zu der Stelle, an der Evil oben angekommen aus dem REWE-Korb auf die Rampe springt und sich auf die erste aufgerissene Packung CurryKing stürzt.

»Ja ist das geil, CurryKing!«, ruft Phil, und Paula sagt »So einen Dreck frisst der nie!«

»Frisst er seit zwei Jahren.«

Paula schaut mich bestürzt an. »Du hast –«

»Ja. Im Büro. Also Wiener, kein CurryKing.«

»Ich hasse dich!«

Und dann läuft Evil los. Die Welt aus Beagle-Sicht. Keine 25 Zentimeter über dem Asphalt wippt die Kamera durchs Industriegebiet.

»Wahnsinn. Tatsächlich, kein Mensch ist zu sehen!«, staunt Frau Sarantakos.

»Logisch. Um zwei Uhr nachts in einem Industriegebiet«, raunt Ditters.

»Unsinn! Hat Simon recht!«, ruft Lala triumphierend, »Welt kaputt!«

»Aber die Straßenlaternen sind konstant an«, wundert sich Ditters, »das heißt, nur wir hier unten haben diesen Wackelstrom!«

»Das heißt gar nichts!«, brumme ich und spule vor bis zu der Stelle, an der Evil die Aachener Straße erreicht. Ein freies Taxi rast vorbei, sonst ist so gut wie kein Verkehr.

»Also ich finde es verlassener als sonst«, sage ich, und Flenn stimmt mir heulend zu: »Irgendwie seltsam, stimmt!«

»Wenn Evil in ein Auto läuft, bring ich dich um!«, japst Paula, woraufhin ich sie daran erinnere, dass Evil neben ihr sitzt in diesem Augenblick, also gar nicht überfahren werden kann.

»Leute! Wir haben zwei Uhr nachts«, stöhnt Ditters, »Köln-Braunsfeld ist nicht der Times Square. Es sieht immer so aus um die Zeit!«

Alle fünf Sekunden erschnüffelt sich Evil was Neues und scheint es zu genießen, nicht alle naselang zurückgepfiffen zu werden: Wir sehen Asphalt, Bäume, immer wieder Hauswände und schließlich einen Burgerimbiss, dessen Jalousien gerade nach unten gehen. Als der Besitzer den Hund mit der Kamera entdeckt, schaut er verwundert, füttert ihn dann aber mit einem halben Burger und hält seinen Flyer in die Kamera – offenbar vermutet er eine Live-Schalte zu *RTL Exclusiv.* Es dauert keine zehn Sekunden, da ist der Burger vernichtet, was für alle bis auf Paula lustig aussieht, denn wegen der Kamera auf Evils Kopf sieht es aus, als fresse die Kamera den Burger.

»Der Burgerladen hatte offen«, bemerkt Flenn nutzloserweise.

»Ja und?«, sage ich, »McDonald's hatte auch offen am 11. September.«

Dann – vor allem Paula kann es kaum fassen – steigt ihr Hund in eine Straßenbahn stadteinwärts. Ein älterer Mann untersucht kurz die Kamera und gibt schließlich eine Ecke seiner Pizza ab, zwei junge Mädchen den Rest ihres Frozen Yoghurts.

»Kannst du mal auf Pause?«, krächzt Phil, »das war ja mal 'ne echt geile Alte!«

»Nein!«, rufen alle.

Am belebten Rudolfplatz springt Evil aus der Bahn und tappt zielstrebig in einen Irish Pub, wo er von der Trinkgemeinde freudig begrüßt wird.

»Alles wie immer um die Zeit, wenn Sie mich fragen, Herr Super-Überman«, zischt Ditters sarkastisch.

»Haben die Leute im World Trade Center auch gesagt am 11. 11. um 7 Uhr 57«, schieße ich zurück. Irritiert bin ich trotzdem. Sollte meine Angstformel tatsächlich versagt haben, oder hab ich einfach nur die Ermittlung des genauen Zeitpunkts verpasst?

Evil tollt durch den Pub, als wäre er für Hunde gemacht. Aufgrund der Kameraposition sehen wir vor allem Schuhe, Jeans und fallen gelassene Chipstüten, die natürlich sofort nach Resten untersucht werden. Bier schwappt herunter, landet auf dem Boden und wird komplett aufgeschleckt.

»Evil, pfui!«, ruft Paula und Phil: »Was für 'ne krasse Töle! Wenn er jetzt noch anfängt zu kiffen, will ich auch so einen!«

Mit unsicherem Gang tapst Evil aus dem Pub und gelangt auf die Straße. Die Kamera schwenkt nach rechts und links und entdeckt den Rest eines Döners. Dann wieder Straße, das Bild ist verschwommen, die Kopfbewegungen ungewöhnlich. Evil verschwindet in einer Bar. Ein betrunkenerer Schalke-Fan beugt sich runter und gibt ihm einen Schluck von seinem Drink, ein anderer eine Kippe. »Diese asozialen Idioten!«, ruft Paula, und Phil lacht sich tot: »JETZT will ich so 'nen Hund!«

Ein paar übergroßer Hände kommt auf Evil zu und trägt ihn nach draußen, wo Evil weitertrabt und an einem Kiosk einen anderen Beagle besteigt.

»Evil!«, ruft Paula entsetzt, und ich blicke zu ihr. »Der ängstlichste Beagle der Welt, ja?«

»Vergewaltiger!«, ruft Phil und bepisst sich über sich selbst.

Paula verschränkt die Arme. »Ihr seid ja alle bekloppt!«

Dann rauscht ein Eimer Wasser auf Evil herab, woraufhin dieser von der Beagledame ablässt, sich schüttelt und die Flucht antritt. Schließlich trabt Evil den ganzen langen Weg zurück in den Weinkeller, und ich muss vorspulen, bis er am Lüftungsschacht wieder in sein Körbchen springt. Er wird abgeseilt, und am Ende sehen wir eine freudetrunkene Paula in die Kamera schauen: »Evil! Da bist du ja!«

»Okay!«, sagt Ditters, »das war ja jetzt ganz amüsant, aber wir haben kurz vor drei und … wenn ich das mal im Namen aller zusammenfassen darf: Die Welt ist nicht untergegangen, jedenfalls nicht linksrheinisch, und jetzt gehen wir nach Hause. Simon? Die Schlü …–«

In diesem Augenblick krachen mit lautem Getöse vier Paletten Riesling auf den Steinboden. Direkt danach geht das Licht wieder an, und wie Phönix aus der Asche erklimmmt ein äußerst giftiger Weinzwerg den von ihm selbst geschaffenen Berg aus Flaschen und Kisten. »WIE OFT …«, brüllt er und tritt gegen einen Karton, »MUSS ICH DIE SICHERUNGEN DENN EIN- UND AUSSCHALTEN, BIS JEMAND VON EUCH SPACKOS WAS MERKT?«

Keine Sekunde drauf hören wir einen Schrei. Hektisch schauen wir uns an, um zu sehen, wer fehlt. Es ist Manni.

»Leute! Hallo? Hilfe! Ich hab Scheiße gebaut!«, tönt es von Österreich her.

»Wo zum Teufel steckst du?«, rufe ich und gehe ich Richtung des Geräuschs.

»Im Lüftungsschacht! Ich komm weder vor noch zurück!«

»Wo wolltest du denn hin?«

»Den Raab schlagen!«

»Wir müssen ihn aufpieksen!«, krakeelt Phil.

»HALLO?«, tobt der Zwerg mit knallrotem Gesicht. »ICH WAR EINGESPERRT FÜNF STUNDEN LANG. INTERESSIERT DAS JEMANDEN?«

»Da sind fast zehn Meter unter mir!«, jammert Manni aus dem Schacht.

Ich spüre Ditters' Hand auf meiner Schulter. »Fünf Jahre ohne Bewährung, wenn du ihn tatsächlich eingesperrt hast. Sieben Jahre ohne Bewährung, wenn Manni was passiert.«

Erschrocken starre ich meinen Anwalt an. »Addieren sich die Strafen im deutschen Recht oder kriegt man einfach die längere?«

»Du bist echt ein hoffnungsloser Fall, Simon Peters.«

Ich schlucke und schaue in die Gesichter meiner Freunde. In jedem, außer bei Flenn, steht das Gleiche. »Okay«, grummle ich, »ich verrat euch, wo der Schlüssel ist. Aber unter einer Bedingung: Ihr müsst mir sagen, dass ich kein Arsch bin!«

In einem amerikanischen Western würde der Wind jetzt einen Strohballen zwischen zwei verlassene Saloons wehen, im Hintergrund ein quietschender Fensterladen.

»In diesem Fall«, räuspert sich Flik, »schauen wir mal, dass wir den armen Manni so aus dem Schacht kriegen.«

Es wird genickt und zugestimmt, und sogar der Weinzwerg geht Richtung Lüftungsschacht, dann stehe ich allein. Paula ist die einzige, die kurz zurückschaut, dann aber geht sie auch mit.

»Hallo ...?«, rufe ich, doch keiner reagiert. Schließlich steige ich auf eine der Weinpaletten und donnere eine Flasche auf die Kacheln, dass die Scherben nur so fliegen. Es hat geklappt, ich hab die Aufmerksamkeit.

»Also gut!«, rufe ich, »ich scheiß auf die Bedingung! Der Schlüssel ist in Trullis Halfter.«

Feuerwehr

Übernacht, 4 Uhr 01

Mein erster Versuch, den Schlüssel aus Trullis Halfter zu ziehen, endet wie in einem schlechten asiatischen Kampffilm: in einer Palette 2011 er Grünem Veltliner vom Weingut Bründlmayer. Trulli, die blöde Kuh, schaut nicht einmal hin, wie ich mich mühsam wieder aufrapple, sie leckt einfach weiter ihr Kalb, als sei es ein riesiges Erdbeereis.

»Warum ist die denn so aggressiv?«, fragt Daniela wurmschaukelnd.

»Weil der Mann, der mich ruiniert hat, ihr ins Haar zwischen den Hörnern gegriffen hat, das mag sie nicht«, verrät uns der wiedererwachte Sarantakos.

Ich stehe auf und klopfe mir den Staub von der Jeans. »Versteh ich nicht«, knurre ich, »ich hab den Schlüssel ja auch da reingesteckt, ohne dass sie Stress gemacht hat!«

»Ja, aber bevor sie niedergekommen ist! NACH dem Kalben wollen sie einfach nur ihre Ruhe«, sagt der Mann, der sich offenbar mit Kühen besser auskennt als mit gehebeltem Magerschwein.

»Hast du das gelernt, als du den Jagdschein gekauft hast?«, fragt Frau Sarantakos.

»Nein, das stand in der *Wild & Hund.*«

»Stand in der *Wild & Hund*, sagt er!«, jammert Manni aus seinem Schacht heraus, angeblich jetzt bei acht Metern. »Ich dachte, ihr rettet mich!«

»Wir schließen auf, und dann retten wir dich!«, ruft Paula in Richtung Schacht.

»Simon, lass mich mal!« Flik nähert sich Trulli wie ein Gewichtheber der Stange.

»Braaav, Trulli, nur die Schlüssel, Trulli, alles gut, Trulli!«

Gespannt verfolgen wir das Schauspiel des beleibten Rinderflüsterers.

»Wunderbar, Trulli, du machst das sehr gut, Trulli!«, brabbelt er.

»Hallo? Flik?«, interveniere ich.

»Ja?«

»Vom Labern kriegst du die Schlüssel nicht!«

»Halt die Klappe, ich hab einen Plan!«

Fliks Plan sieht so aus, dass er eines der Hörner mit der linken Hand festhalten will, während er mit der rechten den Schlüssel aus dem Halfter zieht. Es endet mit einem Horn in Fliks Bauch und einem furchteinflößenden Schrei.

»Sie hat mich aufgespießt! Kann einer gucken? Auauauauauaua!«

Panisch zieht Flik sein Hemd hoch, damit wir uns ein Bild von der Wunde machen können, die offenbar binnen 30 Sekunden zum Tod führen müsste.

»Boah, ist das eklig!«, ruft Phil.

»Ich muss sofort ins Krankenhaus, oder?«, jammert Flik mit geschlossenen Augen.

»Dass du so fett bist, ist eklig, nicht die Wunde! Da ist nur ein Kratzer, du Otto!«

Eilig bedeckt Flik sich wieder.

»Blödmann!«

Als Nächstes probiert es Flenn mit dem Sichtschatten-Trick.

Auf leisen Sohlen schleicht er sich von hinten an. Keine gute Idee, wie wir sehen, als er den rechten Lauf in den Bauch bekommt und für eine Sekunde aussieht, als würde er sich freuen.

»Sie dürfen sich nie von hinten nähern«, informiert ihn Sarantakos, der allerdings gar nicht wirklich hinschaut, sondern wieder auf sein Smartphone starrt.

»Warum Sie machen nichts?!«, poltert Lala, »wo Sie alle wissen besser von Ihre Jägerheft?«

»Weil dann alle entsetzt wären und mich anschreien würden, allen voran das hysterische Bioweib da.«

»Hallo?!?«, schreit Paula und stampft auf den Boden, dass es nur so staubt, »ich bin doch nicht hysterisch!«

»Unsinn!«, beruhigt Ditters, »wenn Sie wissen, wie's geht, dann machen Sie, was Sie wollen, und holen Sie die verdammten Schlüssel aus dem Halfter!«

»Ja?«

»Jaaaa!«, schreit Manni aus dem Schacht.

Sarantakos schaut verunsichert in die Runde und überlegt. »Das ... äh ... Kind vielleicht mal ein paar Meter zur Seite.«

Daniela tritt zurück mit ihrem Wurmwickeltuch, und Sarantakos zieht das Kalb von der Kuh weg. Dann nimmt er Lala mit einem galanten »Darf ich?« das Pfefferspray ab und ballert Trulli die komplette Ladung auf den Kopf.

»Hallo?«, schreit Paula, »geht's noch?«, und Daniela schimpft: »Was sind Sie denn für ein Arschloch?!«

Was immer Sarantakos vorhatte – jetzt dreht Trulli komplett frei. Sie röhrt, sie tritt aus und wirft den Kopf nach hinten, bis schließlich der Schlüsselbund klirrend auf den Boden fällt. Triumphierend hebt Sarantakos ihn auf: »Das Arschloch mit dem Schlüssel.«

»Stand das auch in der *Wild & Hund*?«, fragt seine Frau.

»Nein!«, antwortet Sarantakos, »in der *Guns & Weapons*.«

Und noch während ich mir überlege, ob das wohl ein Fachmagazin US-amerikanischer Prägung ist, durchdringt ein lautes Geräusch von berstendem Metall den Keller, und ein ganzer Trupp Uniform-Menschen mit grellen Handlampen und Gasmasken stürmt auf uns zu. Sie rufen Dinge wie: »Geht's Ihnen gut?«, »Wer von Ihnen ist Simon Peters?«, und: »Wo ist der Luftschacht?«

Mittendrin steht eine kalkweiße und zitternde Annabelle und starrt mit offenem Mund auf das Schlachtfeld aus umgeworfenen Weinpaletten, Kuhscheiße und Scherben.

»Hallo … Simon«, begrüßt sie mich schwach.

»Hallo Feechen …«, antworte ich ebenso.

»Liebe? Frieden?«

»Weiß nich' …«, antwortet Annabelle leise.

»Schade«, flüstere ich.

Ich nehme ihre Hand. Sie ist kalt, aber es fühlt sich trotzdem gut an.

»Du bist verrückt geworden, oder?«

»Vielleicht. Ja. Was meinst du?«

»Ja.«

»Wie hast du hergefunden, bist du den Rindern gefolgt?«

Annabelle zeigt Phils Facebook-Seite auf ihrem Handy. »Das war nicht nötig.«

Der erste Eintrag ist ein Foto von der in Österreich liegenden Trulli und offenbar macht genau diese Nachricht auch bei den anderen gerade die Runde.

»Du hattest Netz, Phil??«, schreit Daniela. »Warum hast du denn keine Hilfe geholt?«

»Ich bin doch nicht bekloppt! Wenn mir einmal in vier Wochen nicht langweilig ist!«

»DER HAT MICH EINGESPERRT!«, schreit der Zwerg neben einem Polizisten und deutet auf mich.

Eilig ziehe ich Annabelle zu mir, die traurig wirkt und verwirrt. »Ich wollte euch zeigen, dass ich euch liebe«, flüstere ich.

»Na ja«, seufzt Annabelle, »hat nicht geklappt.«

»Was auch immer passiert, eines verspreche ich dir: ich baue nie wieder so eine Scheiße!«

»Machen Sie sich keine Sorgen«, sagt ein Polizeibeamter, »dafür sorgen wir jetzt erst mal.« Dann bekomme ich Handschellen angelegt.

Landgericht

56 Tage später

Ditters trägt einen dunklen Anzug heute statt Holzfällerhemd, alleine das macht mich nervös. Und der Gerichtssaal macht mich noch nervöser mit den muffigen Holzwänden und den grellen Siebzigerjahre-Leuchten, und dass wir alle stehen müssen, obwohl es einen Stuhl gibt für jeden, macht mich am allernervösesten.

Vorsichtig schiele ich nach rechts oben, von wo aus eine ganze Armada an Robenmännern auf uns hinabblickt. »Warum gleich drei Richter?«, flüstere ich Ditters zu, der rechts neben mir steht.

»Weil die Sache nicht so einfach gelagert ist«, erklärt er mir.

Gut, denke ich mir, dann weiß ich ja Bescheid. Selten war ich so angespannt wie jetzt. So lange ging es hin und her: Klageschrift, Klageerwiderung, Terminbestimmung und Beweisbeschluss und schließlich die mündliche Verhandlung heute.

»Kriegen wir schon!«, sagt Ditters und knufft mir schwul in die Schulter.

»Aua!«

»Sorry. Und denk dran, wenn du provozieren kannst, dann hilft das.«

Ja, verdammt, ich hab's kapiert. Ditters merkt wahrscheinlich, dass mir die Düse geht, und will mich aufmuntern. Das Schlimmste ist, dass ich mich wie ein Verbrecher fühle. Müsse ich nicht, sagt Ditters, ist aber trotzdem so. Kein Wunder: Ich wurde auf Waffen untersucht, als wäre ich ein Irrer, der das ganze Gerichtsgebäude in Schutt und Asche legen will, und jetzt starren sie mich an, als sei ich irgendein bescheuertes Tier in der Manege – die Presse, Schaulustige und natürlich meine Freunde: Paula ist da und Phil und Manni. Er hat nicht gewonnen bei *Schlag den Raab*, weil ihm bei der Vorstellungsrunde die Beine weggeknickt sind vor Schreck. Sogar Flik hat sich frei genommen und ist mit Daniela gekommen, klar, sie wollen ja auch wissen, wie alles ausgeht.

Annabelle ist auch hier, sie trägt ihren bunten Streifenpullover von unserem allerersten Treffen und ist mindestens so aufgeregt wie ich. Ich kann gar nicht hinschauen. Ich kann überhaupt nirgendwo hinschauen irgendwie. Ditters sagt, ich müsse mich nicht schämen, vielleicht hat er ja recht.

Endlich dürfen wir Platz nehmen, und einer der Robenmänner verliest, wer für den Kläger und die Beklagten erschienen ist. Dann fragt dieselbe Person, ob eine gütliche Einigung möglich ist oder ob die Parteien dies ablehnen. »Wir lehnen ab!«, verkündet Ditters wie besprochen, worauf natürlich die Gegenseite gar nicht mehr antworten muss, weil wenn einer ablehnt, dann reicht das ja schon, um sich nicht zu einigen.

Ich gucke rüber zu Annabelle und hoffe auf einen Augenkontakt, doch sie zupft nervös am Pullover. Ich drehe mich um, wage zum ersten Mal einen Blick auf Jamie Oliver. Er sieht blass aus in seinem blauen Kapuzenshirt und übermüdet, Ditters hat erzählt, dass er einen Fünf-Uhr-noch-was-Flug nehmen musste aus Stansted und stinkendsauer ist, dass er persönlich geladen wurde.

Der Vorsitzende diktiert, dass die Sach- und Rechtslage mit den Parteien erörtert wurde und eine gütliche Einigung nicht möglich ist. Dann ergreift der Richter das Wort und verliest den Beweisbeschluss: »Es soll Beweis erhoben werden über die Frage, ob die im Buch des Beklagten *30 Minuten Menüs. Genial ge-*

plant – blitzschnell gekocht enthaltenen Rezepte von Verbrauchern in einem Zeitraum von dreißig Minuten zubereitet werden können durch Inaugenscheinnahme der Zubereitung des Gerichts ›Scharfe Salamipizza mit dreierlei Salaten und Kirschdessert‹ durch den Kläger Simon Peters, wohnhaft Sülzburgstraße 138, 50937 Köln sowie durch den Beklagten selbst, Jamie Oliver, wohnhaft 15 Westland Place, London N1 7LP, Vereinigtes Königreich.«

Als ich mich traue, ein weiteres Mal in Richtung Oliver zu schauen, treffen sich unsere Blicke. Auf seinem Gesicht liegt der Ausdruck eines Mannes, der mich gerade kopfüber in einen dampfenden Topf mit einer Mischung aus Chilis verschiedener Farbe und Größe tunkt. Annabelle hat's auch bemerkt, sie hält unauffällig den Daumen hoch und lächelt.

Der Richter fährt fort: »Zur erwähnten Inaugenscheinnahme ziehen wir nun in die Küche der Gerichtskantine um. Das Ergebnis wird dann im Anschluss wieder hier im Saal erörtert werden. Ein Urteil fällt allerdings erst beim Verkündungstermin. Guten Appetit!«

Ditters muss mir beim Aufstehen helfen, zu groß sind noch die Schmerzen von unserem privaten Krav-Maga-Training. Es war Danielas Idee: entweder Strafanzeige wegen Einbruch und Freiheitsberaubung oder eben einmal noch in den israelischen Schutzanzug für alle.

Am schlimmsten wurde ich vom Zwerg vermöbelt, und das nur, weil ich angeblich einen 2006er Château Mouton Rothschild mit 98 Parker-Punkten in der Mikrowelle hochgejagt hatte. Am Abend konnte ich mich nur noch mit einer krötenartigen Schonhaltung fortbewegen mit Beinen so blau, dass Annabelle dachte, ich hätte meine Jeans noch an.

»Geht's denn oder willst du Phils Krücken?«, fragt Ditters nicht ohne Schadenfreude.

»Geht, ja ja …«, keuche ich und quäle mich zum Ausgang.

Auf dem Korridor erklärt mir Ditters, dass der Druck nicht auf mir liegt, sondern auf Oliver. Weil ich ja schon weiß, dass ich das Menü nicht in 30 Minuten hinkriege. Und wenn er es schafft, dann sei es ein Beweis, dass nur Profiköche es so schnell könnten.

»Is 'ne klassische Lose-Lose-Situation für ihn«, grinst Ditters, der ein so schlechter Anwalt dann ja eventuell doch nicht ist.

Kurz vor der Kantine bemerke ich, dass Jamie Oliver direkt neben mir geht. »I'm gonna make it in twenty minutes!«, zischt er mir zu, offensichtlich hat er auch den Tipp bekommen, mich zu provozieren.

Ich frage ihn, ob er eine Original Jamie Oliver Kitchen Machine mitgebracht hat.

»I did actually!«, grinst er siegessicher.

»And a continental adaptor for 220 Volts?«, frage ich, wobei ich das ›R‹ von ›Adaptor‹ rolle, damit es auch ordentlich deutsch klingt.

Gleich drei Anwälte in verschiedenen Farben und Größen müssen Jamie von mir wegreißen, und wenn ich es richtig verstehe, dann brüllt er irgendwas wie: »This means war!«

Es ist wirklich unfassbar: Fast siebzig Jahre ist der Krieg jetzt her, aber der Engländer kann es nicht vergessen. Vielleicht hat er aber auch einfach nur keinen Adapter dabei.

Putzig

72 Tage später

Schnell fährt sie. Schön fährt sie. Und süß fährt sie in ihrem neuen Mini, aber vielleicht finde ich das nur, weil sie irgendwie ein wenig zu konzentriert unter ihren rotblonden Locken hervorlugt, wo es doch eigentlich gar nichts zu konzentrieren gibt auf der nahezu leeren Sonntagsautobahn.

Bin froh, dass ich sie begleiten darf, obwohl das natürlich unnötig Platz wegnimmt in einem so kleinen Auto, das ohnehin vollgestopft ist mit den ganzen Sachen für den Semesterbeginn: dem Ikea-Starterpaket Geschirr und Besteck, Klamotten und dem brandneuen Lebenshilfe-Buch von Dr. Parisi.

Annabelle merkt, dass ich sie anschaue vom Beifahrersitz und schaut verunsichert zu mir rüber. »Was?«

»Du fährst süß!«, schmunzle ich, und natürlich melden sich sofort die beiden kleinen Fältchen über Annabelles Nase.

»Wie bitte fährt man denn süß?«

»Ich weiß auch nicht, das kann man gar nicht erklären, glaube ich, ist halt einfach süß, wie du fährst.«

Skeptisch dreht sich Annabelle zu mir, aber natürlich ist es auch meine Schuld, dass sie so oft dem Frieden noch nicht traut, immerhin haben wir ja so einiges hinter uns.

»Fahre ich irgendwie komisch oder … mache ich was falsch?«

»Absolut nicht, es ist halt einfach nur so, dass du süß fährst!«

Ein wenig ratlos konzentriert sich Annabelle wieder auf den Verkehr und überholt einen osteuropäischen LKW. Tack, tack, tack macht der Blinker, und wir sind wieder auf der linken Spur. Ich blicke nach draußen auf die Felder, wo die letzten Schneeflecken dahinschmelzen.

»Und du küsst putzig!«

Ruckartig richte ich mich auf. »Ich mache bitte was?«

»Du küsst putzig!«, wiederholt Annabelle, ohne mich anzuschauen, und seltsamerweise lacht sie auch nicht dabei.

»Wie bitte küsst man denn ›putzig‹? Wie ein … Teenager oder ein Beagle oder wie?«

»Ich weiß auch nicht, das kann ich gar nicht erklären, es ist halt einfach irgendwie putzig, wie du mich küsst.«

»Also … zu kindlich oder … sanft?«

»Nein, nein … überhaupt nicht. Es gefällt mir ja, aber es ist halt trotzdem irgendwie putzig.«

Irritiert schaue ich rüber zu Annabelle, doch aus ihrem Gesicht lässt sich nichts weiter ablesen. Dafür sehe ich in diesem Moment das goldene Zeichen in der Wiese, auf das ich so lange gewartet habe. »Annabelle?«

»Ja?«

»Hast du auch schon Hunger?«

»Unfassbaren Riesenhunger!«

Ich deute auf das McDrive-Schild. »Dann gäbe es in exakt fünfhundert Metern eine Möglichkeit!«

»Och nee … nicht schon wieder!«

»Bitte, Annabelle, nur einmal noch!«

Annabelle stöhnt, geht aber trotzdem vom Gas und fährt rechts in die Ausfahrt. Ein paar Minuten später geht das Fenster runter, und sie dreht sich zum Automaten.

»Einen Big Tasty Bacon mit mittleren Pommes und einen Crispy Chicken Caesar Salad bitte!«

Ich schließe die Augen und genieße.

»Cola, Fanta oder Sprite?«, fragt die Automatenstimme.

»Nichts davon, vielen Dank!«, sagt Annabelle, legt den Gang ein und schaut kurz zu mir rüber. Natürlich bemerkt sie meinen Gesichtsausdruck.

»Hab ich irgendwie … süß bestellt oder warum grinst du so?«

»Ich musste nur gerade daran denken, wie Manni die Beine weggeknickt sind bei *Schlag den Raab*.«

»Stimmt«, grinst Annabelle, »das war lustig!« Dann fährt sie weiter bis zum zweiten Fenster.

Ich kann dieses Cola-Fanta-Sprite-Ding einfach nicht oft genug hören. Zehn Prozent vom Umsatzplus! Hundert Prozent mein Geheimnis. So wie die zwanzig Prozent von meinem Freund Kosmás, weil sein »Call auf den Dow« nämlich goldrichtig war (im Gegensatz zu seiner Insider-Info) und er pleite wäre, hätte ich ihn telefonieren lassen.

Kann ja sein, dass ich putzig küsse, aber war ich jemals pleite? Also nicht, dass ich wüsste … Wie auch, wo derzeit einfach alles zu Gold wird, was ich anfasse …?

Epilog

Pressemitteilung der Kanzlei Ditters

Aktuelles Urteil zu irreführender Werbung: DITTERS verteidigt Kölner Kochbuchautor gegen wettbewerbswidriges Buch-Cover von Jamie Oliver.

Ein Kölner Kochbuchautor ist mit DITTERS erfolgreich gegen eine irreführende und damit wettbewerbswidrige Werbung des britischen Starkochs Jamie Oliver vorgegangen. Dieser hatte auf dem Cover eines seiner Kochbücher behauptet, seine Menüs seien in 30 Minuten zubereitet.

Mit Urteil vom 11. 03. 2013, Az. 24 O 111 / 10 hat das Landgericht Köln dem Gegner verboten, das irreführende Cover weiter zu verwenden, und zugleich verfügt, den Titel in »Jamies 1221-Minuten-Menüs« zu ändern.

Die Bestseller-App unseres Mandanten ist unverändert erhältlich unter dem Titel: »Zehn leckere CurryKing-Rezepte – genial gekauft, blitzschnell warmgemacht«

ENDE

Geholfen haben mir…

… mit der Story und den Figuren:

Nina Schmidt
Markus Barth
www.markus-barth.de
Volker Jarck

… mit Grafiken und Webclips:
Friedemann Meyer
www.friedemannkunst.de

… bei der Klage gegen Jamie Oliver:
Dr. Sven Dierkes
www.hoecker.eu

… beim Erforschen des Weinkellers:
Lutz Dietze, Andreas Brensing
www.koelner-weinkeller.de

… beim Erforschen der Weine:
Verena Herzog
www.weinveranstaltung.com

… mit Trulli und Lotta:
Herr Resch, Herr Ensch
www.lindenthaler-tierpark.de

… im Bunker:
Claus Röhling
www.ausweichsitz-nrw.de

… bei der Wertschätzung veganer Gerichte:
BioGourmetClub Köln
www.biogourmetclub.de

… beim »Call auf den Dow«:
Bernd Oster
www.sparkasse-koblenz.de

… bei der Abwehr von Unterwasser-Messerangriffen:
www.kravmaga.info
www.krav-maga-global.de

VIELEN DANK!
(natürlich auch an **Lutz Birkner** für das sensationelle Kopfsteinpflasterlied auf dem Hörbuch!)

Mehr Infos rund ums Buch auf www.ueberman.de

Inhalt

Nina Schmidt
Gegessen wird woanders
Roman
Band 18947

Mein Freund, mein kubanischer Seitensprung & ich – spritzige Comedy zwischen Köln und Karibik

Was machst du, wenn kurz nach dem romantischen Heiratsantrag deines Freundes dein Liebhaber der letzten Urlaubsnacht vor der Tür steht? Reinlassen? Beichten? Oder die Tür einfach wieder zuschlagen und deine beste Freundin anrufen?

Keine drei Tage nach dem ersten One-Night-Stand ihres Lebens steht Karla plötzlich zwischen zwei Männern, die unterschiedlicher nicht sein könnten, und damit vor der größten Herausforderung ihres Lebens.

»Auch ein Furz, den du unter Wasser loslässt,
kommt irgendwann mal an die Oberfläche!«
Kubanische Weisheit

»Nina Schmidt beherrscht das so schwere heitere Fach.«
Brigitte

Olaf Schubert

Wie ich die Welt retten würde, wenn ich Zeit dafür hätte

Band 18605

»Meinetwegen kann die Erde rund bleiben ...«, doch abgesehen davon herrscht für Olaf Schubert großer Handlungsbedarf. Sei es der tägliche Kampf gegen das organisierte Verbrechen, die zunehmende Umweltverschmutzung oder grassierende Epidemien: Der berühmteste Betroffenheitslyriker stellt sich den globalen Problemen und versucht, die Welt mit seinem losen Mundwerk zu retten. Wie ihm das gelingt und was das Wunder im Pullunder auf seinem beschwerlichen Weg an Abenteuern zu überstehen hat, davon erzählt er offenherzig und ohne Beschönigungen in seinem kuriosen Erlebnisbericht.

Das Zitate-Quiz

von Homer bis Simpson

Band 19541

»Die Ente bleibt draußen.«

»Verdammte Axt, ist das geil!«

»Ich bin mit der Gesamtsituation unzufrieden …«

»Palim, palim. Ich hätte gerne eine Flasche Pommes frites.«

Wer hat's gesagt, wer nicht? Das große Zitate-Quiz zum Verschenken und Mitreden, als Klolektüre oder für unterwegs! Mit einem Vorwort von Jürgen von der Lippe.

Nina Schmidt

Bis einer heult

Roman

Band 17429

Nüchtern betrachtet läuft alles ganz gut in der gemeinsamen Wohnung: Lukas pinkelt freiwillig im Sitzen, er denkt an Antonias Geburtstag und stellt benutzte Kaffeetassen in die Spülmaschine statt daneben. Doch häufen sich in letzter Zeit die Indizien, dass Antonias beste Freundin mit ihrer Theorie richtig liegt, wonach Männer sich hormonbedingt stets nach zwei Jahren entscheiden, ob sie mit ihrer Partnerin langfristig zusammen bleiben: Lukas spielt in letzter Zeit lieber mit der Playstation als mit Antonia, über »Kinder und so« will er irgendwann mal reden, Sex gibt's nur noch zweimal pro Pillenpackung. Drücken Kurzmitteilungen wie »bring toast mit« tatsächlich den gleichen Grad an Liebe aus wie »freu mich auf dich, meine süße!«? Ist es normal, dass einem der eigene Freund die Batterien aus dem Epilierer klaut, weil die in der TV-Fernbedienung leer sind? Noch bevor Antonia diese Fragen beantworten kann, zieht Lukas' Exfreundin in die Stadt, und Antonia muss so schnell wie möglich herausfinden, ob es für sie und Lukas eine Zukunft gibt oder nicht …

»Das Buch ist wie ein ›Zoch‹ durch
die Gemeinde Köln, bei dem man mit seiner besten
Freundin und viel Kölsch alle Absurditäten des Liebeslebens diskutiert. Ein großer Spaß, aber ohne Kater.«
Annette Frier

Fischer Taschenbuch Verlag

fi 17429 / 2

Ralf Husmann
Vorsicht vor Leuten
Roman
Band 18618

Jetzt bin ich so wie deine Jeans
Ich häng an dir und bin recht blau
Auch wenn du's gar nicht mehr verdienst
Bin ich dein Mann, du meine Frau.

Das Leben behandelt Lorenz Brahmkamp nicht gut – vielleicht als Quittung dafür, dass er es mit der Wahrheit nicht so genau nimmt: Seine Frau hat ihn verlassen, also schreibt er ihr Drohgedichte, bei seinen Kollegen ist er unbeliebt und tut alles dafür, dass das so bleibt. Dann trifft er auch noch auf den dubiosen Selfmade-Millionär Alexander Schönleben, und plötzlich nimmt das Leben des renitenten Sachbearbeiters aus Osthofen eine dramatische Wendung …

»Ralf Husmann – der Pate des deutschen Humors.«
Die Welt online